30
ANOS

CB000670

A MEMÓRIA ROTA

A marca FSC® é a garantia de que a madeira utilizada na fabricação do papel deste livro provém de florestas que foram gerenciadas de maneira ambientalmente correta, socialmente justa e economicamente viável, além de outras fontes de origem controlada.

ARCADIO DÍAZ-QUIÑONES

A memória rota

Ensaios de cultura e política

Tradução e organização
Pedro Meira Monteiro

COMPANHIA DAS LETRAS

Grafia atualizada segundo o Acordo Ortográfico da Língua Portuguesa de 1990, que entrou em vigor no Brasil em 2009.

Capa
Victor Burton

Foto de capa
Hay un país en el mundo. Consuelo Gotay (1996), linóleo; 22,86 x 35,56 cm.

Caderno de fotos
acomte

Preparação
Cacilda Guerra

Revisão
Huendel Viana
Carmen T. S. Costa

Dados Internacionais de Catalogação na Publicação (CIP)
(Câmara Brasileira do Livro, SP, Brasil)

Díaz-Quiñones, Arcadio
A memória rota : ensaios de cultura e política / Arcadio Díaz-Quinõnes ; tradução e organização Pedro Meira Monteiro. — 1ª ed. — São Paulo : Companhia das Letras, 2016.

ISBN 978-85-359-2716-0

1. Ensaios literários 2. Ensaios porto-riquenhos 3. Memória – Aspectos sociais – Porto Rico 4. Porto Rico – Civilização 5. Porto Rico – Política e governo – 1952-1998 I. Título.

16-02109 CDD-901

Índices para catálogo sistemático:
1. História e memória 901
2. Memória e história 901

[2016]

EDITORA SCHWARCZ S.A.
Rua Bandeira Paulista, 702, cj. 32
04532-002 — São Paulo — SP
Telefone: (11) 3707-3500
Fax: (11) 3707-3501
www.companhiadasletras.com.br
www.blogdacompanhia.com.br
facebook.com/companhiadasletras
instagram.com/companhiadasletras
twitter.com/cialetras

Para
Jeremy Adelman
Pedro Meira Monteiro
Lilia Moritz Schwarcz,
por la amistad

Sumário

Nota para esta antologia

> Agora moro aqui, numa outra ilha,
> que nem parece ilha, mas quem sou eu para dizer?
> Elizabeth Bishop, "Crusoe in England"

Começarei pelo final. Pedro Meira Monteiro generosamente selecionou, traduziu, anotou e prefaciou esta antologia. É um grande privilégio, e estou muito agradecido.

O título *A memória rota* vem de um livrinho que publiquei em Porto Rico em 1993. Mas agora se trata de outro livro, pois nesta antologia se incluem ensaios escritos em momentos diversos e se altera a "ordem" cronológica em que apareceram. O desejo — e a esperança — do organizador, que são meus também, é que este livro possa contribuir para ampliar o diálogo com os leitores brasileiros. Compartilhamos a convicção de que o estudo do Caribe e de suas diásporas — cultural e linguisticamente tão complexas — se enriquece com o diálogo sobre a cultura e a história do Brasil, sem esquecer que o "Brasil" foi também imaginado como ilha. As conexões históricas entre mundos marcados pelos impérios europeus, pela escravidão, por complexas experiências de fronteira, e por migrações sucessivas, merecem uma consideração mais atenta.

O já extenso diálogo que tenho entretido com Lilia Moritz Schwarcz e Pedro Meira Monteiro em Princeton, e sua escuta tão atenta, assim como as agudas perguntas formuladas por Matheus Gato de Jesus e Fábio Nogueira de Oliveira na entrevista que faz parte deste livro, me fizeram ver quão estimulantes são essas novas conversas, e também como vão mudando os leitores que imaginamos. Por outro lado, já são várias as gerações de estudiosos que realizaram — partindo de outras perguntas e correntes, teóricas e políticas — novos e importantes trabalhos sobre os temas de que trato em meus ensaios. Além disso, o trabalho admirável de organização e tradução para o espanhol de textos canônicos e novos da cultura brasileira, que Florencia Garramuño e outros deslancharam na Argentina, foi criando novos espaços de leitura. Toda essa rede estimulou uma conversa que nos inclui.

Para o olhar que vem das ilhas, o tamanho do Brasil é avassalador. Mas a extensão territorial, decisiva, não explica tudo. Disse-o muito bem Kafka: "A memória de uma nação pequena não é menor que a de uma nação grande" (*Diários*, 25 de dezembro de 1911). Por outro lado, nossa conversa deixa imediatamente a descoberto uma sensação de estranheza devida às diferenças políticas, culturais e, de fato, geográficas, entre o Brasil, o Caribe insular e o litoral venezuelano, colombiano e centro-americano. No centro das diferenças se encontram os idiomas, os matizes da fala e os múltiplos circuitos orais. Para os que não falamos português — e o lamento tanto — a tradução é indispensável. Agradeço, pois, a Pedro Meira Monteiro seu interesse em trasladar estes textos a novos horizontes, e por situá-los *fora de lugar*.

Esta antologia me levou a pensar de novo nos *beginnings*, os inícios. Enquanto relia os ensaios, não deixei de lembrar a gravura em linóleo da artista porto-riquenha Consuelo Gotay, *El Arca de Noé* (1974), que me acompanha há décadas. Lembro-me muito bem quando, na cidade de Río Piedras, líamos Luis Palés Matos, um desses poetas que transformam nosso olhar e a própria ideia da poesia. Nos poemas líricos e satíricos de Palés aprendi uma maneira de olhar e escutar a história e a cultura. Sua poesia inspirou também a bonita imagem da Arca criada por Gotay. Na Arca se condensa uma misteriosa utopia, aberta ao porvir. Anos depois, me pareceu muito sedutora a forma como a poeta Susan Stewart lia esse poderoso relato: "A coleção arquetípica é a Arca de Noé, um mundo representativo, mas que apaga seu contexto de origem. O mundo da arca não é um mundo de nostalgia, mas de antecipação" (*On Longing*, p. 152). A gravura de Gotay honra essa citação.

Agora, à distância, a releitura dos ensaios incluídos neste volume me leva a pensar também em até que ponto o que vamos elaborando é um permanente *work in progress*, sem cortes completos. Nestes ensaios se repetem alguns motivos: as relações entre a literatura e a experiência histórica; as guerras reais e simbólicas entre impérios; e as políticas da memória. Há outros fios: as ilhas e os naufrágios no imaginário literário e político; e o lugar da literatura na história intelectual. E, sempre, as indagações sobre as palavras nas quais nos reconhecemos. Refiro-me às *keywords*, às formas como essas palavras atuam sobre a sociedade, às realidades que elas revelam ou encobrem, e à carga afetiva que possuem.

A fascinação exercida pelos escritores que vamos lendo "fora de contexto" leva a uma conversa mais ampla. No trabalho comparativo entre o Brasil e o Caribe, pode ser produtivo explorar imaginários gerados por marcas ideológicas similares, pelas relações raciais ou pelos modos de ser de uma classe social. Mas não se trata de sair em busca da própria imagem no espelho. Pelo contrário, às vezes é preciso pensar no Brasil em contraponto, como fez com grande agudeza o historiador Jeremy Adelman em seu livro *Sovereignty and Revolution in the Iberian Atlantic* (2006). Contraponto também é o que vemos no relato de viagem ao Brasil do exilado porto-riquenho Eugenio María de Hostos, um cativante texto de 1874 que aguarda uma leitura minuciosa. Deve ter sido uma das primeiras crônicas sobre o Brasil escrita por um autor caribenho. Ainda não foi traduzida para o português, e penso que em Porto Rico foi lida por um círculo reduzido. Nesse texto, o autobiográfico vai se intercalando às passagens descritivas, e as divergências que Hostos registra adquirem uma ressonância especial. Algo parecido ocorreu depois nos textos de Elizabeth Bishop inspirados pela sua experiência brasileira. Foi iluminador ler juntos a poeta norte-americana e o intelectual porto-riquenho num curso que ensinei com Pedro Meira Monteiro em 2014, em Princeton.

Falávamos antes de *beginnings*, mas é difícil começar pelo princípio, porque minha iniciação no estudo da literatura brasileira foi muito precária. Nos meus anos de estudante universitário em Porto Rico e na Espanha tive professoras e professores inesquecíveis. Mas o Brasil era uma nebulosa. Daquela época — finais dos anos 1950 a meados dos 1960 — me vêm à memória apenas alguns textos de Jorge Amado e umas tantas referências a Gilberto Freyre e a Machado de Assis nos livros do intelectual dominicano Pedro Henríquez Ureña, *Las corrientes literarias en la América hispánica* (1949) e a *Historia de la cultura en la América hispánica* (1947), fundamentais na nossa formação. Recordo as traduções para o espanhol de *La interpretación del Brasil* de Freyre e *Raíces del Brasil* de Sérgio Buarque de Holanda, livros também difundidos em Porto Rico pela prestigiosa editora mexicana Fondo de Cultura Económica. Mas não lembro que os textos de Freyre ou

Holanda tenham suscitado uma discussão a fundo. Creio que em nossa leitura — no contexto do desenvolvimentismo e da "descolonização" que Porto Rico, segundo se dizia, já havia alcançado — seu maior atrativo era a metáfora das "raízes" e a possibilidade de nos sentirmos herdeiros da transformação americana dos impérios ibéricos. Circulavam também outros autores brasileiros em traduções para o inglês, entre elas as de Harriet de Onís, que morava em Porto Rico com o professor Federico de Onís. Dada essa escassa formação, não deixei de ser um principiante. Mas, como se sabe, estar sempre começando proporciona uma vantagem: a liberdade para levantar perguntas básicas e inclusive ingênuas. Na verdade, a "memória rota" do arquipélago tinha nos preparado para isso. O desconhecimento recíproco entre as ilhas do Caribe — desagregadas por poderes imperiais que disputavam a hegemonia, e pelas ideias de "nação" e "Estado" como universos fechados — é também enorme.

Meu interesse pelo Brasil foi crescendo num, digamos assim, "segundo momento", em contexto muito distinto. Refiro-me ao final dos anos 1960 e durante os 1970, graças a uma rede de amigos, escritores e artistas, de leituras um tanto desordenadas, e de discussões no Centro de Estudios de la Realidad Puertorriqueña (Cerep). Não posso descrever aqui a intensa transformação do campo intelectual porto-riquenho durante os anos da Guerra do Vietnã — para a qual os porto-riquenhos foram mobilizados militarmente de forma massiva. Esse contexto foi moldado profundamente pela Revolução Cubana e pelo Movimento dos Direitos Civis nos Estados Unidos, pelo Concílio Vaticano II, e pelas repercussões das ditaduras militares na América Latina. Minhas recordações dessa época evocam muitas discussões sobre os novos marxismos e sobre novas maneiras de pensar as relações entre cultura e classes sociais. Dentro desse horizonte o Brasil estava continuamente presente: nas vozes e na música de Chico Buarque, Caetano Veloso e Maria Bethânia, na potência do cinema de Glauber Rocha, no pensamento de Paulo Freire e de Helder Câmara.

Permito-me uma pequena digressão: nessa mesma época li *Tristes Tropiques* de Lévi-Strauss. Me impressionou muito a forma como o etnólogo falava de si mesmo nos capítulos preliminares: sua passagem pelas Antilhas no meio da guerra, nadando até a margem como um náufrago. Mas havia ao mesmo tempo um aspecto de Lévi-Strauss que me perturbava: o Caribe aparecia na penumbra, e Porto Rico figurava equivocamente, sempre um pouco de viés, só como ponto de acesso aos Estados Unidos. Não foi até muito depois, graças à visão antropológica de Lilia Moritz Schwarcz numa aula em Princeton, que obtive uma imagem mais rica e complexa de Lévi-Strauss e de seu livro. Naquele mesmo curso, ministrado por Pedro Meira Monteiro, escutei as brilhantes exposições de André Botelho sobre Mário de Andrade e Guimarães Rosa.

Voltando aos anos 1970, devo mencionar Ángel Rama. Sua breve mas fecunda presença em Porto Rico, e sua insistência em incluir o Brasil e o Caribe na perspectiva do "latino-americano", influenciaram os que iniciávamos a vida literária e a crítica acadêmica. Rama falava com admiração de Antonio Candido e da originalidade e riqueza de seu uso do conceito de *formação* para interrogar a constituição da literatura nacional. Li outros ensaios de Candido, como "Literatura e subdesenvolvimento", com temas plenamente relevantes para o estudo das culturas e literaturas caribenhas. Mas algo sempre escapa do marco do "latino-americano", por mais que ele tente ser unificador. Naqueles anos, as sociedades do Caribe — com a exceção talvez de Cuba — eram pouco e superficialmente conhecidas. Tudo se complicava, é preciso dizê-lo, porque no início dos anos 1970 era notável a intensidade de uma nova cultura diaspórica porto-riquenha, um complexo movimento de identificação *nuyorican*, com intervenções em inglês e espanhol, e cruzamentos entre as duas línguas, que exigiam olhos e ouvidos sempre abertos. A história — e o próprio idioma — era um campo de batalha, e a diáspora, um lugar crucial de produção intelectual. Pertencíamos, os porto-riquenhos, à "América Latina"?

Um pouco mais tarde, quando já era professor em Princeton, conheci pessoalmente estudiosos que possuíam um saber profundo sobre a cultura brasileira. Refiro-me a James Irby, Stanley Stein, Albert Hirschman e Jeremy Adelman, amigos que nos acompanhavam e por quem sinto enorme apreço. Eles me permitiram uma aprendizagem tardia. Escutando e lendo-os, descobri autores e livros, e tentei preencher algumas de minhas lacunas, o que serviu para interrogar de outro modo alguns textos caribenhos. Além disso, a visita de Roberto Schwarz a Princeton, nos anos 1980, foi absolutamente memorável. Com Schwarz não apenas aprendi muito da arte da ficção em Machado de Assis, como também pude ver a profundidade de uma crítica marxista atenta à forma e ao histórico-social como parte do estético. Os debates suscitados por seus extraordinários ensaios "As ideias fora do lugar" e "Nacional por subtração" foram um estímulo para repensar a história intelectual insular. Permitiram que eu me aproximasse de outra maneira de escritores como Salvador Brau e José Martí. As conversas com Schwarz me animaram a fazer minha primeira viagem ao Brasil, em 1987, uma breve passagem pelo Rio de Janeiro e alguns dias em São Paulo.

Naquela época eu havia me proposto a estudar a história da escravidão e do preconceito racial — ou sua tenaz negação — nos discursos dominantes caribenhos. As lições aprendidas com escritores como Julia de Burgos, Frantz Fanon, C. L. R. James, José Luis González, Derek Walcott, Édouard Glissant, Luis Rafael Sánchez, Rosario Ferré, Antonio Benítez Rojo, Jamaica Kincaid e Junot Díaz me fizeram ver que a história do Caribe deve ser, como sugeria Glissant, necessariamente "descoberta". Ao mesmo tempo, era uma delícia praticar deliberadamente o *trespassing* postulado, com não pouca ironia, por Albert Hirschman, metendo-me indisciplinadamente em disciplinas alheias. Entre meus livros prediletos se encontravam os de Gordon Lewis, Sidney Mintz e Manuel Moreno Fraginals, que remetiam a um espaço mais amplo — além, é claro, de *Vassouras*, de Stanley Stein. Anos depois, foi um prazer participar do redescobrimento dos *jongos* na homenagem a Stein organizada por Pedro Meira Monteiro e Michael Stone, em *Cangoma Calling* (2013).

O trauma da escravidão, e também a fuga: interessou-me muitíssimo o livro *Maroon Societies*, organizado por Richard Price, com pequenas histórias em meio à grande história. Os estudos ali reunidos evocavam relações múltiplas entre o Caribe e o Brasil, o México, as Guianas e os Estados Unidos. Ao mesmo tempo, eu lia os apaixonantes estudos de Edward Said, Gayatri Spivak, Natalie Davis, Carlo Ginzburg, Homi Bhabha, Michel Rolph-Trouillot, Rebecca Scott, Stuart Schwartz, Rolena Adorno, Serge Gruzinski e Dipesh Chakrabarty; todos eles, de maneira distinta, incitavam a contar a história *a partir* do mundo colonial e a mostrar que o que aparentemente é secundário pode ser o essencial. Nos anos 1990, enquanto estudava a trajetória de intelectuais como o cubano Fernando Ortiz, foram iluminadoras as conferências em Princeton do historiador João José Reis sobre a escravidão na Bahia. Mais tarde, conheci Roberto Ventura num simpósio em Berlim, e ele compartilhou generosamente seu saber sobre Nina Rodrigues e Euclides da Cunha. Esses intercâmbios me ajudaram a precisar uma série de interrogações e a esboçar um marco mais amplo para o estudo das tradições intelectuais caribenhas.

Eu gostaria de acreditar que não há passos perdidos nos caminhos que traçamos. Em Princeton, alguns aspectos da política e da cultura brasileiras ganhavam cada vez mais presença. Especialmente relevante foi escutar, em 1993, Luiz Inácio Lula da Silva, em diálogo agudo e inventivo com outros políticos latino-americanos "presidenciáveis", filiados a organizações de esquerda. Lula, então "candidato derrotado", já era uma referência iniludível das novas esquerdas. Recordo com nitidez aquele evento, organizado por Jorge Castañeda quando eu era diretor do Programa de Estudos Latino-Americanos de Princeton. Eram anos que marcavam o fim de uma época, cheios de esperança pelas buscas de novos caminhos democráticos, mas também de luta contra os dogmas neoliberais. Ao mesmo tempo, davam-se batalhas por uma nova história que se opusesse aos dogmas imperiais da Guerra Fria, que em Porto Rico tinham produzido uma forte repressão estatal. Naqueles dias, eu também lia os ensaios apaixonantes de Cornel West sobre as tradições proféticas e os textos de Toni Morrison e sua distinção entre o *unspeakable* (o que não se pode falar) e o *unspoken* (o que não se fala). Foi então que publiquei *La memoria rota*, no qual se encontra o ensaio que dá título àquele livro e também a esta antologia.

Igualmente importante para mim foram as visitas de João Moreira Salles, Alfredo Bosi e José Miguel Wisnik a Princeton. A obra e as palestras de Salles — como convidado do Festival de Documentários organizado por Ricardo Piglia e Andrés Di Tella desde 2000 — permitiram que eu me aproximasse, por meio de outra perspectiva, das relações entre memória e história. Especialmente pelo seu documentário *Santiago*, sobre o mordomo da casa da família, que vive entrincheirado numa muralha de papéis, em suas Histórias e vidas imaginárias, e na sua língua híbrida. O que mais me impactou foi, para dizê-lo rapidamente, a forma com que o cineasta, ao refletir sobre sua prática e sua própria classe social, admite a assimetria da relação com o sujeito "documentado" e a verdade que lhe escapa. Em alguns de meus cursos estudamos *Santiago* junto às ficções da escritora porto-riquenha Rosario Ferré com o objetivo de explorar como o narrador "antropólogo" pode chegar a converter-se em "nativo", e a pessoa, em personagem. De outro lado, com a leitura dos ensaios de Alfredo Bosi, e sua visita a Princeton, descobri afinidades eletivas profundas. Primeiro, seu clássico *O ser e o tempo da poesia*: título que condensa sua paixão pela poesia e a atenção que presta a sua complexa historicidade. Fascinaram-me além disso o papel que têm a literatura — em diversos gêneros e tempos — e a contínua indagação sobre as palavras, bem como sua forma de entender a "dialética", na larga e erudita reflexão sobre a *Dialética da colonização*, que li em sua tradução espanhola. Senti uma afinidade parecida com José Miguel Wisnik. Admiro a intensidade intelectual de sua reflexão crítica, entre a música e o ensaio, e entre a literatura e a psicanálise. Seus ensaios iluminam poderosamente as formas como se relacionam a poética e a política, e suas hipóteses em torno da pedagogia do corpo, do jogo e dos registros da voz são também relevantes para os debates culturais caribenhos.

Esses diálogos felizmente continuaram, graças aos cursos e seminários organizados no Brasil e em Princeton nos últimos dez anos por João Biehl, Bruno Carvalho e Pedro Meira Monteiro. Um dos focos decisivos para pensar juntos novas formas de olhar e entender o Caribe e o Brasil foi para mim a oportunidade brindada pelo simpósio "Mulatos em três tempos", que aconteceu em Princeton, em 2010. Na ocasião, as análises inovadoras e inspiradoras de Bruno Carvalho, Lilia Moritz Schwarcz, Alexandra Vázquez e José Miguel Wisnik me levaram a retomar o fio dos argumentos sobre raça e cultura, cujos bastidores seguem tão obscuros, e ir mais longe. A exploração da história intelectual e literária, filtrada e renovada por outras formas de olhar criticamente imagens e fotografias, e de escutar a música, continuou no Brasil, em 2011. Ali teve lugar um diálogo comparativo muito rico e amplo, e pude transitar por outros territórios graças à cálida hospitalidade e às contribuições inestimáveis dos colegas da Universidade de São Paulo, e muito especialmente de Lilia Moritz Schwarcz e Elide Rugai Bastos, bem como de Nadya e Antonio Sérgio Guimarães. Penso que esses diálogos — nas pistas que surgiram, nos novos marcos teóricos e históricos, e na forma mesma de debater — assentaram as bases para um enfoque comparativo entre o Caribe e o Brasil, e para a revalorização de uma história compartilhada mais atenta aos lugares e tempos específicos, aos atores, a suas linguagens e seus tons, à força do imaginário, aos fins e aos princípios.

Fruto dessas generosas conversas é esta antologia, que tenta ser outra forma de continuá-las. A todos os interlocutores brasileiros, vai meu mais profundo agradecimento.

Arcadio Díaz-Quiñones
Princeton, setembro de 2015

Introdução

A arte de furtar-se

Pedro Meira Monteiro

Comecemos pelas ilhas e pelas palavras.

Crítico da cultura e da política em espaços periféricos, Arcadio Díaz-Quiñones nasceu em Porto Rico e vive nos Estados Unidos, onde escreve e ensina há mais de trinta anos. Como para muitos de seus compatriotas, a diáspora é para ele condição de existência, modulada pelas circunstâncias da vida: a um só tempo cidadão norte-americano e porto-riquenho de origem, posicionado no centro da vida acadêmica, mas olhando além dela.

O Caribe, onde é muito forte a marca do colonialismo, é insular não apenas no sentido geográfico. Suas ilhas, entregues por vários séculos à gula dos impérios, tiveram fronteiras instáveis e até hoje possuem limites tênues, tanto no plano linguístico quanto no identitário. São lugares de passagem e transição, onde tudo termina sendo mais fluido, inclusive as categorias e as palavras usadas para explicar a vida em sociedade. Trata-se de um espaço que parece se desbordar continuamente. Para um país como o Brasil, cujo sonho de autossuficiência é tão persistente, se não mesmo asfixiante, talvez haja muito que aprender com esse transbordamento que as ilhas e suas palavras ensinam a ver. Mas antes é preciso traduzir uma realidade à outra, colocando-as em contato.

Contudo, a tradução empaca, logo no início, diante de uma palavra original. O primeiro capítulo deste livro, "De como e quando *bregar*", traz no título um enigma. Como traduzir o verbo "*bregar*", amplamente utilizado entre porto-riquenhos — dentro e fora da ilha — e presente em algumas outras áreas hispanófonas do Caribe? Quem *brega* não é um briguento, apesar da origem vocabular comum. Sabe *bregar* aquele que consegue lidar delicadamente com uma situação difícil, evitando a dureza do confronto definitivo e desviando-se da frieza das relações burocráticas. "*Estoy bregando*" significa que vou lidando como posso, tão humanamente quanto possível, com uma situação mais ou menos adversa. Numa de suas primeiras e sempre provisórias definições, "a arte de *bregar*" é, segundo o autor, "um método difuso e sem alarde para navegar a vida cotidiana, onde tudo é extremamente precário, cambiante ou violento". *Sem alarde*: navegação sinuosa, às vezes silenciosa e humilde, sempre alerta, frequentemente lépida e solerte, mas nunca definitiva.

A *brega* pode ser séria, embora nunca seja pesada. Quem *brega* (pronuncia-se "brēga", com o "e" fechado) sabe estar jogando com um adversário mais forte: o poder, as instituições, o preconceito, o racismo, as barreiras de gênero, a própria linguagem. Em português, poderíamos dizer que somente *brega* aquele — ou aquela — que brinca com o perigo, porque conhece a força do inimigo e sabe que só pode dobrá-lo à custa de gestos muitas vezes ambíguos, cujo sentido é resvaladiço. Quem *brega* não quebra as estruturas nem rompe o tecido social, mas aprende a respirar, numa navegação complexa e arriscada.[1]

Como verbo, *bregar* pode ser transitivo (*brega*-se *com* algo) ou intransitivo (vou *bregando*). Como substantivo e conceito, a *brega* tem a ver com amoldar-se, adaptar-se e encontrar espaço para a ação livre, num vaivém que é também uma negociação surda. Como lemos na entrevista que se encontra ao final deste livro, ela é "o contrário da guerra aberta". Seu fundamento são as palavras e os gestos capazes de ensejar movimentos sutis, resistentes ao desenho claro e definido do ato heroico. A *brega* é uma gesta do cotidiano, a "arte do não épico". Neste mundo de heróis desconhecidos e pouco estridentes, a força do sujeito só pode residir num realismo tácito e digno. "Perdida a dignidade, a *brega* fracassou", ouve-se ainda, na mesma entrevista.

Mas o realismo, nesse caso, não se resume à passividade ou à desistência de mudar o mundo, embora se identifique mais com a arte abnegada dos reformadores que com a sanha destemida dos revolucionários. Como crítico caribenho e intelectual latino-americano engajado, o autor deste livro dialoga com as tradições de esquerda ao longo do século XX, com o imperialismo norte-americano, com o materialismo e o arrivismo da sociedade capitalista, brigando (ou *bregando*) com as identidades fixas e as interpretações canônicas da história nacional nos marcos colonial e pós-colonial. Contrapondo-se a uma noção rígida e empobrecedora da política, procura descobrir o lugar onde o sujeito se revela, entre o arrebatamento da ação extrema e a batalha miúda do cotidiano. Mas que luta instável e delicada será essa, expressa na "arte de *bregar*"?

O leitor já terá notado que, conquanto dotado de suas singularidades, o contexto que produziu o verbo *bregar* pode estar próximo do Brasil. A ideia de uma cultura política que depende dos desvios, do jogo permanente com os sentidos, bem como da capacidade de se amoldar, nos aproxima de algumas das mais insistentes fantasias sobre um estilo nacional brasileiro, o qual se projetaria na soltura alegre das curvas, mais que na chata rigidez das retas. Tais fantasias, que deitam raízes em Gilberto Freyre (embora no contexto cubano pudéssemos pensar num antropólogo da envergadura de Fernando Ortiz), podem ser enganosas, ao sugerir que o crítico cultural estaria em busca de uma essência, ou de um caráter, que a colonização portuguesa teria legado ao Brasil, e que a vida em colônia teria cuidado de amaciar, no doce amálgama da sociedade escravista. No entanto, nada mais contrário à *brega* que essa grande idealização de uma civilização dos trópicos.

Se fosse preciso reduzir tudo a uma fórmula, poderíamos dizer que a *brega* é capaz de injetar, naquele desenho edulcorado da civilização tropical — tendo a experiência colonial e escravista em seu âmago —, nada menos que a *política*. No traçado sinuoso da *brega* não está apenas a experiência de um sujeito maleável e dócil. A arte de *bregar* é também a possibilidade do ataque e da defesa, bem como da precisão e da sabedoria iletrada ou semiletrada: o sujeito se dobra para não quebrar, mas regressa sempre ao círculo da luta, tão forte e digno quanto possível. Seu império é instantâneo e pode desaparecer a qualquer momento, como se o indivíduo fugisse do golpe fatal para manter-se em pé, num baile incessante com o poder e a morte. Seus gestos, ademais, têm no grupo e na comunidade sua régua e seu compasso. A *brega*, aprendemos neste livro cheio de vozes e de música, é também uma arte da fuga.[2]

Para traduzir a "proteica palavra", como a chama Arcadio Díaz-Quiñones, pensei, durante muito tempo, que a solução seria jogar com o título de uma obra polêmica da tradição colonial luso-brasileira, *A arte de furtar*, a que eu adicionaria um pronome reflexivo, chegando a uma fórmula feliz: "a arte de furtar-se". Contudo, para além da menção erudita, que se casava mal ao espírito leve da arte de *bregar* (afinal, quem conhece *A arte de furtar*, nos dias de hoje?), havia um problema conceitual na tradução. A questão é que a *brega* não é apenas evasiva, nem exclusivamente defensiva. Um sujeito que "se furta" está *evitando* a luta, enquanto o sujeito da *brega* é um lutador constante, ainda que reconheça a necessidade imperiosa de recuar. Na verdade, sua autonomia é tão mais forte quanto mais ele — ou *ela*, insista-se — consiga intuir o momento de retirar-se de campo, quando não há mais nada a ganhar. Há uma dignidade extrema em saber quando e como sair. Mas sair, nesse caso, não significa furtar-se à política.

Numa batalha diária em que os marcadores étnicos, de gênero e classe social são para valer, o sujeito da *brega* está de olho na recompensa de permanecer vivo, mais que na promessa abstrata da glória, ou na fantasia enganosa da vitória definitiva. A vida, claramente, é sua aposta mais alta. Se não se trata de um anti-herói, tampouco estamos diante da vítima a ser imolada no altar da coletividade, para salvação de todos. Sua luta tem a ver com a preservação, não com a entrega do corpo a uma causa superior. A tortura, o terror, a ditadura, a luta armada, a política e a religião são pontos de fuga na investigação histórica e cultural deste livro, que é também — para retomar a metáfora polifônica — uma invenção a várias vozes.

Que outras expressões evocariam, em português, a arte de *bregar*? Conversando com o autor, fascinou-o um vocábulo: a *ginga*. Mas como utilizar o léxico da capoeira, se ele sem querer carrega um pouco da ideologia do Estado Novo (1937-45)? Como arte popular afro-brasileira, a capoeira não engrossou as políticas culturais do período? Uma "arte da ginga" acabaria por evocar um "jeito" (outra palavra cheia de complicações) que correria o risco de apontar para uma característica essencial, mais que para uma estratégia cambiante e efetiva de liberação. Como trabalhar entre o dito e o não dito dessas expressões? Como evitar um vocabulário ideologicamente carregado?

Buscando outras metáforas e conversando com outras pessoas, aprendi mais sobre a fluidez da significação. Deveríamos então arriscar uma metáfora marinha, evocando as artimanhas da navegação em águas tempestuosas? Ou a *brega* seria algo como uma esquiva no boxe?[3] E as metáforas do futebol, quão úteis seriam? Estaríamos diante de uma "arte de driblar"? Mas o que significa contornar os obstáculos? Driblar é simplesmente uma maneira de escapar, ou é a forma mais inteligente de enfrentar um adversário poderoso? A *brega* não tem a ver também com o avanço por um território ainda não mapeado? Que sabedoria é essa, mergulhada na contingência do instante, arisca e resistente ao planejamento? Onde estão os vetores da política, e como se resguarda a subjetividade, quando se pensa num sujeito capaz de *bregar*? Estaríamos diante de outro "conceito do político"?

São todas questões em aberto, a que este livro responde com novas questões, e com uma miríade de referências que hão de surpreender o leitor brasileiro, pois algumas lhe serão familiares, enquanto outras serão completamente novas. Ainda assim, mesmo o quadro teórico mais familiar ganha um giro e uma velocidade inéditos, ao incidir sobre espaços tão porosos como as ilhas do Caribe, ou mesmo sobre Nova York e as grandes cidades da diáspora caribenha. De uma forma ou outra, voltando ao título do ensaio, o tradutor baixou a guarda e a expressão acabou ficando mesmo em espanhol, em itálico: a arte de *bregar*.

O segundo capítulo deste livro, "Hispanismo e guerra", traz uma longa e bem informada reflexão sobre o poder das palavras num contexto imperial. O que significa dizer "hispânico" ou "hispano-americano", e que dimensão ganham os nomes e as identificações no momento da disputa pelas colônias? Nomear já é fazer política. Evocando a reflexão de Edward Said sobre os "inícios" (*beginnings*), Arcadio Díaz-Quiñones explora o instante em que, durante a guerra de 1898 entre a Espanha e os Estados Unidos — quando Cuba e Porto Rico passariam à esfera de influência norte-americana, assim como acontecia com as Filipinas, no Pacífico —, a perda das colônias enseja a produção intensa de imagens e histórias que muitas vezes querem legitimar a conexão que se perdia com o Império Espanhol.

A *Historia de la poesía hispano-americana* de Marcelino Menéndez Pelayo (1856-1912), produzida justamente no momento em que a Espanha perdia suas possessões no Caribe, é o eixo em torno do qual gira a atenção do crítico, interessado em ver como se constroem os princípios de uma disciplina — o "hispanismo", que dá título ao ensaio — e de todo um campo do saber que vê o hispano-americano como caudatário de um centro irradiante de cultura, localizado necessariamente na Europa. Mais que ignorar a produção local americana, tratava-se de incorporá-la numa fala autorizada, capturando as obras "hispano-americanas" numa rede discursiva que as remetia à sua origem "hispânica", peninsular. Na impossibilidade de vencer o poderio bélico e imperial norte-americano, construía-se um império simbólico: o da língua e da literatura "hispânicas", que compensava a perda dos territórios antes submetidos ao poder espanhol.

O Brasil nunca se viu tão claramente — ou tão dramaticamente — jogado entre impérios como o Caribe. No seu período propriamente moderno, quando a ideia da "nação" já fazia sentido — no século XIX, portanto —, o país teceu um discurso nacional a partir da recusa simbólica das origens europeias, especificamente portuguesas, que iria da idealização do autóctone pelos românticos à construção bem-humorada das coisas "brasileiras" pelos modernistas, já bem entrado o século XX. O caso do Caribe é diverso, porque se trata de um espaço em litígio militar. Interessa então compreender como a cultura reage à guerra, adaptando-se, recriando e sustentando poderes internos e externos, num complexo e delicado jogo em que as línguas, os nomes e as imagens estão em constante negociação, e quando o mundo letrado se vê confrontado com outros mundos, ora fascinantes, ora perturbadores. Este livro é também sobre a interface entre práticas artísticas de elite e populares, sobre espaços intermédios onde sujeitos históricos, classes sociais e etnias estão em diálogo, em meio a uma batalha simbólica incessante em que a imaginação nacional é sempre, inevitavelmente, insuficiente.

Milhares de relatos se produzem, dando forma e sentido à história, mas também reservando lugares específicos a cada um. O legado escravista, o racismo, os preconceitos de toda ordem ativam uma máquina de contar histórias que produz heróis e traidores, representantes legítimos e ilegítimos, bons e maus escritores, culturas mais ou menos autorizadas, deixando na sombra quem não interessa, criando zonas de silêncio que o crítico esquadrinha e traz à luz. Para tanto, é preciso compreender como se constroem os inícios, ou seja, como se conta uma história. A guerra entre impérios exige que se comece de novo a história, que ela seja contada de outra forma, num momento em que é preciso recomeçar mais uma vez, inclusive no plano da linguagem. A intensidade e a velocidade desses recomeços, ou desses "inícios" que nunca cessam de produzir-se, podem ser inéditas para um estudioso do Brasil.

O terceiro capítulo, "A guerra simbólica: 1898", dialoga com o ensaio anterior e lhe dá concretude, porque se detém nas imagens que a guerra entre os Estados Unidos e a Espanha produziu. Um conjunto impressionante de fotografias e imagens, recolhidas junto a coleções privadas e públicas, bem como em publicações hoje esquecidas, permite entender como se imaginava o espaço colonial, e como se enquadravam nele as pessoas que o habitavam, assim como as que vinham como soldados e — tão pronto a paisagem serenasse — como turistas e negociantes. "Decifrar, comentar, reproduzir são formas de posse: é parte da larga experiência colonial", como se verá.

A proximidade entre o mundo midiático e o poder, entre a propaganda e a política de Estado, assim como a circulação das notícias e a produção simbólica do espaço, faz pensar, é claro, também nos nossos dias. Se a televisão, o rádio e a internet não eram ainda presentes, a transmissão de imagens em livros, panfletos, cartões-postais e publicações oficiais ou semioficiais era intensa, acompanhando e dando forma aos relatos que se produziam, a partir da entrada em cena de um novo império, isto é, os Estados Unidos, com sua sempre ambígua defesa do espaço "americano". Mas tudo aquilo que já existia nas ilhas devia entrar em algum tipo de consonância com as expectativas e os gostos de quem chegava — ou de quem *invadia*, dependendo do ponto de vista.

Como no caso da descoberta do Novo Mundo, que começara séculos antes justamente naquela área do Caribe, tratava-se agora, na virada do século XIX para o XX, da invenção de um outro mundo novo, em que a dominação imperial moderna ganharia as mais sofisticadas formulações. Diante dessa imaginação renovada da paisagem social e natural — que é também uma forma de recomeçar a contar a história — surgem novas disputas, num espaço jogado entre os interesses humanitários e comerciais, científicos e bélicos. Várias das imagens então criadas parecerão estranhamente familiares a nós. Afinal, gostemos ou não, somos os herdeiros das guerras coloniais, praticantes e consumidores de formas de turismo e conhecimento que têm, em sua raiz histórica, a dominação e o conflito, o apagamento de velhas histórias e a construção de novas. "A guerra não terminou" é a conclusão desconcertante a que somos levados.

O quarto capítulo, "Espiritismo e transculturação: Fernando Ortiz e Allan Kardec", parte também de uma reconsideração dos "princípios", ou dos *beginnings*, que dão coerência e significado à história. Nesse caso, como nas melhores histórias dos intelectuais, o crítico revisita os inícios de um pensamento: o do antropólogo cubano Fernando Ortiz (1881-1969), autor do famoso *Contra-*

punteo cubano del tabaco y el azúcar (1940), no qual é utilizado o termo "transculturação", que teve especial penetração teórica no universo acadêmico latino-americano e caribenho, ganhando as mais variadas formulações contemporâneas.[4]

Como alternativa à ideia então prevalecente de "aculturação", que pressupunha a perda dos traços culturais originais no caso da diáspora — e é principalmente a diáspora africana que estava em causa —, a ideia de "transculturação" oferecia um novo e sedutor balanço entre o "ajuste e reajuste" dos povos "transplantados a um Novo Mundo", expostos a um "imenso amestiçamento de raças e culturas".[5] Tratava-se de um modelo mais fluido, um "toma lá dá cá" que marcava "um processo no qual ambas as partes da equação terminam modificadas", nas palavras celebratórias de Malinowski, na sua introdução ao livro de Fernando Ortiz.[6]

No entanto, os "inícios" servem, no caso do pensamento de Ortiz, para revelar uma história pouco ou nada estudada. É como se ao crítico coubesse sempre reinscrever os inícios em tramas alternativas, incorporando novas peças à história até ali contada. Em sua juventude, como revela Díaz-Quiñones, o futuro autor do *Contrapunteo cubano del tabaco y el azúcar* mesclava saberes diversos em torno de dois grandes eixos, que o levariam à ideia da transculturação: a criminologia e o espiritismo.

A mistura é inusitada, e pode soar estranha aos ouvidos de hoje. Mas é fato que os primeiros estudos antropológicos de Ortiz trazem uma forte marca da criminologia italiana. Seu foco inicial é a "*hampa afrocubana*" (a malta afro-cubana) e o estudo das religiões de origem africana em Cuba, que ele associa às taxas de crime, publicando seus primeiros achados na revista de Lombroso, *Archivio di Psichiatria, Neuropatologia, Antropologia Criminale e Medicina Legale*, um dos grandes esteios do classismo e do racismo inclementes do saber médico moderno, em sua aurora. A interpretação canônica do pensamento de Ortiz, ficamos sabendo, pauta-se pela sua passagem da criminologia ao paradigma da transculturação. Mas o que está de permeio? Que peças faltam ao quebra-cabeça, e que poderiam justamente ser buscadas nos seus "princípios"? Aí surge o nome de Allan Kardec e a importância, muitas vezes silenciada, do espiritismo na formação do imaginário científico moderno.

A etnologia racista, que Fernando Ortiz busca, entre outros, nos trabalhos do brasileiro Nina Rodrigues, pressupõe "estágios" diferentes na evolução humana, assim como uma linearidade evolutiva sempre assombrada de perto pelos fantasmas da regressão. Munido de leituras kardecistas, e em amplo diálogo com o meio social e cultural cubano, espremido entre referências eruditas e a realidade das ruas e do campo, mas sempre rezando pela cartilha da sociedade nacional e moderna, Fernando Ortiz colhe no espiritismo a ideia da transmigração das almas, e dos espíritos que se atrasam e se adiantam, na marcha do progresso.

Esse complicado trânsito espiritual, que Allan Kardec imaginara em outro contexto, serve para explicar por que alguns espíritos estacionam e outros avançam, enquanto outros ainda dão um "salto atrás". É pela ideia da transmigração que Ortiz passa do materialismo lombrosiano a um idealismo difuso, migrando, em seu pensamento, do "corpo" ao "espírito". O pulo entre a raça e a cultura, que Gilberto Freyre — em diálogo com algumas das mesmas fontes de Ortiz — pretende dar no Brasil, fica estampado, no caso do pensador cubano, numa mesma trajetória individual. O ensaio de Arcadio Díaz-Quiñones pode suscitar estudos fascinantes de comparação e compreensão das redes de valores e discursos científicos que, bem analisadas, permitem conectar pensamentos que normalmente se estudam como independentes ou simplesmente paralelos. No caso de Ortiz, o trânsito entre o materialismo lombrosiano e uma concepção fluida do encontro das culturas em solo americano pode sugerir que, nele, combina-

-se um par que no Brasil costumamos pensar como rigorosamente separado: Gilberto Freyre e Nina Rodrigues.

No entanto, as hierarquias nunca abandonam a imaginação do jovem etnólogo cubano, que se pauta pela escala de evolução dos espíritos, uns adiantados, outros atrasados, uns capazes de mandar, outros de obedecer. Em todo caso, já no âmbito da obra que o faria famoso, trata-se de uma compreensão da transmigração das almas, como parte da tentativa angustiada de compreender a novidade do gigantesco sequestro de corpos que, conforme o campo metafórico que brilharia no *Contrapunteo*, vinham também com seus espíritos, através do Atlântico: "*Los negros trajeron con sus cuerpos sus espíritus, pero no sus instituciones, ni su instrumentario* [os negros trouxeram com seus corpos seus espíritos, mas não suas instituições, nem seu instrumental]".[7]

O quinto e último capítulo deste livro, "A memória rota", é uma reflexão poética e crítica que parte de duas perguntas: "Como recordam os poetas?" e "Como recordam as sociedades?". A memória diante da morte, assim como o desejo de *gravar* o testemunho do sujeito angustiado pelo esvaziamento de sentido, promovido pela modernização, dispara as recordações do próprio crítico, que lê um de seus poetas preferidos, Luis Palés Matos (1898-1959). Como Díaz-Quiñones, embora em contexto muito anterior, Palés[8] assiste à ruptura da "fala comunitária" e ao desaparecimento dos lugares da memória — tudo aquilo que se condensa, nesse ensaio que marcou época na crítica porto-riquenha, na imagem da "memória rota".[9]

A coexistência de passado e presente na literatura é o que permite, ao poeta e ao crítico, revisitar, com a memória, os lugares ainda plenos de sentido que a modernização ameaça apagar. Diante do tempo voraz da seta do progresso, a imaginação poética protege aqueles lugares do esquecimento. Como diria Ricardo Piglia — autor querido e lembrado por Díaz-Quiñones —, a literatura é "uma forma privada de utopia". Olhando para a crítica brasileira, poderíamos adicionar, com Alfredo Bosi, que o discurso poético é "um trabalho que se faz no tempo do corpo (som, imagem) e no tempo da consciência enquanto produz sentido e valor".[10]

"A memória rota", que dá título também à presente antologia, foi concebida no início da década de 1990, apenas derrubadas as "estátuas na União Soviética" e desfeitos os governos socialistas na Europa oriental. À pergunta sobre como recordam os poetas soma-se então a questão da memória coletiva: "Como recordam as sociedades?". Em meio à confusa reordenação política do mundo e diante do avanço cada vez mais despudorado do mercado, abria-se um espaço antiutópico, num momento em que o entusiasmo com a "globalização" mal podia esconder os efeitos lesivos de uma modernização a qualquer preço. Os anos 1990 eram tempos distópicos, propícios para recordar, na contramão, aqueles que pensaram o social. No ensaio, a figura do poeta é substituída por uma personagem que então se eclipsava: o intelectual militante.

No lugar de Palés Matos, surge César Andreu Iglesias (1915-76), intelectual comunista porto-riquenho que se ocupou da história dos trabalhadores e de sua militância, e que foi editor ainda das *Memorias de Bernardo Vega* e autor de *Los derrotados*, este último escrito quando a sombra do macarthismo era enorme em Porto Rico, e quando o país estava "amordaçado", porque, nos dourados anos 1950, "o desenvolvimentismo populista exigia a disciplina social". *Los derrotados* é um romance sobre o fracasso da utopia, que é recuperado por Díaz-Quiñones e lançado como uma mensagem numa garrafa, na esperança de que faça sentido, talvez num outro tempo, ou num lugar menos assombrado pela derrota dos sonhos das esquerdas.

Entretanto, no caso de Andreu Iglesias, o fracasso gerara "uma nova poética que apelava à memória compartida, uma história ainda próxima e muito dolorosa, de ilusões, cárcere, interrogatórios e dúvidas existenciais dos militantes". Em suma, trata-se de toda uma sombra que, relida à luz dos anos 1990, no contexto caribenho mas também latino-americano — com as cicatrizes das ditaduras ainda tão visíveis —, ganha novo sentido, como se a ferida de uma derrota coletiva pudesse ser pensada, por meio da leitura de um texto de outra época. A memória crítica permite ouvir de novo a voz de um velho militante, exatamente quando a voz da militância ameaçava calar-se, impotente. Ao fim do ensaio, a crítica e a poesia se dão as mãos e operam sua arte teimosa, reconstruindo com minúcia o que o tempo destruía.

Resta como alvo, então, a recuperação de "uma tradição moral, intelectual e estética" que está em poetas e pensadores, alguns deles talvez apresentados aqui pela primeira vez ao público brasileiro. É uma tradição que está também em teóricos que leram o imperialismo a contrapelo, como Edward Said, que não à toa reaparecerá, como fonte de inspiração e amizade — junto a diversos outros intelectuais e artistas —, na entrevista que encerra esta antologia, realizada por dois jovens leitores brasileiros de Arcadio Díaz-Quiñones: Matheus Gato de Jesus e Fábio Nogueira de Oliveira.

O autor de *A memória rota: Ensaios de cultura e política* está interessado em entender e estender o convite feito por cada membro daquela tradição "moral, intelectual e estética", a qual, em certo sentido, ganha vida nova quando é recuperada. Trata-se da invenção de uma tradição de leitura, de uma comunidade utópica de intérpretes da política e da cultura, que resistem, de variadas formas, à força arrasadora do progresso material e à ideologia que a encobre.

"Em que tradição buscar abrigo" é uma das questões que atravessam este livro, que pode servir de convite a tomar as experiências caribenhas não como um referente distante, ou como simples ponto de comparação. A arte de *bregar*, o hispanismo, as guerras simbólicas, a história intelectual e a memória rota são formas inéditas de se pensar as fissuras do grande discurso da modernização. Cada capítulo ilumina, a seu modo, a constituição de uma cultura política que, diante da colonização da memória, exige que se comece de novo, recosendo-se os fios da história.

Sobre esse tecido esgarçado, que se faz e desfaz ininterruptamente, o crítico trabalha: lendo, dialogando, pensando e dividindo. Seu interesse — talvez mesmo sua alegria — está em flagrar o instante preciso em que a história recomeça, quando o sentido se reata, os fios se emaranham de novo, e as pessoas podem inventar lugares onde viver é também, inevitavelmente, uma forma de resistir.

Este livro

Os ensaios aqui reunidos devem dar aos leitores brasileiros um panorama da produção crítica de Arcadio Díaz-Quiñones. Foram escolhidos cinco textos, publicados ao longo de quinze anos. Dois deles ("Hispanismo e guerra" e "Espiritismo e transculturação") têm um caráter mais acadêmico, e trazem notas. "A guerra simbólica: 1898" é uma reflexão sobre a fotografia em contextos de guerra e colonização, e traz um conjunto de imagens que, no caso da presente edição, é diverso daquele que compôs a obra original em espanhol. Assim, algumas das fotografias deste livro são inéditas. "De como e quando *bregar*" e "A memória rota" são ensaios livres, textos de intervenção que tiveram grande impacto crítico, e não contêm notas. A entrevista ("As armas e as letras caminham juntas") foi realizada em Princeton, no estado de Nova Jersey, em maio de 2013, e editada para este livro.

As notas do tradutor pretendem ajudar a situar o leitor brasileiro diante de referências provavelmente desconhecidas, em alguns casos explicitando os limites da própria tradução.

Os textos foram publicados, em sua última versão em espanhol, em:

De como e quando *bregar*
"De cómo y cuándo bregar". In: *El arte de bregar: Ensayos.* San Juan: Callejón, 2000. pp. 19-87.

Hispanismo e guerra
"Hispanismo y guerra". In: *Sobre los principios: Los intelectuales caribeños y la tradición.* Bernal: Universidad Nacional de Quilmes, 2006. pp. 65-166.

A guerra simbólica: 1898
"El 98: la guerra simbólica". In: *El arte de bregar: Ensayos.* San Juan: Callejón, 2000. pp. 210-27.

Espiritismo e transculturação: Fernando Ortiz e Allan Kardec
"Fernando Ortiz (1881-1969) y Allan Kardec (1804-1869): espiritismo y transculturación". In: *Sobre los principios: Los intelectuales caribeños y la tradición.* Bernal: Universidad Nacional de Quilmes, 2006. pp. 289-317. [Revisto para o presente livro, e anteriormente publicado em português como "Fernando Ortiz e Allan Kardec: Espiritismo e transculturação", *Lua Nova: Revista de Cultura e Política*, n. 82, pp. 109-38, 2011.]

A memória rota
"La memoria rota". In: *La memoria rota: Ensayos sobre cultura y política.* San Juan: Huracán, 1993. pp. 69-86.

1. De como e quando *bregar*

Toda palavra requer um distanciamento da realidade à qual se refere; toda palavra é, também, uma liberação de quem a diz.

María Zambrano, *Filosofía y poesía*

1.

Como e quando começaram a *bregar** os porto-riquenhos? O verbo *bregar* flutua, sábio e divertido, nos múltiplos cenários da vida porto-riquenha, de Cidra e Cabo Rojo, na ilha, até o outro extremo das comunidades experimentadas e calejadas na diáspora em Hartford e Newark, no continente americano. Mulheres e homens empregam sem cessar esse verbo, com liberdade e inteli-

* Sobre a palavra *bregar*, ver a Introdução. A palavra aparecerá em itálico; sempre que se apresentar como verbo fora do infinitivo, mantêm-se o itálico e a flexão. (Esta e as demais notas de rodapé são do tradutor.)

gência. Os porto-riquenhos estão sempre *en la brega* [na *brega*], vulneráveis e alertas. Ou, decepcionados, não acreditam naqueles que *não* bregam *ou não sabem* bregar. Sua maestria pode chegar a merecer grandes elogios, como o expressado por um interlocutor em Manhattan: "Eles *bregaron a nivel* [*bregaram* em alto nível]". Essa dupla metáfora não poderia ser decifrada por muitos hispanofalantes, na Espanha ou no Peru, digamos, e não figura em nenhum dos dicionários que consultei. *Bregar* é, poder-se-ia dizer, outra ordem de saber, um método difuso e sem alarde para navegar a vida cotidiana, onde tudo é extremamente precário, cambiante ou violento, como foi durante o século XX para as emigrações porto-riquenhas e o é hoje, em todo o território da ilha.

Diante da saudação ritual e cortês "*Cómo estás* [como vai?]", muitos porto-riquenhos respondem de forma lacônica ou brincalhona com uma frase aprendida que parece um mote a glosar: "*Aquí, en la brega* [Aqui, na *brega*]". Não é uma forma de ser. É uma forma de estar e não estar, um tipo não preciso de luta, uma negociação entre a ausência e a presença. Há situações que se consideram pouco propícias ou impossíveis, e então o tom muda e se escuta a frase: "*Yo con eso no brego* [Eu com isso não *brego*, não me meto]".

De onde vem essa familiaridade tão grande com a *brega*? Faz provavelmente uns vinte ou trinta anos que o verbo está incrustado na oralidade, nos valores e nas regras específicas da memória cultural. Condensa-se em frases breves e sem rodeios, como quando o falante responde à pergunta sobre o comportamento de alguém com a expressão: "*Si tú bregas bien, ella brega bien* [Se você *brega* bem, ela *brega* bem]". Essa oração intransitiva, com sua figura circular e ritmo próprio, gera saborosos ditos que por sua vez lembram a poética orgulhosa e humilde dos santos das serigrafias do artista José Rosa. (As imagens dos santinhos que aparecem nas serigrafias de Rosa — a escala é sempre menor —

aparecem entrelaçadas com os ditos populares. Vai se apagando assim a fronteira entre o sagrado e o profano.)

Entre porto-riquenhos, falar de *bregar* é falar do mais óbvio. Talvez não haja palavra mais decisiva para reconhecer e reconhecer-se, e para destacar um valor distintivo da subjetividade coletiva, assim como os esplendores e as misérias que a mobilizam. Por que caminhos sinuosos esse verbo chegou a ser tão característico num momento histórico determinado? Como foi competindo de maneira sigilosa com a piedade e a autocompaixão do *¡Ay bendito!* [Ai, meu Deus!], outra expressão tão essencial para o porto-riquenho? Aberto a muitos contextos, *bregar* quer dizer atuar, trabalhar com habilidade e experiência, cumprir com as expectativas. Assim pode apreciar-se em frases como a seguinte, dita por um porto-riquenho que, enquanto o trem nos conduzia de Trenton a Nova York, contava sua experiência com os carros: "*Ahí los mecánicos bregan bien* [aí os mecânicos *bregam* bem]", isto é, com esmero e eficácia. É uma forma específica de saber tratar de algo, de entender seus sutis mecanismos. Quem *brega bem* maneja algo com sabedoria, seja um mundo de coisas, um mundo de pessoas ou a linguagem mesma. *Bregar* com perfeição sem dúvida é uma arte.

Há ecos e ressonâncias desse sentido em um de seus usos mais particulares. Com frequência *bregar* se emprega para referir-se a uma ação dentro de uma margem muito reduzida. Exige, portanto, grande capacidade de manobra e uma delicada medida. Para um cidadão em apuros, basta, por exemplo, que um burocrata de aparência severa e estrita pronuncie o verbo em voz baixa, em meio a uma situação crítica ("*No se preocupe, espere un rato, que eso lo bregamos* [Não se preocupe, espere um instante, que isso nós *bregamos*, damos um jeito]"), para que se produza um efeito tranquilizador. Estendeu-se uma mão, contraiu-se um pacto. A expressão *bregamos*, nesse contexto, chega como um alívio. Tem-se como certo que é anúncio de que há uma saída para a crise, de que se afasta o nuvarrão, a bruma ameaçadora que atemorizava o cidadão. Esse *bregamos*, pronunciado sem muita ênfase, funciona como um ponto de viragem no diálogo. Poder-se-ia dizer que *bregar* desempenha aí a função postulada por Kenneth Burke, em seu *Dictionary of Pivotal Terms* [Dicionário de palavras essenciais], para a "metáfora estratégica": a ação iniciada pelo falante para mover aquele que escuta.

A estratégia do *bregar* consiste em pôr em relação o que até esse momento parecia distante ou antagônico. É uma posição a partir da qual se atua para dirimir sem violência os conflitos muito polarizados. Nesse sentido, conota abrir espaço numa cartografia incerta e enfrentar as decisões com uma visão do possível e desejável. Implica também — é crucial — o conhecimento e a aceitação dos limites. Haveria que destacar aqui essa "aceitação". Com frequência é um "ato" que consiste em eleger o "menor dos males", semelhante ao princípio pragmático postulado por William James, cujas manifestações linguísticas foram comentadas também por Kenneth Burke: *escolher o mal menor era também um ato.** Idealmente, *brega-se* até encontrar um modo de alcançar o difícil equilíbrio entre elementos potencialmente conflitivos. Há uma vocação de harmonia no *bregar*, de harmonizar necessidades e interesses. É a arte do não trágico, sem a fatalidade ou a brandura do *¡Ay bendito!*.

Bregar pode se relacionar com o sentido que Hannah Arendt

* Em inglês no original. No contexto de leitura e circulação deste ensaio, dado o marco político e linguístico complexo de Porto Rico como "Estado Livre Associado" dos Estados Unidos, o bilinguismo é natural e explica a existência de passagens em inglês não traduzidas para o espanhol. Na presente edição, as passagens em inglês aparecerão diretamente traduzidas para o português. Palavras isoladas, utilizadas nessa língua, serão mantidas em inglês, com tradução entre colchetes.

outorga ao *atuar* em *A condição humana*: "Tomar uma iniciativa, começar, pôr algo em movimento". Esse *atuar* é distinto do "trabalho" que realizam os seres humanos para satisfazer suas necessidades. Para Arendt, a ação está ligada ao discurso e revela a condição humana: "Com palavra e ato nos inserimos no mundo humano, e essa inserção é como um segundo nascimento". É o começo de alguém. No uso porto-riquenho, *bregar* remete a um código de leis implícitas que permite *atuar*, e com sutileza e discrição tais leis disputam o lugar com as posições absolutas. No geral, não se trata de grandes imperativos morais ou heroicos, nem de desafios em campo aberto, mas muito mais da possibilidade de negociar com o propósito de atenuar os conflitos, justamente para eludir a lógica da confrontação. É óbvio que o *bregar* conserva a marca do antigo e ortodoxo sentido de "lutar" e "lidar", mas sem a conotação de ataque frontal. Trata-se de uma forma a um só tempo mais modesta e mais ambiciosa. Lembra o que dizia Charles Bally em seu clássico livro *Le Langage et la Vie* [A linguagem e a vida] ao interpretar situações de diálogo em uma batalha: "Não se calculam já os golpes que se vai dar, mas sim cuida-se dos que se pode receber". Estamos, pois, na ordem do provável e do equívoco, e longe da transgressão. Como imagina a si mesma a comunidade que chegou, neste fim de século [XX], a converter o *bregar* e o *não bregar* num sinal de identidade? Algum dia haveria que se comparar esse verbo com os onipresentes *resolver* e *inventar* dos cubanos na ilha que se repete.*

Bregar é um código, uma lei não escrita que leva a buscar um acordo, a pactuar devidamente, sem perder a dignidade. Tem sua própria verdade. Quando alguém *brega bem*, encontra o caminho, ordena as regras do jogo, restabelece uma atmosfera de confiança, mitiga o caos, o *revolú* [a bulha, o tumulto] — essa outra grande metáfora porto-riquenha. Sobretudo, logra, com discernimento e

* Referência a *La isla que se repite*, de Antonio Benítez Rojo.

autocontrole, evitar a violência da ruptura radical. Nisso consiste grande parte de seu atrativo: supõe uma trama de relações em que predomine a vontade de cumprir o prometido, de introduzir um pouco de ar fresco, de humanizar os mecanismos do poder e preservar uma ordem evitando as confrontações. Suas estratégias permitem mover-se em direção ao objeto desejado com manobras muito localizadas e sagazes com as quais se atua em momentos críticos. "A riqueza e a diversidade dos gêneros discursivos é imensa", escreve Bakhtin, "porque as possibilidades da atividade humana são inesgotáveis." Inclui, é claro, a diversidade do diálogo na vida cotidiana. No uso porto-riquenho, *bregar* expressa com frequência o desejo de operar no momento apropriado, de acordo com critérios que exigem às vezes uma boa dose de cumplicidade. Buscando uma definição, conversava eu há pouco em Filadélfia com um grupo de jovens antropólogos porto-riquenhos. Quase todos respondiam de maneira espontânea com outra metáfora gráfica e decisiva que projeta luz clara sobre um de seus usos. *Bregar* é "*meter mano* [meter as mãos, pôr-se à obra]", enfrentar-se briosamente com um problema, participar, estar disponível no aqui e agora. Para seguir o fio dessa metáfora, haverá que se deter no sentido erótico que se abre com "*meter mano*". Uma coisa é certa: *bregar* quase nunca é um exercício solitário. Supõe a presença real ou imaginária de outros, e a possibilidade de tomar a palavra, um combate verbal com uma sucessão de aproximações e distanciamentos. Exige o diálogo, a sedução da linguagem, o saber calar-se a tempo e, amiúde, deslizar até a ficção ou o engano. Nesse sentido, guarda algo parecido ao uso italiano de *brigare*, que significa *manipolare*, em sua acepção de "intriga". Nesse caso possui, como no porto-riquenho, o significado de algo que se faz à borda mesmo do ilegal, e é sinônimo de "*trafficare*": *agire con astuzia e insistenza non sempre oneste* [agir com insistência e astúcia nem sempre honesta].

Os caminhos do *bregar* são de aparente simplicidade, mas se tornam labirínticos tão logo se começa a percorrê-los passo a passo. *Bregar* admite tanto a razão como a paixão, os interesses e os desejos, o cálculo e o fluir das emoções, as lutas do corpo e da alma. Entre porto-riquenhos, tem um imprevisível sentido erótico, que se manifesta, por exemplo, na expressão cotidiana: "*Ellos están bregando hace tiempo* [eles estão juntos faz tempo, como casal]". Não é estranho que seja o mais literário dos críticos porto-riquenhos, Rubén Ríos Ávila, quem tenha visto claramente, num ensaio em inglês incluído no livro *Polifonía salvaje*, que *bregar* pode se referir de maneira ambígua a trabalho ou a relações sexuais:

> Nos últimos anos a palavra *bregar* emergiu como um termo vale-tudo que pode significar tanto resolver algo [*to work things through* (N. T.)] quanto fazer amor. Se alguma vez lhe for perguntado *¿tú bregas?* em Porto Rico, cuidado antes de responder. Dependendo de sua atitude e sobretudo do brilho de seus olhos, você pode ser levado para a cama ou para uma fábrica. A ilha parece estar sempre na *brega*, mas não é claro qual dos sentidos vale num momento determinado: trabalhar ou fazer amor, ou trabalhar enquanto se faz amor, ou fazer amor enquanto se trabalha.

O curioso é que aqui também o sinônimo seria "*meter mano*". *Bregar* se refere também, pois, aos "trabalhos de amor (não) perdidos". É a busca do prazer num combate no qual possivelmente não há vencedores ou vencidos. Cada sujeito conserva sua relativa autonomia.

Trabalhos de amor, cultura política, perfeição técnica e estratégias, sujeitos que atuam dentro de margens restringidas, obter os desejos que estão ao alcance da mão: a riqueza de sentidos é enorme, e talvez já estivesse nas origens da palavra. Quando me dirigi ao velho dicionário *Vox*, encontrei várias entradas para o verbo *bregar*: lutar com riscos e dificuldades, trabalhar com afã. Mas também ali se encontra uma fascinante acepção que sugere possíveis conotações eróticas e políticas: *bregar* queria dizer "amassar a farinha ou o gesso de certa maneira".

É difícil pensar na cultura porto-riquenha sem a capacidade para encontrar soluções a meias, para atuar de acordo com a "lógica do menos pior" e do compromisso que é, com frequência, o *bregar*. Alguns intelectuais, como foi o caso de René Marqués, correram a interpretar de forma pejorativa algumas das práticas expressadas pela palavra *brega*, como prova da "teoria" da "docilidade" do porto-riquenho. Convencido do caráter submisso de seus compatriotas, Marqués concluía seu conhecido ensaio "El puertorriqueño dócil", de 1960, do seguinte modo:

> Quão interessante e revelador seria um estudo psicolinguístico, que fosse metódico sem ser necessariamente exaustivo, da fala popular em Porto Rico à luz da teoria da docilidade: entonação, fonética, sintaxe, valores semânticos, uso do eufemismo e do circunlóquio, imagens mais comuns, refrões etc.

Essa interpretação fácil e depreciativa persiste ainda entre aqueles que se retraem com vergonha diante da falta de "hombridade" que descobrem nessas estratégias, e seguem exigindo uma história "heroica".

A *brega* remete a uma linguagem e a práticas que precedem os indivíduos e sustentam a comunidade. Há antecedentes históricos e literários que permitiriam uma melhor compreensão de suas possibilidades e insuficiências. Por exemplo, o que era possível pensar, fazer e dizer para uma figura como Víctor Pellot no beisebol, para a mãe da escritora Judith Ortiz Cofer, como migrante em Nova Jersey, ou para Luis Muñoz Marín?* Todos eles *bregaram* nos caminhos repletos de dificuldades da modernidade. Os dois primeiros tiveram que fazê-lo na intempérie, domesticando elementos brutais da existência em meio ao maior desamparo. Muñoz Marín, por sua vez, apoiando-se em velhas tradições orais camponesas, *bregou* no campo da política colonial, um teatro sem destino trágico. *Bregar* talvez seja o agente secreto, ou o agente duplo, da cultura política porto-riquenha.

2.

"*Aquí, en la brega.*" Entre porto-riquenhos, essa frase anuncia uma posição da qual se fala e atua, ou se finge que atua. Expressa estados de ânimo; pode ser sóbria ou irônica, firme ou titubeante. Ou pode ser dita ritualmente: uma frase vazia que explica tudo e não explica nada. Mas o sujeito está sempre ali, com suas paixões e interesses, "atuando", mantendo as aparências. No diálogo cara a cara, a frase feita "*Aquí, bregando*" é uma das múltiplas estratégias teatrais que se dão na vida cotidiana. Essa teatralidade aprendida se funda nas fórmulas da fala, na possibilidade de se proteger atrás das máscaras e no jogo de papéis da vida cotidiana tão habilmente estudados por Erving Goffman. A *brega* nem sempre é um ato. É também algo distante e que distancia: o pensamento e a consciência mesma do *bregar*.

* Luis Muñoz Marín foi o fundador do Partido Popular Democrático, em 1938, e governador de Porto Rico por mais de quinze anos, a partir de 1949. Foi também o artífice de um surto de "modernização" e de uma política conciliatória entre o poder norte-americano e os anseios locais mais moderados. Durante o seu governo estabeleceu-se definitivamente o modelo do "Estado Livre Associado", que desde 1952 marca a complexa situação política de Porto Rico como nação e em sua relação colonial com os Estados Unidos.

Os giros e os tons da *brega* pertencem à língua falada e à sua escorregadia história, tão marcada, no caso porto-riquenho, pela larga experiência colonial, as heterogeneidades internas e as migrações em massa. São parte central de uma tradição. Tradição no sentido que lhe dá o escritor Ricardo Piglia: "resíduo de um passado cristalizado que se filtra no presente", restos perdidos que reaparecem onde menos se espera. Por isso as imagens de *bregar* produzem a sensação de estar, ao mesmo tempo, diante de algo novo e antigo.

Quando se começou a *bregar* tão intensamente? Uma possível resposta seria que a *brega* remete a velhas práticas de ocultamento pertencentes a épocas remotas da sociedade clandestina,* a um mundo rural que se desenvolveu nas margens do Estado colonial, uma sociedade de grandes penúrias e bruscos deslocamentos, ambos regidos por contrabandistas e piratas. A criatividade dessa sociedade furtiva foi diligentemente estudada por Ángel Quintero Rivera em dois excelentes livros: *Vírgenes, magos y escapularios* e *¡Salsa, sabor y control!*. Homens e mulheres, segundo Quintero Rivera, fugiam dos centros de poder para as margens do império — as ilhas do Caribe —, criando zonas de refúgio e um mundo de aparências e simulações que os protegia. Era uma sociedade formada por europeus, escravos fugidos e desertores espanhóis, um mundo semiclandestino, produto da arte da fuga, muito misturado em termos étnicos e culturais, e relativamente isolado. Trata-se de comunidades calejadas no trabalho manual e em formas subterrâneas de luta contra poderes internos e externos, que Quintero Rivera também chama "o mundo da contraplantação". São fugitivos internos, parte de uma diáspora que se dá no arquipélago do

* "*Cimarrona*", no original. Sobre *cimarrón*, diz-se do marinheiro indolente, do animal selvagem ou que regressou ao mato, mas também dos quilombolas, isto é, daqueles que se refugiam em comunidades ocultas nos montes, sugerindo, portanto, em amplo aspecto, um ponto de fuga.

Caribe. Não se integram com facilidade à sociedade "nacional". Nesse contexto, longe do olhar vigilante do Estado, algumas formas da fala se tornam enigmáticas para quem as observa de fora. A língua absorve a história, dizia o poeta Joseph Brodsky. Mas a reconstrução da fala de outras épocas é quase impossível. Será demasiado arriscado historiar uma zona tão movediça?

Para não nos perdermos nos saberes secretos do *bregar*, e para circunscrever um campo de reflexão aos usos do presente, poderíamos pensar em três dimensões decisivas. Imaginemos uma espécie de tríptico no qual cada um dos três lados ilumine o outro: a *brega* como trabalho concreto do *homo faber*; como princípio do prazer erótico; e como negociação — ação — espiritual ou social. O tríptico tem a vantagem de nos permitir organizar similitudes e variantes das distintas esferas da atividade humana e ao mesmo tempo reter as relações do sistema.

Tentarei descrever o primeiro dos lados. Aí teríamos o repertório de "luta" e "trabalho" intenso registrado por vários dicionários: fadiga, combate, peleja, azáfama. Esse primeiro lado chega a ter muitas das outras valorações. Seu uso remete ao trabalho humano, sobretudo ao trabalho manual. Tanto em castelhano quanto em catalão tem o sentido geral de lutar para conseguir algo. Esta seria como que a matéria-prima de todos os demais usos, e está presente em maior ou menor medida em todas as utilizações do verbo.

Num sentido mais intenso, *bregar* designa o que é "manejável" com a destreza das mãos reais ou metafóricas. É algo que exige envolvimento completo no que se faz, e rigor na sua execução: o ser humano como *homo faber*. Às vezes se trata de uma grande destreza posta em prática em espaços de risco. Confirma-se no *Tesoro* de Sebastián de Covarrubias: "*Bregar* o arco é o mesmo que estirá-lo". No *Diccionario de autoridades* figura a seguinte acepção: "lance arriscado, perigo, batalha e contenda difícil e perigosa".* Um *Vocabulario de ocupaciones* publicado em Madri em 1963, por exemplo, nos informa que na corrida de touros o "*peón de brega*" é aquele que assiste o matador, o "toureiro subalterno que [o] ajuda nos distintos períodos da luta". Numa crônica hípica de 1981, o jornalista porto-riquenho Tomás C. Muñiz narra a história de Miguel Andino Clemente Cruz, que "trabalhou para diversos estábulos, *bregando* com figuras legendárias do *track boricua*".** Esse primeiro *bregar* é um saber fazer que denota habilidades e destrezas no trabalho. Está entre a arte e a técnica.

No outro lado do tríptico teríamos um segundo significado, de ressonâncias eróticas, que parece ser especificamente porto-riquenho. Tem um significado corporal que confirma a consciência constante do sujeito como ser sexual. Sem dúvida, a intensidade do uso desse *bregar* caracteriza a fala porto-riquenha: os casais *bregam*. A consulta a alguns dicionários especializados dá algumas pistas para esse uso metafórico. Ele se faz mais claro com os antecedentes artesanais que víamos no dicionário *Vox*, confirmados pelo *Diccionario crítico-etimológico* de Corominas, no qual se registra um dos sentidos de *bregar*: "amassar ou sovar (pão)". Ou seja, dar forma a uma matéria branda e maleável, trabalhá-la com habilidade artesanal: uma ação que convoca o olhar e o tato. Há uma forma tátil de conhecimento. De todas as definições, talvez a que mais ressoa com ecos remotos da ideia e da prática erótica seja a que oferece Rufino José Cuervo em seu *Diccionario de construcción y régimen de la lengua castellana*: "amassar o pão sobre um tabuleiro ou mesa com um pau redondo que nela está untado, diante do qual está sentado o padeiro, girando-o". No *Diccionari* de Alcover-Moll do catalão, valenciano e balear, *bregar* se oferece como sinônimo de

* Dicionários da língua espanhola dos séculos XVII e XVIII, respectivamente.
** *Boricua*: expressão de origem indígena que genericamente significa "porto-riquenho". O *track boricua*, neste caso, é o elenco dos cavalos de corrida.

"esfregar" e "polir". Parece usar-se em todo o âmbito catalão, o que pode ser significativo, por causa da forte e indubitável presença catalã e maiorquina em Porto Rico no século XIX. Por outro lado, Corominas documenta um interessantíssimo derivado em asturiano, *bregadera*, que se refere a "um aparelho com dois cilindros, que por meio de manivela dupla movem duas pessoas, para *bregar* o pão". Em catalão, e segundo os dados que dá o *Diccionari* de Alcover-Moll, usou-se *bregadora*: um instrumento mecânico para amassar o cânhamo ou o linho e separar a fibra têxtil do talo.

Tudo isso poderia lançar luz sobre como se foi configurando o intenso *bregar* sexual que sabem conjugar os porto-riquenhos, em que pese o pudor dos dicionários. Haveria nesse *bregar* sexual um imaginário do corpo prefigurado como máquina que implica uma mútua aprendizagem do casal? Ou se trata de um simbólico combate corpo a corpo? Por aí se insinua já a conexão com *meter mano* [meter a mão], que se modula em muitos matizes. Com as mãos se pode acariciar, esfregar, explorar. Não se pode esquecer tampouco que, no teatro espanhol do Século de Ouro, *meter mano* tinha o sentido de "sacar a espada".

A tradição literária oferece numerosos exemplos do encontro arquetípico de Marte e Vênus, no qual a linguagem épica da guerra se erotiza, transformando-se em expressão metafórica da atividade sexual. Aparece em uma das engenhosas *coplas* de Jorge Manrique, na qual se oferece uma definição de Amor. São *coplas* características dos cancioneiros castelhanos do século XV, em que a repetição e o jogo conceptista de "força" e "porfia" define a guerra e o forcejar do amor:

Es amor fuerça tan fuerte
que fuerça toda razón;
una fuerça de tal suerte
que todo seso convierte

En su fuerça y afición;
una porfía forçosa
que no se puede vencer,
cuya fuerça porfiosa
hazemos más poderosa
*queriéndonos defender.**

Essa larga tradição se renova num clássico moderno como *Cem anos de solidão*, em cujas páginas finais aparece a *brega* sexual justamente como contenda bélica. A palavra condensa uma arte de amar em que as agressões de Aureliano e Amaranta Úrsula se convertem em carícias:

> No fragor do encarniçado e cerimonioso forcejo, Amaranta Úrsula compreendeu que a meticulosidade do seu silêncio era tão irracional que teria podido despertar as suspeitas do marido próximo, muito mais que os estrépitos de guerra que tratavam de evitar. Então começou a rir com os lábios apertados, sem renunciar à luta, mas se defendendo com mordidinhas falsas e soltando pouco a pouco o corpo comadresco, até que ambos tiveram consciência de serem ao mesmo tempo adversários e cúmplices, e a *brega* descambou para uma travessura convencional e as agressões se converteram em carícias.**

Mas devemos ir mais além e considerar algo não inteiramente separável de todo o anterior, e que se poderia colocar no centro

* "É amor força tão forte/ que força toda razão;/ uma força de tal sorte/ que todo siso converte/ em sua força e afeição;/ uma porfia forçosa/ que não se pode vencer,/ cuja força porfiosa/ fazemos mais poderosa/ querendo-nos defender."
** Tradução de Pedro Meira Monteiro. Na tradução de Eliane Zagury, *brega* se traduz por "briga", simplesmente. Cf. Gabriel García Márquez. *Cem anos de solidão*. Rio de Janeiro: Record, 2001. p. 376.

do tríptico. Trata-se de uma dimensão pragmática que distingue o uso porto-riquenho, e que tem implicações políticas positivas e negativas que mereceriam mais reflexão. Esse terceiro e frequentíssimo *bregar* é o que mais me interessa: toca o mais íntimo, a existência individual; e também o mais político, a vida em comunidade. Parte-se de uma razão de cálculo que permite jogar sem saber de antemão como terminará o jogo. Em outros casos remete a um saber estratégico que provê recursos para mediar, com o fim de suavizar antagonismos, e até de interrompê-los. É uma linha de conduta muito prática que torna possível sobreviver com certa dignidade, ainda que se simule de forma teatral ter se resolvido algo. Tem a precisão da imprecisão, e é notável a amplitude de imagens secretadas por essa ambivalência. Ter-se-á desenvolvido essa *brega* com mais lentidão?

Ilustremos esse complexo terceiro registro com a frase "*Ella está bregando*" [ela está *bregando*]. Mais que campo de batalhas épicas, é outro tipo de "trabalho" árduo, ou uma contenda que se dá no interior da pessoa: uma lenta terapia espiritual para recolocar-se, aprendendo a se levantar depois das quedas. As feridas podem tardar a cicatrizar-se. Numa reportagem publicada num jornal de San Juan, uma mulher que tinha se reabilitado de sua dependência de drogas se refere à intensa conversa que mantinha consigo mesma, e afirma: "O mais difícil do processo foi *bregar* com minha pessoa, organizar minha vida". Também pode se referir às dúvidas e vacilações do estado anterior à tomada de decisões. Uma porto-riquenha na paróquia La Asunción de Perth Amboy em Nova Jersey me explicava com paciência que a expressão *Ella está bregando* significa encontrar soluções apropriadas, estender uma ponte sem fazer demasiado ruído. Trata-se de buscar um ponto médio, evitando prudentemente a violência. Ofereceu uma boa tradução para o inglês. *She is handling it well*, disse, o que mantém a imagem da mão para expressar um problema existencial e acima de tudo subjetivo.

Essa *brega* remete a lutas privadas e íntimas, ou públicas. Numa entrevista realizada por Amílcar Tirado Avilés e Blanca Vázquez, publicada na revista do Centro de Estudios Puertorriqueños do Hunter College* em 1991, Malín Falú fala do racismo porto-riquenho e do racismo nos Estados Unidos, concretamente o mundo da mídia, das "modelos" e dos concursos de beleza nos anos 1970. Ao decidir intervir nesse mundo, explica: "Mas como eu estava nisso de lutar por *bregar* com todo esse conceito, disse 'Pois então, vou participar' [...] a questão é que seguimos *bregando* com isso". Às vezes as decisões tomadas trazem resultados contrários ao desejado, que o sujeito lamenta. É o que se observa num testemunho em que podemos "ouvir" a voz do Sonero Mayor, o porto-riquenho Ismael Rivera.** Numa entrevista dada a Ramón Luis Brenes poucos dias antes de sua morte, Rivera conta como a súbita fama o levou a *bregar* com as drogas, a *meter mano*, com a previsível dependência. A consequência foi a humilhação da prisão durante quase quatro anos. Na entrevista, reproduzida na mesma revista do Centro de Estudios Puertorriqueños do Hunter College em 1991, ele mesmo, respondendo a uma pergunta, fala sobre as dificuldades da fama, e da dependência:

* O Hunter College é uma das unidades da Universidade da Cidade de Nova York, em Manhattan, que tem um importante papel de promoção da educação superior entre classes menos favorecidas, atendendo a uma população especialmente diversa do ponto de vista étnico e social. O seu Centro de Estudios Puertorriqueños foi fundado em 1973.

** Ismael Rivera (1931-87), carinhosamente conhecido por "Maelo", foi um dos mais importantes ícones da salsa porto-riquenha, tendo integrado grupos legendários como o Combo de Rafael Cortijo. Natural de Santurce, bairro de San Juan, a sua música se confundiu com as agendas políticas mais progressistas a partir dos anos 1970.

> Bom, talvez tenha sido o sucesso, porque o nosso sucesso foi imediato. Somos gente humilde e a verdade é que ninguém podia *bregar* com uma mudança tão drástica, uma mudança tão forte. Então, sem se dar conta, a gente começa a *bregar* com a situação da melhor forma que a gente imagina; pois... e *metí mano* [meti a mão], buscando *bregar* com a situação.

Sem pretender esgotar a riqueza de significados, vai até aqui o nosso tríptico.

3.

No princípio da *brega* estava o *ten con ten*. Antes de seguir adiante, é necessário deter-se na mais importante presença literária da *brega* porto-riquenha. Tão central tem sido a palavra que faltava que um poeta visionário como Luis Palés Matos (1898-1959) consagrasse outro de seus termos memoráveis: o *ten con ten*.* O nome do poeta, de fato, ficou associado a essa frase. Não que ele não empregasse o termo *bregar* em sua poesia. De fato, aparece em alguns de seus textos. Sobretudo, figura numa de suas décimas, gênero que logo abandonaria. Mas é significativo esse uso, porque Palés, atento à fala porto-riquenha, o associa, na dé-

* A expressão "*ten con ten*" poderia ser traduzida, talvez, por "a tento", significando algo que se faz com cuidado e delicadeza. Na poesia de Palés Matos, a expressão ganha definitiva, embora não exclusivamente, o sentido de "balanço", de aproximação negaceada. "Negaça" ou mesmo "ginga" seriam talvez boas traduções, não fosse o fato de que, em português, tais expressões não raro se associam a uma noção edulcorada da "bossa" como traço nacional e essencial, o que é bastante diverso da interpretação que Díaz-Quiñones propõe da poesia de Palés Matos. Quando inserto no poema, traduzirei o *ten con ten* simplesmente por "balanço". Ver, a seguir, a definição do próprio poeta em seu "glossário".

cima, com a linguagem camponesa em que a voz poética se queixa do cansaço e da frustração de seu trabalho:

¡Ay Vilgen, cómo he quedao
en dispués de brega tanta,
más dolío que una planta
que en el suelo han restregao!
Déjeme, cristiano, el lao,
no me detenga en mi inclino...
que pa estal vano y tonino
yo prefiero en mi quireya,
que me jienda una senteya
*a la voltiá del camino.**

O poeta se distanciou dessa poética costumbrista, mas não das tradições orais. Em sua poesia mais explicitamente política, Palés buscou respostas aos enigmas porto-riquenhos internando-se em sua linguagem, nos distintos registros da fala, em suas emulações, cadências e acentos. Ele o fez numa série de poemas em que falou do que mal se falava: das origens africanas e *cimarronas* [clandestinas] da cultura porto-riquenha, do racismo *criollo*** e da situação colonial. O *ten con ten* é um exemplo excepcional.

* "Ai, Virge, como tenho ficado/ de depois de *brega* tanta,/ mais dorida que uma planta/ que no chão atropelaram!/ Deixe-me, cristão, o lado,/ não me detenha no meu inclino.../ que pra estar vão e fortinho/ eu prefiro na minha querela,/ que me leve uma centelha/ à volta do caminho."
** Embora a etimologia sugira que a origem da palavra *criollo* (e desta para o francês *créole*) seja o português "crioulo", o campo semântico adquirido por ela, no quadrante da chamada América "portuguesa", torna-a bastante distinta do seu correlato espanhol e francês. Enquanto nesses dois idiomas o *criollo* (ou *créole*) denota sobretudo o europeu nascido nas colônias, mas também o negro nelas nascido, sabe-se que na língua portuguesa praticada no Brasil a palavra significou primordialmente o negro aí nascido, adquirindo mais tarde a carga

Quando Palés reuniu seus poemas num livro, deu-lhe o nome de *Tuntún de pasa y grifería* (1937), um título estranho e ininteligível para muitos hispanofalantes. Tinha encontrado na fala e na música popular — e na musicalidade mesma da linguagem — expressões que podiam ser trasladadas ao âmbito da poesia, como se observa já no próprio título. Sua poética colocava a linguagem, o corpo, os conflitos raciais, a sexualidade e a duplicidade no centro mesmo do debate cultural. Uma das formas da memória popular que destacou foi a frase *ten con ten*, que no livro ocupa um lugar privilegiado, com seu próprio texto autônomo. No glossário que elaborou para *Tuntún*, Palés definiu sumamente a expressão que amava, mas que não encontrava nos dicionários. O *ten con ten* acaba definido como um equilíbrio instável que não se resolve nunca, muito similar à tensão da *brega*, que mais nos interessa. O *ten con ten*, escreve no

---

depreciativa e racista que ainda hoje possui, na linguagem do dia a dia. Significativamente, quando não se trata de escravos, o dicionário *Houaiss* registra como "crioulo" aquele que, "embora descendente de europeus, nasceu nos países hispano-americanos e em outros originários de colonização europeia". Já o dicionário *Priberam*, de fatura lusitana, tem como primeira definição "descendente de europeus nascido na América" e, em seguida, "negro nascido no Brasil", para só depois registrar o significado que a palavra adquire no campo linguístico, apontando para as "línguas crioulas", em especial o crioulo cabo-verdiano. Uma hipótese derivada dessa rápida investigação vocabular é que o sentido de "mescla", e portanto de "mestiçagem", bastante comum no uso da palavra em espanhol e especialmente em francês (e talvez, em alguma medida, no português europeu e luso-africano), atenua-se quando se trata do português praticado em geral no Brasil, onde a palavra ficou presa à figuração do negro já desligado da África. Cf. *Dicionário Houaiss da língua portuguesa*, disponível em: <http://houaiss.uol.com.br/busca?palavra=crioulo>; *Dicionário Priberam da língua portuguesa*, 2008-2013, disponível em: <http://www.priberam.pt/dlpo/crioulo>; *Diccionario de la Real Academia Española*, disponível em: <http://lema.rae.es/drae/?val=criollo>; *Dictionnaire de l'Académie Française, neuvième édition*, disponível em: <http://atilf.atilf.fr/dendien/scripts/generic/cherche.exe?15;s=1687916145>. Acesso em: 11 out. 2014. Por essas razões, aqui e doravante optou-se por manter a palavra em espanhol.

glossário, significa "que se apoia, seja numa coisa, seja em outra; que não está firme; que se mantém em movimento pendular". No poema, fica realçado foneticamente pela repetição e pelos acentos rítmicos: *en ten con ten de abolengo* [em balanço de avoengo].

Essa ambivalência é o eixo do texto que leva aquela frase como título. No texto poético, converte-se em um estranho mito de origem cujo núcleo é o enigma do não assentado e não resolvido, uma origem que pode ser afirmada e negada, um *sí es que no es de raza* [sim é que não é de raça], no qual *raça* pode ser lido também como cultura. O *ten con ten* é uma convergência logo seguida de uma divergência, um indeciso *sim é que não é*, que torna impossível toda resposta definitiva. É uma discórdia e uma duplicidade que estão implantadas como normas na linguagem e no corpo, como marcas de uma formação social e cultural completamente singular. O poema explora esse lugar intersticial, onde o significado não se cristaliza. Palés dá um estatuto privilegiado à coexistência de culturas e de raças que nem se fundem por completo, nem podem cindir-se:

Y así estás, mi verde antilla,
en un sí es que no es de raza,
en ten con ten de abolengo
que te hace tan antillana...
Al ritmo de los tambores
tu lindo ten con ten bailas,
una mitad española
*y otra mitad africana.**

* "E assim estás, minha verde antilha,/ num sim é que não é de raça,/ em balanço de avoengo/ que te faz tão antilhana.../ Ao ritmo dos tambores/ teu lindo balanço bailas,/ uma metade espanhola/ e outra metade africana."

Uma maneira de ler *Tuntún de pasa y grifería** é tomar o conjunto dos poemas como uma batalha poética que opta por deixar a descoberto a máxima tensão entre obscuras alteridades. Foi uma busca lenta, que obrigou Palés inclusive a retificar algumas de suas próprias observações anteriores. Não se trata de uma mistura de essências opostas que possa ser superada com facilidade. Trata-se muito mais de um paradoxo, de algo que pode ser afirmado e negado num único tempo. *Así estás*, começa a estrofe final, reiterando com esse *estás* o começo do poema e reforçando a transformação e o devir históricos. Desse *ten con ten de abolengo* — que nomeia um mundo e uma memória tão reminiscentes da *brega* — nasce parte do poder literário de Palés. A força de sua poesia consiste talvez no encontro com essa precariedade, um equilíbrio momentâneo e frágil, que pode se romper a qualquer momento.

A dança, ao som do tambor secreto, é uma cerca protetora das histórias paralelas contidas no *ten con ten* [balanço]. Como na *brega*, há uma clara dimensão erótica. A *verde antilla* apostrofada é o espaço, a terra fértil para onde afluem as correntes hispânicas e africanas, os piratas e os escravos. É também um corpo que se desloca e baila, a *ágil bayadera* [ágil bailarina índia]. É preciso recordar o que disse Michel de Certeau: "Cada sociedade tem 'seu corpo', assim como sua língua, constituído por um sistema mais ou menos refinado de opções entre um conjunto inumerável de possibilidades". E a Palés interessaram a hibridação do corpo e a palavra ambígua, ambos com seus segredos e opacidades. O poema se abre com imagens de tempo e espaço, como um pano de fundo feito apenas de linhas e sombras, como elementos residuais que persistem de um passado violento e impreciso, sem

* Embora a intradutibilidade do título seja a alma do negócio, seria possível tentar algo próximo em português, como "Tuntum de candonga e arrebatamento".

limites referenciais muito claros. Nesse marco aparece primeiro o ritmo da *isla verde* que é também a *morena gloria* [morena glória] celebrada pela guerra dos piratas e pela música dos tambores africanos, que ao mesmo tempo se cruzaram, intercambiando *cimarronamente* [clandestinamente] seus papéis. Tudo ocorre *a un tiempo* [a um só tempo], como se o poema mesmo se encontrasse em suspensão:

> *Estás, en pirata y negro,*
> *mi isla verde estilizada,*
> *el negro te da la sombra,*
> *te da la línea el pirata.*
> *Tambor y arcabuz a un tiempo*
> *tu morena gloria exaltan,*
> *con rojas flores de pólvora*
> *y bravos ritmos de bámbula.**

Anos de trabalho paciente, e Palés encontrou na linguagem a expressão das tensões do ser, e viu que cruzava toda a cultura porto-riquenha. Ao consagrar a expressão em sua poesia, ele a liberava e convertia a tensão das origens em possibilidade de novos princípios. Todo o texto está construído sobre expressões dubitativas, salvo esse *estás* que abre e fecha o poema. Mas mesmo o *estás* fica modificado pelo *sí es* [sim és] e o *no es* [não és]. A coexistência é conflitiva, mas pode ser suavizada pelo *ten con ten* [balanço]. Em *Filosofia e linguagem*, Merleau-Ponty oferece reflexões que se revelam iluminadoras, tanto para o *ten con ten* quanto para seu equivalente, a *brega*: "O homem, como o literato,

* "Estás, em pirata e negro,/ minha ilha verde estilizada,/ o negro te dá a sombra/ te dá a linha o pirata./ Tambor e arcabuz a um só tempo/ tua morena glória exaltam,/ com flores vermelhas de pólvora/ e bravos ritmos de bambula."

só pode se apresentar ao mundo e aos demais graças à linguagem, e talvez a linguagem seja a função central que constrói uma vida como uma obra e que transforma em motivos de vida até nossas dificuldades de ser".

4.

Os usos porto-riquenhos do *bregar* contemplam centenas de histórias em torno das dificuldades do ser. Uma das mais fascinantes é a de Víctor Pellot, o mítico herói popular do beisebol. Sua história tem um atrativo especial porque parece atravessar todas as zonas do tríptico da *brega*, e permite especular sobre a herança *cimarrona*.* De 1954 a 1965, ele foi um dos precursores latinos nas Grandes Ligas do beisebol norte-americano. Assim como muitos dominicanos e cubanos que se destacaram nesse esporte, Pellot, um porto-riquenho negro, teve que *bregar* com o preconceito racial. Abriu espaço, com as mãos, nas Grandes Ligas, e alcançou grande fama, renovando ao mesmo tempo algumas das práticas da tradição *cimarrona*. O contexto histórico e político era extraordinariamente complexo. Eram os anos da *brega*, das emigrações em massa para os Estados Unidos, da insurreição nacionalista, da Guerra Fria, da "dupla" cidadania porto-riquenha e do Estado Livre Associado, do macarthismo e do grande movimento afro-norte-americano de luta pelos

* Eis aqui um momento em que a tradução de *cimarrón* por "clandestino" claramente não funciona. Neste caso, trata-se de referência mais direta aos espaços não inteiramente regulados, gerados historicamente numa sociedade em que a presença de piratas e contrabandistas se fazia ao mesmo tempo que a figura do *fugitivo* se tornava central. O *cimarrón* contém, nesse sentido, toda a história do encontro de europeus, nativos e africanos no espaço insular do Caribe. Assim, nesta seção manterei apenas o termo em espanhol, em itálico.

direitos civis. A trajetória de Pellot permitiria recompor uma época de mudanças e deslocamentos vertiginosos na vida porto-riquenha, assim como nas correntes escuras que lhe dão continuidade.

Certo mistério toca sua figura. Ele próprio foi soltando aqui e ali pistas ambíguas, a começar por seu nome, que sofreu uma transformação significativa: Víctor Pellot em Porto Rico; Vic Power nos Estados Unidos. Foi um pioneiro que manobrou dentro de margens muito estreitas para se sobrepor à realidade abrumadora de humilhações e desprezo. Nos anos 1950, exibia de forma teatral seus Cadillacs conversíveis e suas mulheres loiras; assim o recorda Edgardo Rodríguez Juliá no início de sua estupenda crônica *Las tribulaciones de Jonás* [As tribulações de Jonas]. Hoje surpreenderá a alguns saber que, nesses anos de glória, Pellot era considerado por certos setores em Porto Rico — com termos que carregam uma intenção desdenhosa — um "*negro parejero*" [negro atrevido], arrogante. Ao mesmo tempo tinha que *bregar*, às vezes com grande ironia e humor, com o feroz racismo que se manifestava no beisebol das Grandes Ligas no Kansas ou na Flórida. Mas em outros momentos soube calar-se. De maneira significativa, o Caribe tinha se convertido durante esse tempo numa zona de refúgio — *cimarrona?* — para muitos afro-norte-americanos que eram excluídos das Grandes Ligas.

Há um testemunho excepcional, uma longa entrevista que deu a Danny Peary, em que Pellot narra sua infância em Arecibo, sua longa carreira no beisebol, seu amor pela arte, pelos museus, pela música clássica e pelo jazz; e recorda Tito Puente no Palladium e Billie Holiday. Traz também amargas recordações da exclusão racista e dos estratagemas que usava para *bregar* com a polícia em Kansas City, no Arkansas ou em Orlando, quando decidia se calar diante dos insultos e quando reagir. A piada, a simulação e o silêncio eram formas de *bregar* com situações em que era impossível cruzar a linha de cor. Uma vez, em Little Rock, Pellot entrou num restaurante e a garçonete, é evidente, negou-se a servi-lo: "*We don't serve Negroes*" [Não servimos pretos], disse-lhe. E Pellot respondeu: "*That's okay, I don't eat Negroes. I want rice and beans*" [Tudo bem, eu não como pretos. Quero arroz e feijão.] Quando alguns companheiros afro-americanos o chamavam "Uncle Tom"* porque Pellot se fizera muito amigo de Cletis Boyer, um jogador branco, ele fingia não entender o significado da expressão.

Essa maravilhosa reportagem aparece no livro de Peary *Baseball's Finest*, publicado em 1990. Pellot começa contando como comprou seu primeiro uniforme Yankee numa farmácia de Arecibo, sem que ele ou seus amigos soubessem então quem eram os Yankees. Órfão de pai — que morrera num acidente de trabalho —, sonhava em ser advogado para lutar pelo que legitimamente cabia a sua modesta família. Sua mãe, costureira, tinha sido enganada pelos advogados que entraram em cumplicidade com a companhia de seguros. Mas Pellot foi se destacando no beisebol, e seu enorme talento tornou possível que assinasse, em 1947, com apenas dezesseis anos, um contrato com a equipe de Caguas. Daí em diante dominou o jogo, seduzindo as massas com seu estilo. E dominou o jogo de aparências, necessário para sobreviver no fantástico e cruel mundo do beisebol profissional.

Pouco mais tarde, em 1949, Quincy Trouppe, das Ligas Negras, o contratou para jogar em Drummondville, no Québec. Naquele momento, Pellot não falava nem inglês nem francês. Seu êxito no Canadá atraiu a atenção dos Yankees, que o compraram,

* Referência ao famoso romance *Uncle Tom's Cabin*, de Harriet Beecher Stowe, de 1852, traduzido no Brasil como *A cabana do Pai Tomás*. Num registro racista, para um falante de inglês, *Uncle Tom* pode servir de epíteto a um negro subserviente a um branco.

embora nunca o tenham integrado em seu time. Em Drummondville também assumiu seu segundo nome, Vic Power. A história de Víctor Pellot é muito singular porque expõe a construção de um herói popular que é conhecido por dois nomes distintos, sem que se possa dizer que um é verdadeiro e o outro é falso. Mas tampouco cabe qualquer dúvida de que para alguns sua individualidade se apresentava fragmentada. O jovem ídolo que deu fama ao time de Caguas e à Liga de Beisebol Profissional de Porto Rico chamava-se Víctor Pellot. Mas nos Estados Unidos, quando jogava com os Atléticos de Filadélfia ou com os Índios de Cleveland, era Vic Power. Por quê? Que significa ter dois nomes? Que se ganha e que se perde? O sujeito se afirma em parte ocultando-se. Antecipa-se, com esse desdobramento, o caráter que alguns têm visto como constitutivamente indeciso, ou duplo, da moderna cultura política porto-riquenha, que reproduz algo central das tradições *cimarronas*. A *brega* pode ser uma arte da fuga.

5.

O dilema porto-riquenho não é, como alguns querem fazer crer, a sublime abstração de *ser-ou-não-ser*, mas sim um antitrágico *bregar-ou-não-bregar*, um *ten con ten* cuja eficácia nem sempre é de fácil valoração. O verbo *bregar*, como vimos de maneira esquemática no tríptico, desdobra sua significação numa multiplicidade de níveis no fluir da linguagem. Seus significados se enriquecem e se fazem complexos. Não há como sair de um lodaçal sem ter à mão a ferramenta verbal da *brega*. Sua prática pode alcançar a perfeição, como o audaz jogo de mãos com que Víctor Pellot Power podia fazer desaparecer a bola na sua luva, nos anos em que jogava na primeira base com os Criollos do Caguas-Guayama. Nos treinos que mestre Víctor Pellot dirigia até pouco antes de sua morte, ele mesmo contava aconselhar os jovens que queriam ser jogadores de beisebol com o seguinte enunciado: *Si no bregas, no llegas* [Se você não *brega*, não chega lá].

Até para certas formas do prazer *bregar* deslumbra como metáfora erótica. *Brega-se* metendo as duas mãos na massa, aludindo, tal linguagem figurada, ao tocar e ao ter. Esse uso erótico, tão frequente entre porto-riquenhos, está constatado também no *Diccionario de venezolanismos* [Dicionário de venezuelismos], organizado por María Josefina Tejera, no duplo sentido de *bregar la arepa* [preparar a *arepa*]* e de "cortejar uma pessoa". Seja como for, *bregar* quase sempre é pensado de uma perspectiva positiva: dar forma a algo. Mas se pode usar de maneira negativa e derrogatória, com o propósito de marcar distâncias com um interlocutor impossível. Quando já não se pode mais, se diz, significativamente: *Yo con eso no brego* [com isso eu não me meto]. Por exemplo, poderíamos declarar, com um gesto de refutação: com os partidos políticos porto-riquenhos, *yo no brego*.

Bregar poderia ser um exemplo do que J. M. Balkin, num livro recente, chama de "software cultural" que vai se atualizando e aperfeiçoando. Compreender como e quando os porto-riquenhos usam esse software exige estar muito atento à fala, à maneira de construir uma frase, às práticas sociais e seus contextos. Ainda assim, há algo que nunca vamos terminar de conhecer. Quando começa e quando termina o contexto que dá sentido a uma frase ou a uma palavra?

Entre porto-riquenhos, aprende-se a usar o verbo muito cedo. Mas ele é imemorial. É mais velho que a história porto-riquenha, claro. Os dicionários etimológicos coincidem em que sua base é o germânico *brikan*, que significava "romper", quebrar,

* Espécie de panqueca de milho cozido, comum sobretudo na Venezuela e na Colômbia.

como no inglês *to break* e no alemão *brechen*. *Bregar* se usa, como temos visto, no castelhano antigo, no espanhol americano, no catalão, no italiano, em francês e em português, ainda que com sentidos distintos figure no *Diccionario del judeoespañol* de Bendayán. Luiza Franco Moreira me informa que, na fala do português brasileiro, *brigar* equivale a "lutar", "discutir", e tem outros usos. Mas, em português, referido a um casal, não tem o sentido erótico, e sim o oposto: *brigar* significa a disputa que culmina na separação, uma forma de guerra. Para alguns dos significados da *brega* é interessante, diga-se de passagem, comparar o verbo com os usos que tem *to break* em inglês. *To break* não só significa "ruptura" como também "fuga", "evasão", como em *a break from prison* [escapar da prisão]; ou então o difícil momento de "abrir caminho", como em *to break through*, e, na linguagem do basquete, *a fast break* [contra-ataque rápido]; ou "violar a lei", como em *to break the law*; também como "resolver" ou "decifrar", em *to break a mystery*; e "adentrar uma zona proibida", como em *to break the bounds*. No *Nuovo vocabolario illustrato della lingua italiana*, de Oli e Magini, figuram o substantivo *briga* e o verbo *brigare*, que conta com as acepções etimológicas "lidar" ou "guerrear" e também com o valor de "atuar com astúcia". Em italiano se usa ainda o substantivo *brigatóre*, referido à pessoa que *briga per abitudine*, que seria em espanhol um "*bregador*" [um "briguento"]. Em francês parece que o uso é mais limitado, mas revelador: o verbo *briguer* poderia ser traduzido como "cobiçar", "desejar". Cobiçar um posto de direção para si mesmo, por exemplo: *briguer le poste de ministre* [ambicionar a posição de ministro]. Os dicionários proveem numerosas pistas, mas dizem pouco do contexto cultural.

A história dos nomes do jogador Víctor Pellot Power, narrada por ele mesmo, ilumina algumas dessas práticas. É em parte a história de um nome "falso", imposto pela instituição da escola pública, e que, de outro, remonta à sociedade escravista. É também o resultado de uma luta assimétrica que de imediato põe em movimento uma das formas complexas da *brega*. Como ocorre em muitos outros casos, é provável que o sobrenome Pellot provenha de fazendeiros escravistas do século XIX que tinham esse nome. Aparece documentado no povoado de Moca, segundo me informa o historiador Gervasio L. García. Essa opacidade dos nomes remete a um relato *cimarrón* [clandestino] e muito caribenho, de identidades obrigatórias e elegidas que exemplificam a necessidade de adaptar-se às circunstâncias, de construir-se como sujeito em espaços sociais restringidos. Basta recordar o poema "El apellido" [O sobrenome], do cubano Nicolás Guillén.

Víctor Pellot Power é um dos heróis populares indiscutíveis, uma figura lendária, como o foram na música Rafael Hernández, Ismael Rivera e Tito Puente, ou o poeta Luis Muñoz Marín na vida política. Com maior ou menor intensidade, e a partir de distintos setores sociais, viveram a experiência porto-riquenha nos Estados Unidos e participaram nos novos saberes bilíngues e nos dilemas novos e inéditos que essa experiência produziu. Como Roberto Clemente, Rubén Gómez e Orlando Cepeda, Víctor Pellot abriu brechas através do beisebol, metendo-se em cheio em novos territórios, cruzando novas fronteiras sociais e culturais. Todos — jogadores, músicos e poetas — foram ávidos por conquistas e reconhecimento público, e tiveram a paixão de pertencer a uma comunidade. Demonstraram um hábil manejo das artes verbais e corporais da sedução. Alcançaram grande prestígio e foram aclamados pelas multidões. Sua poesia, seu beisebol e sua política chegaram a ser emblemas do nacionalismo popular. Ainda mais que isso: embora de origens sociais muito distintas, a fama desses heróis está ligada à moderna cultura midiática, visual e oral, do rádio e da televisão, e aos espaços atravessados pelas migrações dos porto-riquenhos aos Estados Unidos. No beisebol da Liga Porto-Riquenha, como na música popular, se põem em cena, ademais, os velhos dramas raciais das culturas caribenhas.

Vista de fora, a história de Víctor Pellot pode parecer confusa. Como toda errática história *cimarrona*, carece de arquivos estáveis, e está aberta à contingência. Decerto não tem a coerência que desejam os autoritários defensores das identidades puras. Pellot era filho de Regino Pellot, que nasceu no bairro Aceituna de Aguadilla, e de Maximina Power, nascida no bairro Islote de Arecibo. O pai trabalhou na Central Cambalache de Arecibo até sua morte prematura. A mãe era costureira. Ele tinha treze anos quando ficou órfão. Ao tornar-se jogador de beisebol com o time de Caguas, conheceu o *catcher* [apanhador] afro-norte-americano Quincy Trouppe, que foi para ele como um segundo pai, um mestre que o iniciou no beisebol do norte, no Canadá. Sua vida mudou por completo. Por mais amor e orgulho que Víctor Pellot Power sentisse pelo seu nome e sobrenome, teve que assumir a variante que lhe serviu de identidade desde seus dias em Drummondville, no Québec, e logo mais durante sua carreira no quadro das Grandes Ligas nos Estados Unidos: Vic Power.

Não era nenhum segredo. Ele mesmo conta que em Québec riam do seu sobrenome Pellot, porque os canadenses "me chamavam *la Pelote*, com um *l*"* — segundo suas próprias palavras —, que tinha um sentido degradante. Isso se comprova na definição que dela dá o *Dictionary of Canadian French*, de Robinson e Smith: *pelote* significava "prostituta". Foi por essa razão que começaram a chamá-lo Víctor Power. Mas Power, o sobrenome materno, tinha sido imposto em Porto Rico por uma professora de inglês do primeiro grau. O "verdadeiro" sobrenome de sua mãe era "Povê", mas — segundo esta contou a Pellot — a professora

* *Pellot* se pronuncia, na zona caribenha, como *Peiot*, mas em francês se pronunciaria *pelô*, daí a brincadeira com *pelote*.

insistiu que esse nome era francês e, portanto, um "erro", e tranquilamente transformou "Povê" em "Power", falsa tradução que Maximina não teve remédio senão aceitar. De forma que tanto o nome da mãe quanto o do jogador é um nome próprio, próprio mas não escolhido, e sim imposto, sem antepassados nem linhagem. As recordações do filho remetem às recordações de infância da mãe, e proveem as regras e a autoridade que indicam como atuar, como *bregar*.

Podem-se anular os sobrenomes, mas não o corpo, a cor da pele ou o sotaque, nem tampouco o racismo consciente e subliminar que se pratica contra os porto-riquenhos nos Estados Unidos. Os porto-riquenhos são cidadãos, sim, com direitos eleitorais e de circulação; isso é muito importante para entender a elusiva complexidade de sua situação colonial. Mas não deixaram de ser cidadãos de segunda classe, com poucos direitos sociais reais, apesar das ilusões das elites por parecerem de primeira linha. Víctor Pellot aprendeu, segundo conta, a levar uma vida dupla: no terreno do jogo todos falavam com Vic Power, mas ele era invisível ou suspeito fora desse espaço. É como uma metáfora.

Nos anos 1950, segundo relata Pellot, os porto-riquenhos quiseram homenageá-lo no estádio dos Yankees, em parte como desagravo pela exclusão racista que tinha sofrido dessa equipe. Os donos do time não permitiram que a homenagem fosse feita em campo. Mas o fizeram de toda forma, nas arquibancadas. Após a partida, Pellot brilhou com dois *home runs*.* Essa imagem do herói central aclamado pela sua gente, amontoada num espaço marginal do Yankee Stadium, parece um conto de José Luis

* No original, "*jonrón*". Em espanhol porto-riquenho, ou caribenho, significa a jogada de beisebol em que o batedor rebate de tal maneira que consegue fazer o circuito completo entre as bases (de *home run*).

González.* Teatro dentro do teatro, jogo de esconder: é uma boa imagem da *brega*.

6.

Em suas múltiplas dobras, *bregar*, em síntese, traz impressas pelo menos três marcas. Em primeiro plano, está a do trabalho, da disciplina e do talento. Em segundo lugar, encontramos o *bregar* sexual, em que as duas esferas, a do trabalho e a erótica, se entrecruzam com os ritmos do corpo. O terceiro carrega as marcas dos intensos dilemas psicológicos, espirituais e políticos que afetam diretamente os indivíduos e a comunidade. Essas dimensões adquirem uma luz momentânea no nosso tríptico. É muito difícil representar esse terceiro *bregar*, o das indecisões e decisões em circunstâncias precárias, e é justamente o que mais nos interessa neste ensaio. Seu sentido se explica melhor com alguns relatos breves e autônomos que são pequenas histórias de sua prática e de sua tradição.

O verbo é pronunciado com esperança ou com melancolia. Em Chicago ou na ilha, a concisa expressão *hay que bregar* [tem que se *bregar*] pode ser uma exortação a produzir ideias e iniciativas, até com certa militância, a fim de confrontar políticas, condutas e desafios técnicos. No entanto, em outro contexto, e como outras duplicidades da vida porto-riquenha, pode ser uma frase morta que se diz para desconectar-se e manter as aparências, uma frase que nem começa nem termina, e que apenas gira sobre si mesma. Interessa-nos essa *brega* não épica, que permite seguir

* Escritor porto-riquenho, José Luis González (1926-96) viveu no exílio no México. De Arcadio Díaz-Quiñones, ver *Conversación con José Luis González*. Río Piedras: Huracán, 1976.

adiante com a vida por conta da necessidade de salvar algo do naufrágio.

Quem *brega* bem não possui necessariamente um conjunto articulado de ideias, mas sim inteligência e técnica, um saber prático ou uma grande capacidade de relação dialógica. É um sistema de decisões e de indecisões — um complexo de definições, interpretações e proibições — que permite atuar sem romper as regras do jogo, esquivar-se dos golpes que administra a vida cotidiana, e, em alguns casos, extrair com astúcia as possibilidades favoráveis dos limitados espaços disponíveis. Parafraseando o que se diz num dos mais brilhantes ensaios de Albert O. Hirschman, poderíamos afirmar que a *brega* foi se formando como manobra defensiva frente às "retóricas da intransigência", tanto as "progressistas" como as "reacionárias". *Bregar* é uma prática e também um trabalho retórico, um trabalho com a linguagem por parte daqueles que há tempos deixaram de crer na bondade dos poderosos. A violência está sempre na tocaia. Mas o *bregar* não nasceu na polêmica, e, salvo nas guerras de amores, é contrário à guerra. Quais são as fontes de sua sabedoria?

Lamentavelmente, há muitas lacunas de informação em torno das tradições orais. Como bem diz o historiador Shahid Amin em seu livro *Event, Metaphor, Memory*, nesses casos o problema não é só a falta de documentos, mas também a falta de autoridade dos poucos que se tem — não se pode ouvir essas vozes elusivas e fantasmáticas nos arquivos, e quando são ouvidas soam como quando alguém sintoniza ao acaso uma rádio defeituosa. Nos arquivos oficiais aparecem distorcidas e fragmentadas pela linguagem institucional, ou sua verdade é posta em dúvida. Com frequência não deixam rastro nem forma. Às vezes, contudo, essas vozes são "escutadas" (ou se crê escutá-las) na literatura, como nos contos já clássicos que Pedro Juan Soto recolheu em *Spiks* e

Luis Rafael Sánchez em *En cuerpo de camisa*, ou nos textos do livro *Silent Dancing* [Dança silenciosa], de Judith Ortiz Cofer.

No caso da *brega*, há um testemunho excepcional que documenta por escrito o dizer popular camponês. No grande livro *Worker in the Cane* [Trabalhador na cana], de Sidney Mintz, publicado em inglês em 1960 e em espanhol em 1988, o verbo prolifera de maneira expressiva nos relatos de Taso, um trabalhador da cana-de-açúcar. O mundo de Taso punha a descoberto os estragos e a miséria gerados pela exploração inclemente das corporações açucareiras na vida dos trabalhadores rurais porto-riquenhos. Revelava também as formas com que eles *bregavam* com as dificuldades da vida cotidiana. Em seu estudo, Mintz agrega um utilíssimo vocabulário, no qual oferece uma definição muito precisa de um dos sentidos do *bregar*. Ademais, posiciona o termo no interior de uma classe social claramente delimitada. *Bregar* significa, segundo Mintz, "*literally, 'to struggle'. The term is used very often among lower-class Puerto Ricans do describe their lives and their work*" [literalmente, lutar para sobreviver. O termo costuma ser usado entre porto-riquenhos de classe baixa para descrever suas vidas e seu trabalho]. Esse rastro arcaico, que se encontra já na décima de Palés Matos, é fundamental nos usos presentes do verbo. Há que notar, pelo contrário, que em *La vida*, livro do antropólogo Oscar Lewis sobre a "cultura da pobreza" entre os porto-riquenhos, cuja versão espanhola foi publicada em 1969, o verbo não aparece, ou apenas figura uma ou duas vezes nos testemunhos "orais". Essa ausência pode ser significativa, e mereceria mais reflexão.

A *brega* atual permite pensar num fato cultural decisivo que tem uma estatura diferente da de outros fatos históricos documentados. *Bregar* é uma maneira de tomar a palavra, e um modo de atuar que amiúde leva à duplicação e às duplicidades. Num relato, a escritora Judith Ortiz Cofer nos transporta para outro espaço nos mesmos anos, Paterson, em Nova Jersey, um dos redutos da comunidade porto-riquenha, e o universo privado e feminino da emigração, seus valores e ritos próprios. É um relato paralelo e oposto ao âmbito social de predomínio masculino do beisebol. Talvez mais dramático ainda, porque destaca a precariedade e a dureza da vida na emigração e a dissimulada sensação de viver pela metade. Trata-se mais uma vez de recordações da mãe, que nesse caso marcaram a filha. Ortiz Cofer narra as exclusões que sofria a comunidade e as dificuldades e proibições que configuravam o território da mulher. A autora não relata a independência do "teto todo seu" que com razão exigia Virginia Woolf, mas, de maneira mais modesta, a história de uma mulher que constrói um lugar habitável em Nova Jersey.

O texto de Ortiz Cofer revela as estratégias de sobrevivência postas em prática por sua mãe para escapar às formas de repressão familiar e social. Duas notas caracterizam essa história: a solidão urbana e a desorientação. A família chegou em 1955 a Paterson, a cidade mítica da poesia de William Carlos Williams, um dos lugares dos quais sem dúvida poucos porto-riquenhos tinham ouvido falar. Sua mãe tinha apenas vinte anos, e seu pai trabalhava na Brooklyn Navy Yard.* O pai decidiu unilateralmente que a esposa e os três filhos fossem viver num edifício de apartamentos que os porto-riquenhos haviam batizado com o nome genérico de El Building. Moravam num bairro judeu da cidade que com rapidez ia se convertendo num bairro *boricua*.** O pai só podia estar com a família nos fins de semana. Buscando talvez a ordem que subjaz à desordem do preconceito, ele havia proibido

* Paterson, em Nova Jersey, fica perto de Nova York e, portanto, não de todo distante do Brooklyn.

** Porto-riquenho. (Sua utilização em contextos de emigração pode assemelhar-se ao termo "brazuca" para os brasileiros.)

que "se misturassem" com outros porto-riquenhos do Building e do bairro. Nos fins de semana, acompanhava-os nas compras num chamativo supermercado, evitando a bodega porto-riquenha. Era uma dura experiência de "integração" que ele tinha concebido para sua família.

A mãe, no entanto, estava *bregando* com a solidão de El Building, onde nada a antecedia nem a concernia, e com o custo intolerável da integração. E *bregou* recriando costumes que se entremeavam de modo confuso às novas rotinas. Durante a semana, enquanto o marido estava no Brooklyn, ela não ia ao supermercado, mas escapava com os filhos para a bodega. Ali, podia encontrar-se com sua gente e comprar os produtos Goya e Libby's, os alimentos e sabores que estavam presentes em sua memória. Conta a autora que sua mãe se detinha naquele espaço marginal e proibido, através do qual se localizava na tradição *cimarrona*. Algo nela despertava e voltava à luz. Ali podia rememorar o sabido, construir uma morada simbólica. Deliciava-se com o aroma do *sofrito*,* como quem nasce pela segunda vez. E, sobretudo, saboreava a conversa, as palavras que entendia, por sua vez aprendidas de sua mãe, como a recordação que contém outras recordações. Fortalecia assim a capacidade de suportar certa dose de solidão. Já não estava perdida na nova fronteira.

A cultura também viaja e se desdobra nos novos espaços, ainda que com temporalidades heterogêneas. O exílio dos emigrantes separa e reúne os lugares, como testemunha essa bodega que permitia um regresso simbólico ao lar. A mãe de Ortiz Cofer construiu um itinerário muito restrito, do El Building à bodega: era um espaço litúrgico que lhe proporcionava pontos de referência; oferecia afetos, dava-lhe alento e a fortalecia. Um lugar e um

* Tempero porto-riquenho, frito no azeite e composto, entre outros ingredientes, por alho e cebola.

tempo: um tempo fora do tempo, no qual se ouvia o eco distante de outras vozes e iam se criando cumplicidades e dependências. A própria construção da recordação sofre um deslocamento. A experiência da mulher em Paterson constitui um caso especialmente iluminador do que Hannah Arendt chamava "pensar sem corrimão", correndo riscos enquanto se desce as escadas. À medida que se avança, recupera-se a misteriosa faculdade de começar de novo, sem ter onde segurar-se. Essa é uma das expressões fundamentais da *brega*: a arte de sobreviver com certa dignidade.

7.

Apesar de tudo, haveria que formular uma série de dúvidas e suspeitas. Que dilemas morais oferece a prática da *brega*? Não será, sob certas condições, um modo de deslocar os debates, contradizendo-se em incessantes fórmulas de compromisso? Os encantos de sua enganosa precisão encobrem um vazio? Como quando se converte numa impostura, numa artimanha para simular que se está enfrentando algo e, de fato, se está claudicando intelectual e politicamente?

Durante décadas, nos anos de Vic Power e da jovem mãe de Paterson, muitos porto-riquenhos confiaram que Luis Muñoz Marín, o poeta vanguardista e político de vanguarda, saberia *bregar* com os norte-americanos, ou seja, negociar com o desmesurado poder do império, sem perder a dignidade e sem fazer uso da violência. De fato, com um notável consenso democrático e com muito carisma, Muñoz Marín, filho e herdeiro de Luis Muñoz Rivera, que havia formulado o "possibilismo" da política porto-riquenha, conseguiu que muitos intransigentes transigissem. No pós-guerra, ou durante a Guerra Fria, ele mesmo atuava como agente duplo da cultura política. Muñoz Marín parecia encarnar a *brega*: ser um em dois, perfeitamente bilíngue, de sólida tradição *criolla* e moderna, leal aos porto-riquenhos e aos norte-americanos.

A *brega* política era um palco eficaz de ação social. Requeria, entre outras coisas, grande astúcia nas negociações, afinco na tradução e habilidade nos momentos de fuga. Há que ressaltar que uma das credenciais que validavam politicamente a *brega* de Muñoz Marín era seu bilinguismo. A esse respeito, um texto escrito por ele mesmo nos anos 1940 é chave, ainda que seja pouco conhecido até agora. Trata-se da breve *Historia del Partido Popular Democrático*, na qual se inclui um "esboço autobiográfico", uma cronologia escrita em primeira pessoa que só foi publicada em 1984. Segundo o organizador anônimo, esses primeiros capítulos de uma espécie de relato autobiográfico inacabado foram redigidos entre 1941 e 1942, a partir do grande triunfo político de 1940.* Por que não se publicou à época? Ao reconstruir de forma sumária a infância em Nova York em seu "esboço", Muñoz Marín recuperou alguns *beginnings*** reveladores: "Não recordo nenhum momento em que não falasse inglês, ao mesmo tempo que não recordo nenhum momento em que não falasse espanhol". Sua figura se move sempre nessa fronteira espiritual e linguística.

No *Eu* que Muñoz Marín construiu, o domínio das duas línguas — o inglês dos Estados Unidos e o espanhol porto-riquenho — termina por converter-se na verdadeira diferença. Em sua autorrepresentação, havia se encarregado de seu próprio papel, como que investido de uma missão. Quase se pode dizer que apresentava uma utopia, a utopia da tradução que reunia o poeta e o político. Fundamenta-se desse modo a figura do tradutor:

* Referência à vitória eleitoral maciça do Partido Popular Democrático.

** Em inglês no original, aqui e à frente. A principal referência é a obra *Beginnings: Intention and Method*, de Edward Said, de 1975.

o mais secreto, estranho e nostálgico dos escritores, para dizê-lo com palavras de Maurice Blanchot. O que Muñoz Marín pensava de si, com certa autossatisfação, segundo o texto que data de 1941 ou 1942, é o seguinte:

> À medida que ia nomeando as coisas — esse batismo diário e imperturbável em que o menino vai configurando o aposento de sua alma —, eram dois os nomes que tinham as coisas. Tinham seu nome em espanhol e o tinham em inglês. Isso vai muito além de uma mera tradução de sílabas cuja equivalência tratam de assegurar os dicionários. De fato, é muito mais uma série paralela de conotações que o dicionário traduz, mas que o sentido segue distinguindo — conotações que levam em suas entranhas toda uma história, toda uma maneira de ver, toda uma atitude do espírito [...]. O que fazem dois idiomas quando crescem de igual maneira num mesmo entendimento não é chegar a traduzir-se um ao outro, não é chegar a ser duas expressões exatamente equivalentes de uma mesma realidade. O que fazem é chegar a entender-se como irmãos. Por afortunadas incidências no vaivém de meus primeiros anos, creio que o inglês, na sua expressão americana, e o espanhol, em sua expressão porto-riquenha, se entendem bastante bem em mim.

A *brega* política exigia também a maestria na arte da fuga, essa tradição tão arraigada nas comunidades *cimarronas*. No segundo tomo de suas *Memorias* — outra publicação póstuma, de 1992 —, Muñoz Marín conta uma iluminadora parábola da *brega*, como afinado instrumento da prática política, que permite compreender melhor os pressupostos em que ela se funda. Durante a ditadura de Rafael Trujillo (1891-1961) na República Dominicana, o almirante Barbey, chefe da esquadra naval dos Estados Unidos no Caribe, com quartel-general em Porto Rico, aceitara uma condecoração do governo ditatorial. Havia sido decidido, sem consulta prévia ao governador Muñoz Marín, que a cerimônia aconteceria em San Juan. Criou-se assim um dilema político muito incômodo: "Eu não queria", escreve Muñoz Marín, "causar situações embaraçosas para o governo dos Estados Unidos em suas relações com um governo que oficialmente reconheciam, mas eu pessoalmente não receberia os altos funcionários que viessem de Santo Domingo para a cerimônia." Como evadir-se sem complicar as relações políticas? A solução que Muñoz Marín deu ao dilema revela um ordenado sistema de duplicidades e astúcias característico da *brega*.

O relato tem um título aparentemente inócuo: "Con café no se puede brindar" [Com café não se pode brindar]. Não houve, é verdade, nem denúncia aberta, nem tampouco defesa dos militares. O que Muñoz Marín buscava era uma saída honrosa, e encontrou uma via de escape pelas ilhas do Caribe. Em sua velhice, quando escrevia suas *Memorias*, Muñoz Marín lembra-se de si mesmo acompanhado em sua fuga por intelectuais e poetas, entre os quais se encontrava Luis Palés Matos, que ele ademais cita. Com a cumplicidade dos amigos, situa-se numa esfera de liberdade, um mundo próprio que não podia ser violentado pelo império: "Quatro dias de encanto e alta discussão". Narra com ironia o jogo duplo de encobrimento e revelação, certo de que seus leitores pudessem reconhecer retrospectivamente as virtudes de sua manobra. A parábola poderia ser o espelho em que se contempla a *brega* colonial:

> Como não queria causar complicações internacionais por uma bobagem qualquer, [...] ausentei-me por vários dias num pequeno barco indo em direção às Ilhas Virgens, acompanhado de vários amigos: Jaime Benítez, Antonio Colorado, Mariano Villaronga

[...] o poeta Luis Palés Matos e o futuro senador Ramón Enrique Bauzá.

Deixei encarregado do governo o tesoureiro de Porto Rico, Sol Luis Descartes, com instruções de que, ao receber em La Fortaleza os funcionários que traziam a condecoração, os obsequiasse com café preto em vez do tradicional champanhe de tais visitas. Se lhes desse champanhe, era certo que brindariam por mim como chefe de governo de Porto Rico, na expectativa de que Descartes então brindasse por Trujillo. "Com café preto não se pode brindar."

Foram três ou quatro dias de encanto e alta discussão naquele mar "*alelado de islas*" [tonto de ilhas], como tinha dito Palés, a que só podem se comparar em luminosidade e magia os mares da Grécia, um dos quais tenho diante de mim enquanto redijo estas páginas. Palés, na mais conhecida etapa de sua obra poética, havia escrito os poemas afro-caribenhos sem jamais ter saído de Porto Rico. Eu quis levá-lo a Nova York para editar uma revista literária de animoso alcance hemisférico muitos anos antes, mas sua timidez e um compromisso de matrimônio o sujeitaram a Porto Rico. Ao passar pela ruas arenosas de um vilarejo da ilha de Saint John, dizia Palés com ingenuidade de poeta profundo: "Isto se parece muito ao que escrevi".

Descartes recebeu a delegação e lhe deu café. Não houve brinde. A medalha foi outorgada ao almirante em sua residência na Base Naval. Eu podia ter me negado absolutamente a que se recebessem em La Fortaleza os representantes da ditadura. Ao decidir não fazê-lo, estava expressando minha atitude de que em coisas assim, uma vez esclarecido o princípio, não valia a pena causar mais perturbação às funções normais de governo. O povo de Porto Rico entendeu a lição de democracia e isso bastava. Não havia que dramatizar demais.

Avança-se retirando-se. Prudência resignada ante um poder formidável? Ou, já velho, escrevia para o tempo imaginário da posteridade, *bregando* com seu lugar na história? A sinuosidade da *brega* política em "Con café no se puede brindar" revela o drama colonial e os relatos que se configuram a partir de sua vivência. O político era um autêntico jogo teatral em que não havia que "dramatizar demais". A enorme disparidade de forças impedia atacar de frente: obrigava, até a um político que estava no cume de seu poder, a *bregar*, a estar e não estar. Os epígonos e apologistas de Muñoz Marín ainda hoje reconhecem seu engenho e aplaudem o tratamento jocoso do tema.

Naturalmente, há outros modos de ler essa passagem. É possível que uma segunda leitura suscite, apesar de tudo, uma imagem de desamparo e, desde aí, discrepâncias interpretativas. Alguns não poderiam resistir à tentação de, em nome do anti-imperialismo, reprovar em Muñoz Marín sua ilusória duplicidade. Ou ao menos de condenar seu servilismo diante da autoridade militar. Pode ser. No entanto, também haveria que admitir dúvidas de caráter diverso. Além de tudo, conquanto a tradição anti-imperialista tenha sido heroica, ela nem sempre foi democrática. Nesse sentido, é instrutivo o curso tomado pela Revolução Cubana e o autoritarismo de certos setores porto-riquenhos "revolucionários" da cultura de esquerda, cuja beligerância com frequência deixou muitos seguidores tão humilhados, ou até mais desmoralizados, que as equívocas manobras da *brega*. Não obstante, para muitos dos que hoje leiam Muñoz Marín, a decepção é inevitável. Mas os leitores ideais do texto eram seus contemporâneos, "o povo", os que podiam apreciar o descolamento, a astúcia e a habilidade do mestre porque compartilhavam a mesma consciência e sensibilidade irônica diante do alto custo do enfrentamento com os poderosos. Hoje esse fio se rompeu.

Mas, efetivamente, é no ensaio de um coetâneo de Muñoz Marín que se acha o melhor exemplo de convergência com sua *brega*. A "manipulação" proposta em 1934 em *Insularismo*, de

Antonio S. Pedreira, é outra das expressões da *brega* intelectual e política, hoje também discutível. O governo de Muñoz Marín assumiu plenamente o que já havia se formulado em *Insularimo*, ensaio que calou fundo no espírito de toda uma geração de intelectuais e profissionais. Nele, Pedreira exortava — insistindo na mão que executa — a "manipular ambas as culturas", a espanhola e a norte-americana. A proposta explícita do ensaio, tão atrativa para muitos de seus contemporâneos, era lograr a conciliação entre dois princípios que pareciam irreconciliáveis — uma típica intervenção da *brega*. "Manipular" significava absorver e recriar o espanhol e o norte-americano, duas culturas igualmente reais ainda que distintas. O que se desejava era compartilhá-las, apropriá-las e, por fim, pactuar com elas. Para isso, Pedreira localizou uma tradição, a "alma" porto-riquenha. Era apenas uma tradição, mas contava com alguns precursores, uma imagem histórica e textos frágeis. Apesar do complexo e contraditório dos fatos coloniais — e devido a isso mesmo —, segundo o autor, Porto Rico estava em "transição". Não se tratava de voltar atrás, nem de se converter de modo submisso em apêndice de nenhuma das duas culturas, mas sim de situar-se *entre* elas, de participar em ambas ao mesmo tempo.

A "manipulação" de Pedreira mantém um parentesco estreito com a *brega* de Muñoz Marín. Pedreira reconheceu de maneira explícita o conflito das lealdades coloniais sob o antigo e o novo regime. Em 1933, por exemplo, num artigo sobre Pedro Juan Labarthe, escrevera: "Não sei até que ponto se pode ser filho de um poderoso Estado e de um país regido pelo Departamento de Guerra desse mesmo Estado". *Insularismo* foi sua resposta a esse dilema. Pedreira sustentava que uma minoria de eleitos harmonizaria produtivamente o local e o universal, sem a violência que supunha a ruptura de um Estado independente. Esse sujeito porto-riquenho seria capaz de levar a cabo, com suas mãos, a transformação, e equilibraria o desacordo de culturas, colocando-se como o terceiro na disputa. Isso implicava que esse sujeito devia atuar com astúcia. O terceiro, se pertencia à minoria secreta, tinha todas as cartas.

As culturas são objetos que se manipulam para todos os lados — recordemos o *manipolare* italiano, *con astuzia*. *Insularismo* significativamente se encerrava com o convite a que os jovens intelectuais (os homens, já que as mulheres eram excluídas) *atuassem* — *bregassem* — nessa direção e organizassem o país de maneira inteligente. Em certo sentido, sua proposta recorda a forma como estão construídos os templos coloniais, usando o cimento e as pedras pré-hispânicas. Havia limites para o manipulável? Encaixariam bem as distintas peças? O chamado de Pedreira não formula essas perguntas. As manobras que propunha negavam a agonia política e a luta frontal que naqueles anos encarnava Pedro Albizu Campos,* nem sequer mencionado no ensaio.

A recepção entusiasmada que teve *Insularismo* permitiria iluminar perfis pouco elucidados da *brega* colonial. O ensaio de Pedreira encontrou respeitabilidade e credibilidade no campo intelectual e abriu caminho para ler de outro modo o passado e o presente. Esse foi o projeto que triunfou, sob a liderança de Muñoz Marín, em 1940, e gozou de clara hegemonia até 1968. Duas das grandes conquistas do governo populista foram precisamente a Operación Manos a la Obra e a criação do Estado Libre Asociado, respectivamente conhecidos em inglês como

* Pedro Albizu Campos (1891-1965) formou-se em direito em Harvard, alistou-se no Exército americano na Primeira Guerra Mundial, e ao regressar a Porto Rico, ainda nos anos 1920, foi eleito presidente do Partido Nacionalista Puertorriqueño. Posteriormente, passaria dois longos períodos na prisão. Num primeiro momento, ficaria preso nos Estados Unidos, acusado de sedição; depois, em seguida à insurreição nacionalista na ilha em 1950, ficaria preso em Porto Rico até sua morte.

Operation Bootstrap e, de maneira cerimoniosa e ambiciosa, The Commonwealth of Puerto Rico. Os próprios nomes expressam um exercício complexo e a natureza lábil do Estado porto-riquenho: neles convivem uma impossibilidade e uma necessidade. As vantagens da "dupla" cidadania, da extensão da educação pública, dos programas de moradia e saúde pública, dos benefícios outorgados aos mais velhos, em suma, as vantagens dos dois Estados, eram — e são — inegáveis. Desde os anos 1940 até o final dos 1960, o governo do Partido Popular se vangloriava de dirigir um "laboratório" social e político do qual surgiriam formas novas de prosperidade que haveriam de beneficiar a humanidade.

De fato, inúmeras leituras celebratórias, e a hábil propaganda dos Estados Unidos, asseguraram que Porto Rico indicaria o caminho para o futuro. Contudo, a realização desse destino manifesto se postergava cada vez mais. Com o desencanto político posterior, acentuado pelo agressivo anexionismo dos últimos anos e pela sensação de estafa que deixam os plebiscitos, muitos esquecem que foi o governo de Muñoz Marín que pôs em marcha o grande êxodo para os Estados Unidos. Não se podem dissociar as gigantescas migrações, de fins dos anos 1940 e dos anos 1950, dos outros projetos populistas. Trata-se de um processo sem precedentes. Proclamou-se que Porto Rico tinha superado a "anacrônica" etapa do Estado-nação, ao mesmo tempo que se *bregava* com o "excesso de população", denunciado antes pelos funcionários imperiais norte-americanos e pelos intelectuais *criollos* progressistas, como Nemesio Canales. Com a "superpopulação" se *bregou* de duas maneiras: mediante a esterilização das mulheres, e mediante o fomento da emigração, aproveitando o desenvolvimento da aviação comercial do pós-guerra. Como disse Walter Benjamin em um de seus apontamentos juvenis, o capitalismo é uma religião sem teologia, um culto que exclui os sonhos e a misericórdia.

O horizonte escabroso mas promissor da fuga voltava assim com enorme força, sustentado nos anos 1950 pela autoridade e pela prédica do Líder carismático. Um dado central: nessa década emigraram cerca de meio milhão de porto-riquenhos que não puderam se incorporar ao processo modernizador da ilha. E nos vinte anos que vão de 1940 a 1960, os números se aproximam do milhão, de uma população que não chegava então a 3 milhões, como precisou em seus trabalhos o estudioso Vázquez Calzada. Diante de um fenômeno tão extraordinário, é estranho que quase nunca se pergunte quem foram os que pagaram o alto preço da modernização e da industrialização. Talvez porque esses porto-riquenhos tecnicamente não foram "expulsos", mas sim abandonaram o país em busca de emprego e melhores condições de vida. Um dos paradoxos profundos da história porto-riquenha do século XX é que o partido que forjou o mito do camponês "*jíbaro*",* com os signos de sua cultura como base de sua política populista, criou de maneira vertiginosa as condições para que os *jíbaros* reais emigrassem em massa para os Estados Unidos, e acabou por virar-lhes as costas. Muitos dos emigrantes não tinham tradição nem de insurreição, nem de participação cidadã. Tiveram que *bregar* em condições de grande vulnerabilidade. É significativo o fato de que o aeroporto internacional de San Juan leva o nome de Luis Muñoz Marín, consagrando o lugar de trânsito e a política oficial que mudaram para sempre a vida porto-riquenha. Hoje esse aeroporto é um dos poucos espaços públicos na ilha onde todos os dias pobres se cruzam com ricos. Luis Rafael Sánchez pôde escrever *La guagua aérea* [O ônibus aéreo] como metáfora da modernização da tradição *cimarrona*.

* *Jíbaro* equivale, talvez, a "sertanejo" no Brasil, embora só raramente possa ganhar conotações pejorativas. Neste caso, trata-se da idealização de uma cultura compósita e original, salvaguardada no seio da ilha, em suas montanhas.

8.

Com frequência a *brega* conduz à fuga. Ulisses escapou da caverna de Polifemo graças a sua astúcia. A homenagem dos porto-riquenhos a Vic Power de toda forma terminou por celebrar-se, apesar da proibição. Mas se fez num outro lugar do Yankee Stadium, uma outra "*home*",* marginal. Retirar-se no tempo certo pode ser muito sábio. Na história narrada por Judith Ortiz Cofer, sua mãe, como se respondesse a um chamado ancestral, descia as escadas do Building asséptico e escapava para um bar de ressonâncias familiares, para não cair no poço da melancolia produzido por uma "integração" impossível em Nova Jersey.

Bregar não será o salto para o reino da liberdade, nem tampouco o martírio ou a redenção. É muito mais um sistema de decisões e de indecisões, um *ten con ten* que permitiu a muitos usá-las e agenciá-las num mundo classista e racista na ilha, e mais ainda nos Estados Unidos. Funciona como um mecanismo de deslocamento que permite manejar contradições sem apelar à violência, colocar a ação numa linha longa e promissora, ainda quando isso gere identidades enigmáticas. Um exemplo histórico: a cidadania norte-americana "chegou" para ficar, sem consulta, em 1917. É evidente que a estrutura colonial não se esfumou pelo simples esconjuro da promulgação de uma lei. Ao mesmo tempo, nada parece ter sido igual depois desse ano. Fez-se necessário *bregar*.

Há outros exemplos. A fidelidade à *brega* gerou instituições políticas de extraordinária duplicidade em cujas origens se encontram já os germes de algumas dificuldades atuais. O Estado Livre Associado e a "dupla cidadania" são instituições que põem

* Em inglês, no original, o que permite fundir a ideia de "lar" e de "base", no sentido do beisebol.

em cena seu próprio caráter elusivo. Muitos consideram que essa ambivalência é uma virtude, justamente porque creem que a lógica do duplo encerra a polêmica interna entre separatistas e anexionistas em Porto Rico. No entanto, devido a esse caráter elusivo, a "liberdade" e a "associação" tornam-se incompreensíveis para muitos norte-americanos. Tampouco tem sido fácil entendê-las para muitos latino-americanos, entre os quais suscitam intermináveis discussões. Nesses debates, sobretudo depois da revolução de 1959, costuma-se tomar Cuba como paradigma para comparação. A adesão à Revolução Cubana durante a década de 1960 foi impressionante no pensamento de intelectuais e políticos de esquerda na América Latina, na Europa e nos Estados Unidos. Com frequência Porto Rico serviu de contraste em seus discursos, incluídos alguns setores porto-riquenhos que em certa época assumiam a linguagem do governo cubano. Quase sempre, quando Cuba e Porto Rico se põem frente a frente, manejam-se dois estereótipos: Cuba é "heroica" e verdadeiramente "nacional", enquanto Porto Rico é o anti-heroico e incompleto. É claro que se omitem justamente algumas questões que serviriam para situar o debate num outro nível, como o fato de que a retórica da guerra legitimou a tenaz militarização da vida cubana, diluindo a capacidade negativa e crítica. Pode-se silenciar, ademais, que, ainda que o "modelo" porto-riquenho tenha sido profundamente refutado, não o foi tanto, curiosamente, pelos próprios cubanos do interior e do exílio. Entretanto, em outras zonas se fala ainda com desdém da "porto-riquenização" como sinônimo de grave perigo de desintegração cultural ou de subordinação colonial.

O debate ressurge a cada momento. Salta à vista, por exemplo, na carta de um francês, publicada há não muito tempo no jornal espanhol *El País*. Nela se afirma que Porto Rico, em contraste com Cuba, é um "objeto nacional não identificado". Em muitas partes, mesmo nos Estados Unidos e em círculos "hispanistas" profissionais, ele desperta mais rejeição que admiração. É óbvio que o desdém pode se misturar a uma ambígua admiração pelo estereótipo. Para essa direção aponta a declaração de um integrante do grupo de rock mexicano Café Tacuba no jornal *Página 12*, de Buenos Aires. Ao falar sobre as possibilidades que têm os roqueiros latino-americanos de entrar no mercado norte-americano e global, referia-se explicitamente à hibridez constitutiva dos porto-riquenhos e à fundamental estranheza de sua indeterminação como condição ideal para essa passagem: "Em Porto Rico, de onde vêm Ricky Martin e Jennifer Lopez, não só falam inglês desde crianças: são enfim como um híbrido norte-americano-latino, ou latino-norte-americano, sabe-se lá o quê, na realidade. Essas são as pessoas que estão fazendo sucesso".

O que pode parecer um hieróglifo absurdo para alguns observadores tem sido, no entanto, perfeitamente coerente e necessário para muitos porto-riquenhos. Faltava que um poeta-político-tradutor como Muñoz Marín soubesse extrair da *brega* sua riqueza, arrancando-a do universo popular e inserindo-a num discurso que propunha atuar sobre a realidade social e econômica. Durante os anos 1930 e 1940, o bilíngue "Vate" Muñoz Marín se reinventou várias vezes. Usou o termo continuamente como legitimador de sua política, insistindo na necessidade de ser flexível nas relações com a metrópole. A situação colonial requeria de alguém como ele que tivesse, sim, intimidade com os centros de poder em Washington.

Consciente de que operava numa cultura ainda fortemente oral, Muñoz Marín compreendeu que a *brega* do dizer popular era um signo de identidade. Recuperou a palavra como ingrediente de uma poética da ação, que se sustentava precisamente por sua vaguidão e ambivalência. Foi a palavra essencial para desdobrar aquilo a que Roger Bartra chamou as redes imaginárias do poder político, com as quais se busca reter "o escorregadio peixe da legitimidade". Para desdobrar os matizes com que Muñoz Marín usou o termo, nenhum lugar é melhor que alguns de seus discursos, ainda que os textos impressos não transmitam a textura de sua oratória pausada. Seus discursos, comparados à banalidade dos governadores que o precederam — salvo os de Rexford G. Tugwell — e à superficialidade de quase todos os seus sucessores, são documentos históricos de notável espessura. Com habilidade, o líder se serviu do rádio como meio ideal numa sociedade em grande medida analfabeta ou semianalfabeta, para cuja sociabilidade a comunicação oral era central.

Mas também se serviu da palavra impressa. Em 1942, durante a guerra, quando era presidente do Senado, pronunciou um apaixonado discurso em que reiterou o grito de ordem *¡Manos a la obra!* [Mãos à obra!], e explicava: "Que as mãos se usem para *bregar*, como mãos de homens, com o presente e o porvir!". Existem outros exemplos. Em sua "Mensagem" de 1950, quando expunha a necessidade de atrair o investimento de capital e arrecadar contribuições para atender às necessidades da educação e da saúde pública, afirmava: "Com esse difícil impasse *estamos bregando*". Dez anos mais tarde, em outra "Mensagem", de 1960, começava seu discurso com uma declaração que testemunha a ascensão política do verbo: "A década que começou no ano de 1940, dedicamo-la a iniciar *a brega* para abolir a pobreza". Ainda no final de sua vida, em suas *Memorias*, usou o verbo com frequência. Inclusive o empregou para caracterizar Rexford G. Tugwell, o último governador norte-americano de Porto Rico, seu aliado e rival durante os anos da Segunda Guerra Mundial. Entre as virtudes que Muñoz Marín reconhecia em Tugwell pode-se ler uma definição da palavra-chave: "Possuía um alto grau de responsabilidade social, de radicalismo autóctone, disposição serena e firme para *bregar* com a raiz dos problemas que apresenta a realidade, sem dogmatismos teóricos". A *brega* se identificava assim com a política do New Deal, da qual Tugwell tinha sido um protagonista destacado. Seja qual for o modo pelo qual a palavra chegou até ele, o certo é que Muñoz Marín lhe outorgou dignidade na luta política. Deu-se um salto definitivo.

Seria necessário também deter-se no escrito que melhor condensa sua inesperada ruptura com o projeto independentista, intitulado *Nuevos caminos hacia viejos objetivos* [Novos caminhos em direção a velhos objetivos], publicado em junho de 1946. É um texto fundamental, escrito depois da destruição maciça da guerra mundial e do terrível massacre de Hiroshima. Nesse texto há uma virada política dramática, e uma reinscrição de seus destinatários. Ao lê-lo hoje, desconcerta o entusiasmo futurista e otimista pela civilização tecnológica. O fundamental do texto é a dicotomia que estabelece entre progresso e nação, e a distinção que estabelece entre o que chama o "imperialismo tonto" dos Estados Unidos no plano político, frente ao seu imperialismo "agressivo e controlador" no plano econômico. Muñoz Marín proclama que a modernização é um *destino* que se tem irremediavelmente que assumir se não se quiser deixar destruir pela força do progresso. *A brega* chega a ser uma deidade poderosa e vigilante, a "realidade" que é capaz de vingar-se quando não se cumpre o "Destino": "Podemos variá-lo, melhorá-lo, defendê-lo, se nosso pensamento *brega* com essa realidade. Se nosso pensamento se recusa a *bregar* com ela, essa realidade *bregará* livre e caprichosamente conosco". A modernidade exigia fazer *tabula rasa*, adaptar-se ao novo como algo inelutável e abandonar a bagagem de noções antigas. No processo, *a brega* deixava de ser sinônimo de conciliação, recuperando sua dimensão guerreira.

A leitura de textos escritos pelos contemporâneos de Muñoz Marín proporcionaria ainda mais exemplos da autoridade da palavra e de seu trânsito em direção ao mito. Ela adquiriu o plano de um *locus communis* que deixou suas marcas nos crentes e até entre aqueles que se opunham ao Estado Livre Associado. As redes imaginárias eram muito firmes. O escritor René Marqués, por exemplo, acostumou seus leitores à dura crítica conservadora das contradições e à retórica da política populista. No entanto, ele mesmo se deixou contagiar pelo termo. Em seus escritos, empregou-o quase sempre para falar do que chamava a *brega* teatral. Mas nem sempre ele se refere ao teatro. Seu famoso ensaio sobre o "pessimismo" literário, de 1959, o demonstra de maneira cabal; o termo desliza numa menção concreta à "*brega* estritamente política". A palavra se prolonga como leitmotiv no livro de Enrique Bird Piñero, como era de esperar já pelo seu título, *Don Luis Muñoz Marín: El poder de la excelencia*. Nessas memórias — uma espécie de diário íntimo publicado em 1991 que narra a larga associação com seu herói —, o autor foi mesclando recordações com paráfrases de declarações do governador: "O Partido Popular Democrático perderá à medida que [...] não saiba ou queira *bregar* com a problemática de um Porto Rico transformado". Em outro momento, Bird reconstruiu uma conversa na qual se tratou da crise provocada pela greve universitária de 1948. Muñoz, segundo lembrava o autor, "acreditava que [o reitor] Benítez havia *bregado* de forma magnífica com a universidade desde sua nomeação [...] e que poderia *bregar* efetivamente com a atual e com as futuras situações da instituição". Bird rememora com orgulho que gozava da confiança de seu Mestre. Numa ocasião o Líder lhe pediu que interviesse nas pugnas internas do partido. Aí se reproduz o termo, como numa reedição do original: "Aceitei a encomenda e *breguei* com as duas primeiras situações [...]. Ajudei os candidatos para que atenuassem a virulência de suas campanhas e não chegassem ao rompimento pessoal".

Cada ficção, observa Roland Barthes em *O prazer do texto*, "é sustentada por uma fala social [...] e quando obtém o poder se estende no corrente e no cotidiano". Porto Rico vivia uma intensa transformação sob um governo que lidava, *bregava*, com diferentes interesses, buscando equilíbrios através de múltiplas transações. É claro que nem tudo era conciliação: *a brega* tinha limites claros. Com frequência se reduzia a um ir e vir descrevendo círculos em negociações a portas fechadas. Até que ponto isso foi assim destacou-o de forma eloquente o livro *Puerto Rico: The Trials of the Oldest Colony in the World* [Porto Rico: As provações da mais antiga colônia do mundo], de José Trías Monge, publicado em 1997. É um testemunho demolidor, escrito de dentro, como quem se livra de um fardo pesado, por um destacadíssimo colaborador do governo dirigido por Muñoz Marín. Trías Monge narra as frustrações sucessivas produzidas pelo frio desprezo de parte dos funcionários e congressistas de Washington, antes e depois de 1952.* Em muitas das lentas negociações nas antessalas do poder de Washington referidas pelo autor, a sensação de derrota não deixa sequer as aparências de decoro que a *brega* tenta salvaguardar.

A *brega* tropeçou em duas barreiras incontornáveis, ambas custodiadas pelos militares ou por forças invisíveis: as regras do jogo impostas pela política maniqueísta da Guerra Fria e a voracidade dos empresários e dos *developers* [especuladores imobiliários]. Poder-se-ia dizer que ela caiu na armadilha dessas redes. Nem o mais moderado desafio à política bélica dos Estados Unidos era imaginável, o que impunha compromissos vergonhosos e a participação em guerras que contradiziam a vocação dialogante e apaziguadora do *bregar*. Eis outro dos paradoxos centrais. Os governantes do Estado Livre Associado, autonomistas e anexionistas, não julgaram inconveniente jogar com essas armas. Fez-se o possível para identificar e oferecer versões apologéticas da Guerra da Coreia, à qual foram irrevogavelmente incorpora-

* Ano de estabelecimento do Estado Livre Associado.

dos os porto-riquenhos, com volumosas perdas humanas, como ocorreu mais tarde durante a barbárie do Vietnã. Além disso, os sucessivos governos mantiveram um grande silêncio sobre o armazenamento de armas em Porto Rico e sobre o uso do território da ilha para as guerras aéreas. Com exceção dos independentistas, esse silêncio foi, até há muito pouco tempo, parte da política porto-riquenha. Isso acontecia enquanto se inventariavam com euforia as conquistas da "revolução pacífica" do país. Ainda assim, o governo de Muñoz Marín permitiu que se perseguissem os nacionalistas e socialistas que *não bregaram*, e até o encerramento das liberdades de pensamento e expressão de seus opositores, que foram estigmatizados.

Na verdade, frente à política que converteu Porto Rico num bastião anticomunista durante a Guerra Fria, em algumas zonas críticas conseguia-se muito pouco com a *brega*, ou só se podia *bregar* com os resultados de decisões tomadas por outros. O Estado Livre Associado, para mencionar um caso dramático, não teve autonomia para estabelecer sua própria política de imigração e asilo. Produziram-se assim situações muito estranhas. Desde os anos 1960 favoreceu-se, seguindo a política de Washington, a imigração protegida dos cubanos dissidentes da revolução. Enquanto isso, continuava a emigração de milhares de trabalhadores porto-riquenhos para os Estados Unidos e se prendiam os dominicanos e haitianos que tentavam chegar à costa da ilha. Algo similar aconteceu com os direitos eleitorais dos cidadãos. Para votar nas eleições da metrópole, os "cidadãos" porto-riquenhos, assim como na República romana, tinham — e têm — que se apresentar pessoalmente em Roma, ou seja, fixar residência nos Estados Unidos. Mas se são residentes nos Estados Unidos, não podem participar nas eleições porto-riquenhas. Paralelamente, a agilidade e a ligeireza da *brega* se revelaram ineficazes para impedir que, em nome do progresso, se iniciasse a destruição da delicada ecologia do escasso território da ilha. Essa destruição foi levada a níveis inimagináveis sob governos posteriores.

O Estado Livre Associado era uma solução pela metade em que se faziam explícitos o poder desproporcional do império, sua imponente maquinaria, e os centros de gravidade da Guerra Fria. É preciso recordar que ele foi proclamado em 1952, em meio à Guerra da Coreia, e um ano antes do fim da política do New Deal e da mudança de governo nos Estados Unidos. A utopia consistiu em separar a ação do presente e os resultados conflitivos do futuro; em atenuar, já que não era possível apagar, o enorme poder colonial. A ilha era, e é, um posto militar fronteiriço dos Estados Unidos. É necessário ler, contudo, as melancólicas *Memorias* do próprio Muñoz Marín para ver o desassossego dessa *brega* e seus constantes diálogos com a figura heroica de Pedro Albizu Campos. O autor concebeu suas *Memorias* como uma larga crônica e uma montagem de documentos e fragmentos, com o império sempre como pano de fundo, e com muitos vazios e esquecimentos. Foi seu canto do cisne. Como se pudesse — ao final de sua vida, quando o futuro era presente e já não havia mais remédio — exorcizar a fé perdida e alcançar a ilusão de paz sob o amparo da grande sombra da *brega*.

9.

A *brega* porto-riquenha é como uma versão em miniatura do *I Ching: O livro das mutações*. Nesse antigo livro chinês, figura o símbolo *Ching*: o poço de água que existe para todos, inesgotável. Não diminui nem aumenta, porque as exigências dos seres humanos seguem as mesmas. Ou o *Chieh*, o signo que denota restrição, isto é, os limites que é preciso ter em conta para saber quando e onde se deve parar, sobretudo em situações nas quais não se sabe bem se atuar com firmeza acarretará salvação ou destruição. O *bregar* existe pela lei da necessidade, e muda em função das necessidades. De maneira análoga, é um dom, um saber pragmático que os porto-riquenhos conhecem. Sua prática os mantém ágeis, ainda que seu exercício seja refratário a uma análise apenas lógica ou moralista. É uma forma não épica de estar e não estar que permite abrir caminho com cautela — e com expressões bem-humoradas ou resignadas — em situações regidas e sustentadas por grande intolerância.

Pois bem, quais são os limites que se deve fixar para não corroer seus códigos? Seria necessário, por exemplo, inquirir mais sobre as classes sociais e seus conflitos internos. *Bregam* de idêntica maneira as diferentes classes? Tal pergunta adquiriu uma nova atualidade. Em que pese a retórica, na ilha hoje quase não parece haver, entre os setores altos e médios e os marginalizados, outra comunicação que a televisiva e as violências súbitas. A diferença de classes é reforçada pelas barreiras e conspícuas divisões dos espaços da cidade: zonas exclusivas e ricas, condomínios de classe média, bairros pobres, praias que de fato são privadas e balneários "públicos". Nessa ilha de condomínios fechados e projetos habitacionais ocupados pela polícia, no fim do século XX mal se compartilham os poucos espaços públicos que ainda oferecem possibilidades de interação social variada.

Que visão da sociedade nutre a *brega* das elites porto-riquenhas? Sabe-se pouco: o mundo das elites empresariais que redefinem o rumo do país é em grande medida desconhecido. No polo oposto, a marginalidade de outros grupos chegou a ser em alguns casos quase absoluta; eles só se tornam visíveis pela filtragem da cobertura que a mídia faz da criminalidade ou das drogas. No livro de José Trías Monge citado antes, há uma passagem em que se fala de modo nada lisonjeiro da dualização da sociedade:

> A maior parte da população é abismalmente pobre, guiada pelas drogas, com saúde precária, educação insuficiente e desempregada, e um pequeno grupo é próspero, bem-educado, trabalhador e operoso. A crescente alienação entre os dois deveria ser causa de grande preocupação.

As dimensões reais do problema podem ser vistas também em algumas declarações de altos funcionários dos governos anexionistas. Em 1994, o secretário de governo Álvaro Cifuentes manifestava publicamente que os autores de crimes violentos eram "lixo" e, por conseguinte, deviam ser tratados como "lixo". Que se tenha podido usar essa oprobriosa palavra, mesmo que como reação a um crime que naqueles dias tinha estremecido a opinião pública, é um exemplo extremo do fosso que marca as desigualdades sociais. A distância social é muito mais abrupta e dramática que o distanciamento geográfico.

Essa concepção desvalorizadora pesa de modo excepcional no lugar que ocupam os emigrantes no imaginário de setores influentes na ilha. Os emigrantes têm existência — ou deixam de tê-la — na complicada simbologia do poder dos setores dominantes. Há, por exemplo, distintas valorizações do bilinguismo que mostram uma visão oportunista a respeito deles. Na ilha, o bilinguismo dos setores privilegiados, e o ter se formado nas escolas "privadas", é uma forma de dizer: "Somos diferentes". Assim, os membros de famílias bem situadas, por um lado, se orgulham de dominar com perfeição as duas línguas, de terem se educado nos melhores colégios privados e nas universidades norte-americanas, e de não haverem passado jamais pela educação pública. Por outro lado, desprezam — ou deles se compadecem — aqueles que falam um espanhol "incorreto", aprendido em Hartford ou Camden. Juan Flores o resumiu de maneira sagaz numa entrevista publicada pela revista espanhola *Quimera*, em junho de 1999:

> Os mesmos que em Porto Rico se orgulham de que seus filhos aprendam o inglês são os que criticam o bilinguismo dos emigrantes [...]. O que ocorre é que os imigrantes [porto-riquenhos] constituem esse "outro" oculto sob as asas do drama nacional, como uma nota compassiva, mas definitivamente excludente.

Ainda mais que isso. De maneira astuta, a política norte-americana conseguiu institucionalizar a categoria de "minoria" étnica, sexual, social. Como *bregam* as diferentes classes sociais com o reconhecimento que lhes conferiu a condição de *minority* [minoria]? Aqui se encontra uma vez mais um perturbador efeito cultural e social. A redefinição das comunidades porto-riquenhas como *minority* nos Estados Unidos é útil para que as elites possam *bregar* seu lugar com Washington, com as corporações ou com universidades norte-americanas de prestígio, como Cornell, MIT, Harvard, Princeton, Yale ou Georgetown. Quando se julga conveniente, e sem muitos escrúpulos, ocupam esse lugar, como um duplo virtual desenhando no computador. No processo, não apenas se revela a identidade camaleônica da *brega* como se fortalece o olhar entre depreciativo e paternalista lançado sobre os emigrantes, cujas lutas foram em grande medida neutralizadas com a categoria de "minoria". Essas práticas põem em relevo uma concepção meramente instrumental da legalidade democrática. Tudo isso é incompatível com as expectativas de dignidade que supõem os códigos do *bregar*.

O certo é que a presença dos emigrantes porto-riquenhos foi tão necessária como a dos imigrantes dominicanos que trabalham na ilha — uma força de trabalho abundante e pouco custosa —, onde são discriminados, assim como o foram os próprios porto-riquenhos ou os haitianos nos Estados Unidos. O preconceito antidominicano é hoje aceito em quase todas as classes sociais, assim como o preconceito contra os porto-riquenhos em

Miami. O problema significa algo mais que um vago temor diante do "diferente". Os dominicanos estão submetidos às degradantes piadas de porto-riquenhos e de muitos cubanos residentes em Porto Rico. Refutam-se suas pessoas, mas não sua força de trabalho. Esse racismo visceral e histórico parece prestes a conquistar seu sonho dourado: manifestar-se pública e verbalmente, ter voz, sem referir-se de modo direto aos "compatriotas", mas aos "outros". Tudo faz recordar que a cultura porto-riquenha, aí incluída, evidentemente, a dos emigrantes, tem seus próprios mecanismos de segregação e discriminação.

Há outras formas menos brutais, talvez, que também lançam dúvidas sobre certos resultados da *brega*. Existem signos claros de uma nova aliança entre o que alguns chamaram de "neopopulismo de mercado" e os centros de poder econômico. Carlos Monsiváis o formula claramente: "Segundo a elite, apenas a inclusão em seu seio dá prestígio, e, por isso, dar tratamento de cultura ao que foi gerado pela gleba, essa entidade informe, equivale a reconhecer-lhe qualquer outro direito, e o segundo é mais inconcebível que o primeiro". Resta dizer o mesmo de certas zonas e figuras da "alta" cultura que ao fim são demasiado incômodas, e que também são reconhecidas, ainda que de maneira muito seletiva. O poder financeiro e as instituições estatais contribuíram para a difusão de elementos muito criativos da cultura popular, embora apropriando-se deles e, às vezes, convertendo-os em peças de museu que prestigiam o colecionista. É o que acontece, por exemplo, com a música popular e até com algumas zonas da "alta" cultura, que são manipuladas de um modo voraz pela linguagem publicitária. É claro que também se condicionaram cuidadosamente os limites do uso que fazem delas. Os bancos, sem dúvida, não financiariam um documentário sobre a depredação das cidades porto-riquenhas pelos *developers* [grandes agentes imobiliários], nem sobre a militarização da ilha. Mas em vez disso financiam, sim, a celebração da música, com certeza depois de rigorosas sondagens de mercado. E o fazem proclamando que se trata de uma atividade filantrópica pela qual os músicos do país devem expressar publicamente sua gratidão. Não têm faltado casos em que o filantropo aparece como protagonista da história musical. Os músicos têm que *bregar* como podem com essa dificílima condição se não quiserem correr o risco de ficar à margem.

Os setores poderosos *bregam*, embora calibrando bem seus próprios interesses. Poder-se-ia dizer de Porto Rico o que Carl E. Schorske resume na sutil tese exposta em seu livro *Viena fin-de-siècle*: "Quando as questões políticas se tornaram culturais, estas se tornaram políticas". Segundo Schorske, não se colocava em dúvida que as transformações políticas eram imprescindíveis para que as culturais fossem eficazes. Entretanto, no Porto Rico de hoje o resultado é um panorama desolador. O mesmo Estado colonial e os setores poderosos que ali atuam a partir dos bancos e dos meios de comunicação apelam com grande demagogia à ideologia da "grande família", ou seja, a um nacionalismo cultural previamente desistoricizado e despolitizado mediante fórmulas vazias. O relançamento comercial da iconografia e dos símbolos nacionalistas revelam, ironicamente, a medida em que se desvalorizou seu potencial para uma política alternativa. Essa *brega* é um segredo de polichinelo: anuncia-se todos os dias nos jornais e na televisão. Foi tal o abuso midiático da "afirmação" da cultura que ela já não significa nada, salvo a legitimação "patriótica" do poder econômico. Quais são as consequências? Diante desse processo, não parecem suficientes nem a sacralização dos símbolos "nacionais" nem o festejo intelectualizado da cultura das mídias praticados por alguns setores intelectuais com ferramentas teóricas sofisticadas. Jesús Martín Barbero o postulou com clareza: "O mercado trabalha apenas com rentabilidades". Um olhar crítico terá que inventar formas que facilitem a análise das imposturas que pretendem tomar posse das tradições culturais.

O que vai se cristalizando na ilha sob a máscara da filantropia é, como nos Estados Unidos, a hegemonia cultural de uma nova direita que atravessa os partidos e que inclui grupos econômicos, poderes midiáticos, setores profissionais e algumas famílias. Em Porto Rico ela floresce em grande medida graças a razões muito específicas: a inércia do bipartidarismo político, os fracassos das tradições de esquerda e o indissimulado poder que determinados grupos exercem sobre a cultura de massas. O que é difícil negar é que essa classe social, filiada ao autonomismo ou ao anexionismo, de fato se associou com facilidade aos interesses de seus sócios norte-americanos ou globalizados, aos setores menos democráticos dos Estados Unidos e aos profissionais da guerra. Não é menor o seu silêncio diante das modificações sociais produzidas pela rapina e pelo abandono das cidades e pela perversa rede de interesses político-comerciais que os fomentam. Se se aceitam as premissas desse *bregar*, não se pode eludir as suas conclusões.

Por outro lado, a "afirmação" de uma identidade cultural monolítica e excludente não permite reconhecer os muitos espaços, tempos, crenças e contextos locais que conformam a construção mesma do porto-riquenho. A negação desse tipo de dados requer grande violência interpretativa e fronteiras muito rígidas. Na verdade, não há nada tão parecido às exclusões porto-riquenhas como o nacionalismo conservador de influentes setores estadunidenses que também se querem puros e monolíngues. Em ambos os casos, o "nós" se contrapõe a um "eles" que deve permanecer fora, tão exótico quanto qualquer país distante. Em Porto Rico, o movimento é duplo, e está carregado de paradoxos. Surpreende, por exemplo, a superficialidade com que se discute publicamente se a anexação aos Estados Unidos é barata ou demasiado cara, mas, ao mesmo tempo, se exclui do debate público e dos plebiscitos a população porto-riquenha radicada nos Estados Unidos, ainda que esta mantenha laços tão profundos com a ilha e sustente com força sua existência como comunidade. É também significativo o esquecimento de um fato fundamental: em alguns momentos cruciais, foram precisamente organizações formadas na emigração, e seus descendentes, que lutaram pelos direitos e pela integridade das diferenças porto-riquenhas. Na diáspora, os porto-riquenhos — monolíngues e bilíngues — reivindicaram o respeito a seus valores culturais, e não cessaram de ser partícipes e solidários nos processos políticos.

Essa *brega* é, evidentemente, muito complexa. Longe de anular a cultura porto-riquenha, as comunidades porto-riquenhas da emigração a reativaram com grande energia e criatividade. Trata-se de fato da passagem de uma cultura que se considerava "arcaica", feita em grande medida de tradições orais, a outra que quer ser a um só tempo urbana, patriótica e de massas. Com frequência, os emigrantes franquearam essa passagem a partir de uma posição claramente "conservadora". Atuaram a partir daquilo a que Gayatri Spivak chamou de "essencialismo estratégico", que lhes permitiu falar da "unidade" da nação e passar silenciosamente pelas novas diferenças e pelo abismo das classes sociais. É o que ocorreu com a variada gama de significações que adquiriu a conservação de tradições religiosas, do caráter simbólico da comida ou das *décimas* e da *plena* na música. Outro caso ilustrativo é a vigorosa defesa do espanhol e o repúdio da política do English Only [somente o inglês]. Mas os emigrantes, fortalecidos com a chegada de novas gerações, não deixaram de se sentir cidadãos do país que, em termos jurídicos, se conhece como Estado Livre Associado. Ao mesmo tempo, e *bregando* com situações de grande dureza discriminatória, chegaram a ter congressistas com voz e voto nos Estados Unidos, e desde então intervêm na vida de todos os porto-riquenhos. Convém recordar, ademais, que na diáspora porto-riquenha — como na cubana e na dominicana — atuam apaixonados estudiosos de sua cultura que defenderam a integridade da ilha, não só porque é a terra dos pais, mas porque tomaram a sério a dupla cidadania.

Essa *brega* é uma larga história de batalhas, conquistas e derrotas trágicas. As *Memorias de Bernardo Vega** são uma cartografia histórica indispensável para começar a conhecer a intensidade dessa atividade, que remonta ao século XIX, quando já existia uma comunidade porto-riquenha, pequena mas muito ativa, na cidade de Nova York. No presente, as vozes de Piri Thomas, Pedro Pietri, Nicholasa Mohr, Tato Laviera, Juan Flores, Esmeralda Santiago, Ed Vega, Víctor Hernández Cruz, Marc Anthony — e de tantos mais — nos falam, em diferentes tons e registros, da *brega* por manter sua autonomia. Mas é provável que a existência mesma de novos intelectuais formados na diáspora, com seus próprios centros de legitimidade, tenha gerado uma atitude defensiva na ilha. Os escritores e artistas que tiveram a vivência dos deslocamentos responderam à mesquinhez dos postulados excludentes ao mesmo tempo que sustentam as novas diferenças. O livro *Puerto Rican Voices in English* [Vozes porto-riquenhas em inglês], habilmente estruturado por Carmen Dolores Hernández, oferece uma série de relatos autobiográficos que demonstram que a literatura transita por tempos e espaços diversos, para os quais é ao fim contraditório imaginar uma cultura autossuficiente situada num único território, enquanto desmente qualquer ilusão de uma "integração" fácil à cultura norte-americana. O mapa do

* Referência às memórias que o tabaqueiro de Cayey e ativista político Bernardo Vega (1885-1965) começou a escrever nos anos 1940, depois de décadas vivendo como emigrado em Nova York. Foram publicadas postumamente em 1977, organizadas por César Andreu Iglesias (1915-76) e traduzidas sete anos depois para o inglês por Juan Flores (1943-2014), ambos intelectuais porto-riquenhos.

território porto-riquenho é, simultaneamente, preciso e inabordável, muito local e muito cambiante, com geografias míticas e outras muito exatas. É nessas novas fronteiras que se extraiu, da *brega*, a força que tem permitido seguir afirmando-se por cima das dificuldades. É isso que fica fora de muitos estudos empíricos das comunidades porto-riquenhas. Ignorá-lo é tão empobrecedor quanto não reconhecer a difícil *brega* de quem atua e fala na ilha, e a partir dela.

Por sua vez, Antonio Martorell foi percorrendo esse novo arquipélago porto-riquenho, *bregando* com as práticas desterritorializadas que renovaram as imagens da cultura. Martorell vai ao encontro dos preconceitos das concepções estáticas e publicitárias da cultura, opondo-lhes suas "instalações" e suas múltiplas e mutáveis "casas". Uma dupla paixão move o artista porto-riquenho: por um lado, a viagem imaginária e real, os desvios e as fugas por lugares imprevistos; e, por outro, os interiores mais estáveis e litúrgicos, os lugares da memória. Suas instalações lançam perguntas fundamentais: o que constitui a unidade do "lugar", e como se *brega* com as mudanças abruptas do lugar? São as mesmas questões que se formularam nos debates contemporâneos sobre as relações entre identidade, lugar e continuidades culturais. Essas interrogações o levaram a pousar seu olhar sobre histórias antigas e a criar outras, fugidias, em Cayey, Ponce, Nova York ou Chicago. Suas "casas" se apresentam como sucessivas mudanças de pele produzidas por frequentes relocalizações que foram transformando as noções de identidade. Os deslocamentos desafiam a estabilidade, mas ao mesmo tempo a convertem em necessidade profunda. A "obra" de Martorell é deliberadamente portátil, e se coloca fora dos imperativos do mercado. Boa parte dela é efêmera, como deve ser para uma cultura em trânsito e disseminada por um extensíssimo território. A construção de suas "casas" sugere que é possível se manter em lugares frágeis e fazê-los habitáveis, enquanto estiverem carregados de recordações que tornem possível tecer constantemente o novo. O sujeito que se inscreve nelas o faz mediante um trabalhoso exercício de acomodação, como no caso da *brega*. O artista seleciona elementos do passado e também os inventa, com o propósito de reconhecer-se e de mostrar as conexões entre o disperso e o diverso. As "casas" de Martorell invocam as secretas continuidades da cultura, sem escamotear as descontinuidades ou as fragmentações do mapa. É uma busca de outro lugar. Nas últimas décadas, poucos propuseram com tal criatividade uma forma de ver que assume os desejos, os deslocamentos e os mapas aleatórios do porto-riquenho. Martorell talvez seja o artista plástico que melhor compreendeu as dimensões liberadoras e inventivas da *brega*.

10.

Aquí en la brega [Aqui, na *brega*.] Todas as perguntas suscitadas pela proteica palavra seguem abertas. Como se viu, o significado de *bregar* depende de quem fala e a quem, em circunstâncias determinadas: depende de onde, quando e como. Não há linguagens "privadas", como demonstrou Wittgenstein, mas condições e contextos de enunciação. A *brega* não é uma essência que existe no vazio; é uma atividade que se produz nos jogos de linguagem com tudo o que estes têm de contingente. A palavra está ligada a determinados saberes que regulamentam suas práticas, a um campo de possibilidades e proibições que têm uma larga e insuspeitada pré-história. Os diversos usos que perpassam a fala do presente não têm, fora de contexto, superioridade uns sobre os outros. As variantes do *bregar* desafiam qualquer simples categorização, como a dos esquemas binários de "resistência" frente a "opressão", o "masculino" e o "feminino", ou o "interno" e o "externo".

De toda a plasticidade maravilhosa da *brega*, talvez o sentido mais complexo seja o que põe em evidência uma sensibilidade especial, cultural e política, para a negociação. Esse *bregar* tem a ver com a ação no marco de uma liberdade restringida, um marco que não é uma escolha do sujeito, não com a vontade transgressora da revolução. A *brega* expressa sempre uma necessidade, uma posição do falante ou o desejo de realizar um sonho. Fica excluída de antemão a realização da totalidade, porque os sujeitos nunca são de todo livres nem autodefinidos. Mas o sujeito é sempre um falante pregado à linguagem que o constitui. Nesse sentido, *bregar* é um *ensaio*, um esforço por obter a adesão de outra pessoa. É um intento consciente de sua própria vulnerabilidade, e cujo desenho se vê apenas ao final da tarefa. A *brega*, de fato, tem semelhança com o ensaio literário, gênero que se distancia de forma deliberada da ilusão da totalidade, e permite proceder metodicamente sem método, como disse Adorno. No campo de batalha da linguagem, é a arte do rodeio, o domínio das regras da retórica.

Sobretudo, sua prática pressupõe a assimetria do encontro com o poder, mas, ao mesmo tempo, acreditando que uma ordem autoritária possa ser suavizada mediante certas regras. É um saber transmitido, tradicional, que se aprende na língua e nas práticas sociais da vida cotidiana. "A tradição sabe que sabe", escreveu o romancista Augusto Roa Bastos. A busca de suas regras obriga a soltar as rédeas à fantasia e a um grande refinamento técnico no diálogo. Em algumas ocasiões, *bregar* serve para renovar a ilusão de que o mundo é habitável: vislumbra-se a esperança. Em situações muito polarizadas, e mediante eufemismos e perífrases, permite buscar um ponto de fuga para fundar novos lugares. Em outras ocasiões, há espaço suficiente para negar-se ao jogo. Então se diz sem concessões nem eufemismos algo fundamentalmente distinto: *Yo así no brego* [Eu assim não *brego*], seguido de um silêncio. O *bregar* e o *não bregar* estão carregados de densidade política e cheios de vestígios e sensibilidades centenárias.

Trata-se de uma ambígua história de firmeza, liberdade e fragilidade, como que ajustada à escala humana. O verbo permite um conjunto de opções: falar, tomar a palavra com certa moderação; ou, pelo contrário, calar prudentemente. Na medida em que se usa para iniciar uma negociação, é uma ação muito programática. Reconhece certos valores, mas se nega a reconhecer o caráter absoluto de qualquer um deles. Há formas da *brega* que chegam a ser, de fato, um discurso acomodatício que só produz soluções muito a curto prazo, ou fraudulentas renovações. Em determinadas circunstâncias, a *brega* serve para tapar os problemas. Pode ser uma arte da fachada. Diríamos que, em seus percursos sinuosos, pode ficar desfigurada e reduzida a sua mínima expressão. No jogo incessante da linguagem é irremediável que algumas palavras — e as práticas que ensejam — se desgastem, tornando-se irreconhecíveis. Ao postular o papel da linguagem nas transformações do imaginário social, Cornelius Castoriadis cita uma observação de Jean Paulhan que ilumina as metamorfoses da *brega*: "Tão estranha é a condição da linguagem que não existe uma só palavra que não leve consigo a razão de sua ruína e uma espécie de máquina que inverta seu significado". Por isso, na interpretação da *brega* surgem continuamente debates sobre suas fidelidades e infidelidades, e as violações de suas normas.

Não obstante, há uma velha sabedoria e muita força espiritual na ductibilidade e nas recônditas afinidades da *brega*. Os mortos seguem tendo voz em seus usos atuais. Poder-se-ia dizer que é uma das leis internas da cultura que se foi forjando na larga duração. Qual é o imaginário da sociedade que foi produzindo esses significados? Estudar os usos da palavra exige internar-se na memória cultural e social porto-riquenha, convocar os fantasmas de seus sonhos e conflitos, tomar consciência do tecido de regras invisíveis que servem para estabelecer ou para eludir compromissos. Ainda que seus arquivos e documentos principais pertençam ao universo verbal, iluminar alguns de seus usos exige também percorrer os enunciados escritos que figuram na história intelectual e literária porto-riquenha. Ao examinar os usos de perto, deixam-se ver aspectos contraditórios e mesclados da cultura, suas paranoias e suas utopias. Essa experiência é de tal complexidade que é fácil extraviar-se. Apesar de tudo, as histórias e suas práticas confirmam que na *brega* persiste um fundo indestrutível sobre o qual se levantam continuamente novos sonhos. É expressão do desejo, da liberdade e da necessidade que configuram a rica complexidade humana. Uma de suas grandes virtudes é que obriga ao reconhecimento dos limites do possível num mundo obscuro e difícil: *un sí es que no es* [sim é que não é]. Simultaneamente, desafia o princípio lógico que postula a impossibilidade de pensar que uma coisa seja e não seja ao mesmo tempo. Talvez por tudo isso, entre os porto-riquenhos, é uma espécie de salvo-conduto.

A *brega* contribuiu para criar os elementos simbólicos que conformaram uma consciência da modernidade, de um colonialismo específico negociado ao longo do século XX, e de um sujeito político dividido por sua dupla condição de cidadão e súdito colonial. Foi um verbo especialmente produtivo na fala camponesa e *jíbara*, e por isso mesmo é hoje central na fala que se escuta no vasto território das comunidades da emigração. Sua história está intimamente vinculada às duas grandes transformações da vida porto-riquenha do século XX: a passagem de uma cultura acima de tudo rural a uma urbana, e a emigração em massa para os Estados Unidos. A modernização que se desenhou nos finais dos anos 1940 se baseou em grande medida no êxodo da população, sobretudo aqueles de origem camponesa que não podiam se inserir nos novos projetos. Nesse duplo transitar em direção a distintas formas e lugares da modernidade, desdobraram-se e transformaram-se os significados da *brega*.

Durante décadas os porto-riquenhos atribuíram o *bregar* político a Muñoz Marín. Nesses anos ele se converteu numa ortodoxia à qual, de um modo ou de outro, havia que se submeter. Era o que no *I Ching* se chama o tempo do Entusiasmo, no qual existe harmonia entre o dirigente e seu povo e se brinda a ele uma obediência voluntária. De muitas maneiras, Muñoz Marín foi um intérprete, um mediador, com liberdade para traduzir e adaptar os códigos ancestrais da cultura. Num extraordinário processo de canonização, deu expressão política a uma tradição popular: não a subversão da ordem colonial, mas a sua aceitação, embora com a condição de que essa ordem se abrisse e incorporasse novos setores, fomentasse maior igualdade social, e que o Estado mediasse as classes sociais. Esse pacto era também uma aposta. A capacidade convocatória e de compromisso que alcançou o populismo foram notáveis.

Hoje, cinquenta anos depois, a *brega* modernizadora perdeu sua auréola legendária, mesmo que os benefícios materiais e políticos que se alcançaram sejam ainda respeitáveis. O *I Ching* também fala dos falsos entusiasmos que cegam e deixam graves frustrações. Em muitos casos, o exercício da *brega* não produziu verdadeira reciprocidade entre o dado e o recebido: os porto-riquenhos, na ilha ou nos Estados Unidos, tiveram que se conformar apenas com alguma aproximação aceitável. Em outros, são óbvios os fracassos mais dolorosos. Por isso, ao contrário do que ocorreu com outros mitos de identidade, não é possível cultuar nem endeusar a *brega*. No entanto, ainda que não chegue a ser um culto religioso, a *brega* funciona como uma crença: é real na medida em que se crê nela, e não é fácil abandoná-la. Quando os encantos de algumas decisões — e indecisões — da época do Entusiasmo não foram atendidos, muitos começaram a *bregar* — ou voltaram a fazê-lo — por sua própria conta.

Derrubada há tanto tempo a autoridade política do populismo de Muñoz Marín — e as utopias nacionalistas e socialistas que se opuseram a ele —, uma das consequências tem sido a centrifugação dos sujeitos do âmbito da política. Por outro lado, a ênfase que se põe no *bregar* como ferramenta negociadora obriga a julgar seus resultados. E estes são muito contraditórios. As últimas três décadas, precisamente os anos em que se generalizou a *brega* na fala cotidiana, foram de prosperidade econômica para determinados setores da ilha, de crescente inserção no capitalismo multinacional e de renovação muito livre da música, das artes e da literatura ao largo das comunidades porto-riquenhas. Nesses anos se produziu também um refinamento do aparato conceitual acadêmico e teórico, e uma renovadora vontade de repensar a cultura e a nação longe das visões intransigentes. Mas também foram anos de esgotamento político, de novas e darwinianas brechas entre riqueza e pobreza, e de avanço nos sistemas de controle e vigilância. Em Porto Rico, o empobrecimento radical do debate político e da educação estatal assim como a arrasadora destruição dos rios e florestas da ilha, e de suas cidades, chegaram a produzir verdadeiras catástrofes a que só se pode responder — salvo algumas exceções — com frases consoladoras. San Juan é hoje uma cidade duríssima, profundamente segregada. É como a somatória dos enganos e da indiferença de quem despreza com cinismo todos os códigos com o fim de lucrar, ou de quem sente um ódio feroz pela cultura urbana. A história da *brega* inclui, portanto, a história de sua própria superestimação e de sua vulnerabilidade.

A colônia, a *brega* e o desejo de modernidade levam vidas paralelas. Entre as três foi se tecendo uma relação profunda durante um largo período. Por mais que se pretenda o contrário, o horizonte colonial oferece uma resistente continuidade: é estritamente complementar à modernidade porto-riquenha. Tanto a humilhação colonial quanto as formas de *bregar* com ela são as constantes históricas que marcam a vida porto-riquenha na ilha e nos Estados Unidos. Os poderes culturais e políticos dessa dominação definiram inclusive, em boa medida, as formas com as quais se imaginou — e narrou — o nacional. Ao mesmo tempo, a *brega* foi criando espaços de participação e relativa autonomia, apesar da assimetria do poder colonial. Um dos resultados alentadores é que ninguém goza do monopólio do "nós" porto-riquenho.

Nesse ambíguo *ten con ten* se articulou uma sociedade nova, complexa e desigual, assim como uma identidade política cuja falta de heroísmo muitos reprovam. Quem pensa assim, tácita ou explicitamente, vê a guerra frontal como o único heroísmo possível, inclinando-se sem ambiguidades pela morte sobre a vida. Ou talvez sonhe em delegar a outro caudilho messiânico o direito de atuar e encarnar a nação, que é outra forma de apelar ao anjo exterminador. A partir dessas perspectivas no fundo autoritárias, é muito difícil reconhecer a sabedoria acumulada pela *brega* em seu longo transcurso pela história. Não é a vontade de paz e de vida uma forma de heroísmo? Ao mesmo tempo, é inútil negar que o *bregar* realmente existente deixou um saldo de inquietantes dilemas e fracassos. Em seu ensaio "What Is a Classic?" [O que é um clássico?], T.S. Eliot sustentava que hoje "sabemos mais" que os clássicos. O problema é que sabemos mais *in hindsight* [em retrospectiva], justamente porque os lemos: são eles o que "sabemos". E a *brega* é como um clássico menor. Mais que outro líder carismático onisciente ou a aceitação cínica do desastre, será preferível estabelecer novas regras e procedimentos, seguir explorando o *Ching* porto-riquenho. Seguir a buscar no poço de água que mana do *bregar* e do *não bregar*. Pode ser que ainda se encontre uma fonte de propostas e novos hábitos que permitam *bregar* coletivamente: ou seja, começar de novo, tomar a palavra.

2. Hispanismo e guerra

Não sou eu: é a História quem às vezes suscita desagradáveis recordações.

Menéndez Pelayo, "Palabras al lector", *Historia de la poesía hispano-americana*

No fim a sombra não é melhor que a substância.

Samuel Beckett, *Molloy*

1.

Proponho-me estudar aqui os *princípios* do *hispanismo* e sua relação com a guerra a partir da *Historia de la poesía hispano-americana* (1911-3), de Marcelino Menéndez Pelayo (1856-1912). Em particular, interessa-me o lugar que ocupam nesse relato os escritores e intelectuais das últimas colônias espanholas, os quais formam parte de sua complicada pré-história ou de sua recepção, seja como antagonistas ou como aliados. *Hispano* e *americano*: palavras atravessadas por uma complexa história de violências e utopias que é necessário considerar na *formação* do *hispanismo*. Tanto no Caribe *hispânico* quanto na cultura norte-americana, o *hispanismo* chegou a ter uma presença destacada no século XIX e sobretudo ao longo do século XX.[1] Ao propô-lo como uma larga tradição, está implícito que ele se manifesta em muitas direções. Em *Nuestra América* (1891), nos mesmos anos em que Menéndez Pelayo trabalhava na sua obra, José Martí advertia, numa frase lapidar, que se trata de uma história mais ambígua e enganosa: "A colônia continuou vivendo na república".[2] Aqui, parto desse aforismo. Mas também da distinção estabelecida por Raymond Williams: não se pode entender um *projeto* intelectual ou artístico sem entender também sua *formação*.[3] Servindo-nos desse marco, poderíamos dizer que o *hispanismo* acadêmico chegou a ser uma disciplina profissional graças a uma formação que ultrapassa o marco universitário. De fato, os valores que sustentam a *Historia* de Menéndez Pelayo sobreviveram em contextos muito diversos, defendidos por intelectuais distantes entre si e nem sempre coincidentes nos meios e nas metas.

Em meio ao desencanto do final do Império Espanhol, a *Historia* de Menéndez Pelayo se converteu na primeira história da poesia hispano-americana, conectando de novo a metrópole às antigas colônias. Nos mesmos anos em que foi perdida a hegemonia nas Antilhas e nas Filipinas, anunciava-se então na Espanha o *começo* de outro projeto, a renovação de um imperialismo discursivo no qual o arquivo poético das colônias perdidas passava a reforçar o valor da metrópole. A obra de Menéndez Pelayo aspirava a produzir uma totalidade que havia se fragmentado de maneira irreparável. Sua leitura da *tradição* tinha que assumir a carência de poder político direto e reafirmar-se no terreno da cultura letrada. O projeto era problemático. Curiosamente, quem examinar com atenção sua *Historia* notará que se trata de um estranho e polêmico relato que por vezes parece escrito contra a poesia e os poetas. No desafio que representava a busca de novos *beginnings*,* o autor da *Historia de los heterodoxos españoles* (1881) parece confirmar a tese de Walter Benjamin: o crítico como "um estrategista no combate literário".[4] Daí a necessidade de interrogar as tradições em que se apoia e as que combate.

Os prólogos à *Antología* que publicara em 1893, com algumas notas e modificações, foram a base de sua *Historia*.[5] Menéndez Pelayo realizou um movimento tríplice. Primeiro, esteve especialmente consciente do papel da literatura e dos intelectuais, e utilizou uma notável erudição ao reconstituir seu desenvolvimento. Tudo isso ultrapassa a história da "poesia". De uma só vez, construiu de forma diligente um "grande relato": um começo e um desenlace cujo sentido estava estabelecido de antemão. A história dos "países" será apenas uma série de variações de um tema: "Espanha". Em segundo lugar, sua *Historia* se propôs a renovar a preeminência da Espanha como centro legitimador das elites nacionalistas "hispano-americanas". O arsenal de recursos e de informação que utilizou lhe permitiu reinscrever uma *tradição*. Em terceiro lugar, contribuiu para consolidar um hispanismo que deixou sua marca naqueles que o levaram à prática como política estatal, na Espanha e nos países hispano-americanos. A influência dessa política pode adivinhar-se também na visão e prática dos *Hispanic Studies* na academia norte-americana.

Sua *Antología* teve o apoio do aparato institucional: foi subvencionada pela Real Academia Espanhola. Não foi, a rigor, a primeira coleção da poesia americana em língua espanhola. Já em 1846-7 havia sido publicada no Chile *América poética*, do argentino Juan María Gutiérrez (1809-78), que Menéndez Pelayo elogiou

* Ver nota sobre a expressão no capítulo anterior.

como o "mais completo homem de letras que até agora produziu aquela parte do continente".[6] Mas a *Historia* de Menéndez Pelayo se distingue por ser a primeira obra sistemática concebida e produzida *na* e *da* antiga metrópole. A obra se converteu num referente importante. Américo Castro, num texto de 1920 publicado em *Hispania*, a revista fundacional do novo *hispanismo* norte-americano, sublinhava a importância da obra de Menéndez Pelayo, "cuja visão profunda e artística guiará durante muito tempo quantos se ocupem do passado espanhol".[7] Trinta anos mais tarde, em 1952, Federico de Onís (1885-1966) escrevia: "Foi sem dúvida o primeiro intento de construção da história, não só da poesia, mas da literatura e em certo modo da cultura da *Hispanoamérica*".[8]

Tão significativo é o conteúdo da *Historia* quanto o momento em que apareceu. Seus *começos* são inseparáveis das guerras de independência no início do século XIX, da breve experiência republicana e da Restauração na Espanha. Para o século XX, a Guerra Hispano-Cubano-Norte-Americana (1895-8)* foi determinante: nesses anos tomaram forma as tormentosas relações culturais e políticas *entre impérios*, ou seja, a passagem do poder espanhol para o norte-americano. Trata-se de um exemplo claro de *translatio imperii*, que marcou profundamente as obras de José Enrique Rodó e Rubén Darío, mas também do dominicano Pedro Henríquez Ureña e do porto-riquenho Antonio S. Pedreira, entre muitos outros.

Cuba, Porto Rico e Filipinas, as últimas "possessões", estiveram sob a tutela do Ministério do Ultramar. Ao mesmo tempo, no século XIX a Espanha renovou suas ambições coloniais com a chamada

* Referência àquilo que a historiografia nomeia os anos de libertação de Cuba, que ocorre ao mesmo tempo que, nas Filipinas, fracassava a luta contra a dominação espanhola. Colocado entre os poderes dos Estados Unidos e da Espanha, é nessa guerra que morre José Martí, em maio de 1895, em solo cubano.

Guerra da África e a invasão e ocupação de Santo Domingo em 1861, e inclusive com a intenção de intervenção no México. Mas a primeira guerra de independência em Cuba se proclamou pouco depois, em 1868, e se prolongou até 1878. Inspirado por José Martí (1853-95), fundou-se em 1892 o Partido Revolucionário Cubano, e José Rizal (1861-96) organizou a Liga Filipina. Pouco depois, reiniciava-se a guerra da independência em Cuba. Ao mesmo tempo, desde o final do século XIX, a intensa atividade de intelectuais espanhóis "regeneracionistas" como Rafael Altamira (1866-1951) resultou numa sucessão de congressos hispano-americanistas e africanistas e na fundação de revistas, que se devem à tentativa de recompor uma imagem imperial para a "regeneração nacional".[9]

2.

A cultura letrada permitia converter o passado imperial em uma nova Lei simbólica. Era um *princípio* que exigia respeito e obediência, que é um dos sentidos que tem a palavra "tradição".[10] Ao mesmo tempo, permitia polemizar com outras memórias. Como entendia Menéndez Pelayo o termo "hispano-americano"?[11] Retomar sua *Historia* é obrigar-se também a repensar o tom irascível do texto, e seus silêncios. Uma de suas estratégias foi o silenciamento de "recordações desagradáveis", que, por outro lado, permite vislumbrar um verdadeiro campo de batalha em que atuavam, entre outros, os intelectuais caribenhos.

Nada diz Menéndez Pelayo, por exemplo, sobre a conquista do Caribe como máquina de aniquilamento da população indígena, nem sobre a variedade de resistências que ela opôs em um complexo processo de adaptação e sobrevivência. "Esqueceu-se" de algo primordial: os saberes das culturas nativas foram apropriados e traduzidos para o castelhano, modificando a língua "espanhola".[12] Deixou totalmente à margem os críticos anti-imperialistas espanhóis, as descrições de torturas relatadas pelo frei Bartolomé de las Casas, ou sua revisão da história da América. A única menção que fez ao frade dominicano foi para desqualificá-lo como "implacável detrator" de Gonzalo Fernández de Oviedo.[13] Nas "advertências", sem eufemismos, e com claros ecos da concepção que justificou o direito de conquista, declara que não tratará das tradições indígenas, porque, segundo alega, se tratava de "opacas, incoerentes tradições de gentes bárbaras ou degeneradas".[14] Não inclui nenhum dado significativo sobre a escravidão — tão antiga como a própria colônia, e renovada no século XIX — nem tampouco fala da importância das culturas africanas, não só no Caribe. O desenvolvimento da *plantation* escravista e o abandono militar e político do continente foram chaves no sistema que permitiu à Espanha recompor e manter seu domínio até 1898, com a persistência das classificações raciais. Resume-o bem o historiador Josep M. Fradera: "As demarcações raciais constituíram um fator crucial na construção da ordem colonial nos três enclaves coloniais, desde o princípio até 1898".[15]

Menéndez Pelayo tampouco reservou qualquer papel à censura e aos livros proibidos, marco decisivo no caso de Cuba e Porto Rico, nem aos livros que circularam clandestinamente. Na descrição que ofereceu das ilhas antilhanas, omitiu a presença de franceses, corsos, britânicos, irlandeses e holandeses, e a profunda marca dessa outra "Europa" no Caribe. O mundo limítrofe ao arquipélago, o Barbados "inglês", por exemplo, ou as Antilhas "francesas", tão importantes nas mestiçagens caribenhas, na escravidão e no contrabando, não aparecem, ainda que figure o medo do Haiti. Prescindiu também do largo bilinguismo com as línguas africanas, a criação de línguas crioulas e a forte presença do inglês e outros componentes importantes da cultura norte-americana.[16]

Menéndez Pelayo tampouco fala da própria heterogeneidade espanhola, representada nas ilhas pela presença de catalães, valencianos, canarinos, galegos ou bascos, provenientes de zonas bilíngues ou monolíngues. Em sua defesa do castelhano como elemento insubstituível, pronunciava-se de maneira implícita *contra* os movimentos nacionalistas que na península reivindicavam sua própria língua e suas tradições. Refundava a força coesiva da "Espanha" contra os reclamos das "pequenas pátrias" e porventura contra o próprio *hispano-americanismo* catalão de fins do século XIX, que competia com o espanholista. O Estado centralizador e monárquico, que nunca logrou alcançar a "unidade" cultural, se "regenerava" mediante a construção historiográfica do "hispano-americano" em torno dos laços coloniais.[17] Menéndez Pelayo deixou de fora também a experiência de Portugal, que oferece tantas semelhanças com a espanhola. Tudo isso marcou profundamente o *hispanismo* do século XX.

A longa história do *hispano-americano* e do *hispanismo* oferece múltiplos sentidos, segundo o contexto e o observador. Em sua genealogia, comprova-se que a história das ideias é feita de "mal-entendidos", como propõe Kracauer. Nesse caso se incluem — estudaremos alguns exemplos — desde o uso que deles faz o pensamento emancipatório de Bolívar e Martí até as chaves de leitura visíveis nos textos de Pedro Henríquez Ureña, do porto-riquenho Antonio S. Pedreira ou do cubano Ramiro Guerra y Sánchez (1880-1970).[18] Como ocorre com outros paradigmas, o *hispano-americano* é um sujeito-objeto histórico em que ressoam tramas contrapostas. Nelas encontramos dualidades e figuras que não apenas têm pouco ou nada em comum como se opõem violentamente. Mais ainda se consideramos que a Espanha perdeu seu império duas vezes, como recorda o historiador Sabastián Balfour.[19] Por outro lado, a mesma ideia da "unidade das Américas" frente à Europa, ao "americanismo" ou ao "pan-americanismo", teve sua origem na América Latina, e em Bolívar, mas foi apropriada depois pelos Estados Unidos.[20] Não obstante, foi mais tarde recuperada pela cultura de esquerda e redefinida, com outros matizes políticos implícitos, como unidade "latino-americana", em especial a partir das revoluções mexicana e cubana.[21]

No século XIX, o caso argentino é ilustrativo da complexidade das múltiplas formas de identificação. Segundo José Carlos Chiaramonte, nos textos do período da independência se elaboram de maneira estratégica pelo menos três formas com nomes distintos. Em primeiro lugar, a americana ou hispano-americana; outra provinciana, mais identificada com o lugar ou a região; e uma terceira, que poderia se chamar "*rioplatense*", mais próxima da concepção do Estado-nação:

> Antes de 1810 não havia um termo especial para designar os nativos do rio da Prata, cujos habitantes se distinguiam pela cor ou por sua condição étnica. A denominação de *branco* ou *espanhol* compreendia uma minoria de *espanhóis europeus* e uma maioria de *espanhóis americanos* ou *criollos*.* Enquanto isso, sinal de que ainda não se registrara uma identidade coletiva de âmbito platino ou *argentino*, na medida em que se sente a necessidade de diferenciar o nativo do espanhol peninsular, a denominação preferida será *americano*, ou alguma de suas variantes. Será necessário o processo de lutas aberto pela independência para que, mais tarde, se redefina o uso de *argentino*, tendendo a ser sinônimo de *rioplatense*.[22]

Trata-se de um bom exemplo de que não é possível manter a divisão entre as práticas discursivas e as não discursivas que tecem

* Sobre a origem da palavra *criollo*, ver nota na p. 54. Ver ainda, neste capítulo, a nota 79.

o cotidiano, entre o "vivido, as instituições, as relações de dominação e os textos, as representações, as construções intelectuais".[23]

3.

Por trás da *Historia* de Menéndez Pelayo há uma longa tradição. Desde a segunda metade do século XIX se destacava uma nova relação de acercamento à Espanha por setores da elite hispano-americana. Alguns intelectuais viam o debate da modernidade como um conflito entre "saxões" e "latinos".[24] Nesses anos, há de toda forma, na política espanhola, um claro projeto de reconciliação com as ex-colônias, dirigido sobretudo a alcançar novos acordos migratórios, embora carregasse outros importantes projetos editoriais e econômicos.[25] Tudo isso aponta para um conjunto de debates parciais e relacionados, para redefinições da "conquista" histórica e para o desejo de concertar alianças intelectuais semelhantes, um desejo exemplificado de maneira muito clara pelas complexas relações — e rivalidades — estabelecidas por Rubén Darío na Espanha, como veremos adiante.[26]

O objetivo de Menéndez Pelayo era restaurar o lugar central da "*madre patria*" não apenas frente às independências como também frente ao poder norte-americano. Sua *Historia* queria ser compacta e autocontida: nada deveria ficar isolado. Essa interpretação recuperadora inclui, até certo ponto, as "heresias" que, como assinala Michel de Certeau, desejam "explicar com seu saber o que, por pouco tempo, se lhe escapou, reintegrar o aberrante".[27] Mas Menéndez Pelayo confrontou-se com zonas e figuras que resistiam a entrar no relato e tinham que ser conjuradas ou apaziguadas. As dificuldades se tornam visíveis quando enfrenta posições que realizavam o mesmo ato de *beginnings*, mas de lugares distintos. Tratava-se, para ele, de outros *heterodoxos*. É o caso, por exemplo, do discurso separatista dos porto-riquenhos Ramón Emeterio Betances (1827-98) e Eugenio María de Hostos (1839-1903), ou os cubanos José Martí e José Enrique Varona (1849-1933), todos contemporâneos. Por outro lado, ao sublinhar enfaticamente a *continuidade*, Menéndez Pelayo confrontava-se — como veremos no caso de Santo Domingo e em seus juízos sobre Porto Rico — ao obstáculo de integrar em seu relato colônias fronteiriças nas quais a cultura letrada e o Estado-nação tinham sido débeis. O que ocorre, o que ocorreu nas zonas fronteiriças, nos territórios que não figuram nos mapas "nacionais"?[28] O ilegível das fronteiras antilhanas semeia dúvidas no coração do debate do relato construído por Menéndez Pelayo. Sobre isso também me referirei mais adiante.

Na Espanha, o ano de 1898 foi visto, salvo algumas exceções, como o "ano do desastre". Nada parecia definir melhor o clima — e sua articulação discursiva — que o título do livro *La moral de la derrota* (1900), de Luis Morote, que foi correspondente na guerra de Cuba.[29] A perda de Cuba, Porto Rico e Filipinas foi vivida como uma humilhação não só da Espanha, mas também de todas as nações "latinas".[30] Falamos, é claro, do campo intelectual e político. Até que ponto foi sentido dessa forma por outros setores da sociedade espanhola é uma questão em aberto.[31]

Essa condição humilhante foi transformando radicalmente a vida intelectual espanhola do século XX. Mesmo que nem todos os escritores pertencentes à "geração de 98" tenham reagido da mesma maneira, as antigas colônias eram um pano de fundo para repensar com intensidade o "problema" da Espanha. O fato é que no campo intelectual havia boa disposição para aceitar o discurso histórico elaborado por Menéndez Pelayo. Já Ángel Ganivet (1865-98), em meio à segunda guerra de Cuba, e como que antecipando o fracasso militar e político, concluía seu *Idearium español* (1897) com a esperança de que "ao renascer encontraremos uma imensidade de povos irmãos aos quais marcar com o selo de nosso espírito".[32]

Américo Castro (1885-1972) advertiu sobre os devastadores efeitos da guerra sobre a vida intelectual espanhola, herança da qual ele mesmo não se livrou de todo. Ao comentar "o tom e o ar marcadamente imperialista" do soneto "La lengua" (*La sangre de mi espíritu es mi lengua*), de Miguel de Unamuno (1864-1936), destacava que se pretendia encher de fábulas o vazio deixado por 98: "Confirma-se assim a ideia de ser a historiografia espanhola vigente mais um aspecto da ânsia de império, do afã de compensar por essa via confusa e fabulosa as deficiências e os vazios que ensombrecem a alma".[33] O próprio Unamuno proclamava em 1905 sua adesão ao castelhano como língua de cultura: "Necessitamos falar castelhano, diante de tudo e sobretudo, para impor nosso sentido aos demais povos de língua castelhana primeiro e, através deles, a toda a vida histórica da humanidade".[34] Contudo, como explicar que o castelhano se impusera como língua de cultura americana e, no entanto, não triunfara na Espanha?[35]

4.

O livro-monumento de Menéndez Pelayo era uma homenagem ao Antigo Regime. Os *beginnings* "coloniais" seriam o fundamento que avalizariam a tradição.[36] Para que se reconhecesse a Espanha como legítimo poder cultural na América e na Europa, era necessária a ausência de dominação direta. De fato, a derrota a fazia renascer. Para dizê-lo em termos gramscianos, a nova hegemonia exigia um longo trabalho de *consenso*; já não era possível a *coerção*. Quase se poderia dizer que a derrota dava direito à dominação "espiritual". É o que também se percebe no projeto sacralizador de Archer Huntington e na fundação da Hispanic

Society em Nova York, como veremos adiante. Não obstante, essas mesmas suposições se converteriam depois no discurso da *hispanidade* projetada miticamente sobre a época dos Reis Católicos, e serviram para legitimar a guerra contra a Segunda República Espanhola.

Menéndez Pelayo renovou a concepção imperial da língua postulada por Antonio de Nebrija para a época dos Reis Católicos e sua "identificação com a ética heroico-cristã" ligada à guerra contra a cultura árabe e à expulsão dos judeus.[37] Em sua *Historia*, minimizou a descontinuidade política e a diversidade cultural das antigas colônias. Por outro lado, entendeu a quebra definitiva como a ocasião para pôr em dia um projeto frente à cultura "anglo-saxã" dos Estados Unidos, e frente à crescente importância da França como modelo e como centro editorial.[38] Na canonização do conceito do "hispano-americano", invocou a missão das línguas e dos saberes imperiais. Visitou-a com a roupagem da analogia com Roma.[39] Sua *Historia* está ancorada numa importante coleção de "textos" — não só poéticos — e de notícias históricas.[40] Tudo isso cimentava um passado "monumental" no sentido que lhe outorga Nietzsche: uma história com estatuto de grandeza que permite atuar no presente.

A assumida superioridade tornava impossível ver na América outra história que não fosse especular. Mal *começando*, ele mesmo estabeleceu a tensão em suas desafiantes palavras "Ao leitor", datadas de 1910, em que invocava de modo solene as exigências e os direitos da "História": "Não sou eu: é a História quem às vezes suscita desagradáveis recordações".[41] A referência, cheia de desdém, deixa ver com clareza os ecos das guerras geradas pelas relações coloniais. A "História" evocada é um Tribunal que produz absolvições e condenações. O narrador letrado aparece como seu instrumento e, de certo modo, seu porta-voz. Mas com quem ele está discutindo? A "História" evocada pode ser vista como um exemplo de "uma história que nunca havia sido mais que a história que o poder contava sobre si mesmo, a história que o poder fazia contar sobre si".[42]

É uma história de *novos começos*, com ideias do tempo, do espaço e da literatura que permitiam determinar o *lugar* apropriado da Espanha na modernidade. Apesar dos debates provocados por sua *Antología*, Menéndez Pelayo se orgulhava de ter dado a conhecer na Espanha uma literatura ignorada. A historiografia que praticou exalta a voz autorizada do narrador, cuja presença é constante no relato. Também faz uso do caráter intermediário do gênero "prólogo" para antecipar possíveis leituras críticas:

> Para comemorar o centenário do descobrimento da América, decidiu a Real Academia Espanhola em 1892 publicar uma antologia de poetas hispano-americanos, com introduções sobre a história literária em cada uma das regiões descobertas e civilizadas pelo espanhóis no Novo Continente. A Academia me encarregou desse trabalho, que consta de quatro volumes, publicado o último em 1895 [...]. Essa obra é, de todas as de minha autoria, a menos conhecida na Espanha, onde o estudo formal das coisas da América interessa a muito pouca gente, apesar das vãs aparências de discursos teatrais e banquetes de confraternização. Na América foi mais lida, e nem sempre julgada de maneira correta. Quem a examinar com desapaixonado critério reconhecerá que foi escrita com zelo da verdade, com amor à arte, e sem nenhuma preocupação contra os povos americanos, cuja prosperidade desejo quase tanto quanto a de minha pátria, porque ao fim são carne de nossa carne e ossos de nossos ossos. Não sou eu: é a História quem às vezes suscita desagradáveis recordações.[43]

Ao retomar as teses de Nebrija, Menéndez Pelayo atualizava a velha tradição da unidade religiosa e linguística sob a monarquia católica. A ideia era tão simples quanto sedutora: a cultura espanhola era a "origem" das letras "ultramarinas", e desejável reconciliação das tradições "nacionais" frente a uma fragmentação perniciosa. Era a principal dimensão política de sua obra, e se anuncia nas "advertências gerais". É seu mais importante incipit. Aí também há um reconhecimento da língua inglesa como possível continuadora das línguas imperiais:

> Foi privilégio das línguas que chamamos clássicas estender seu império por regiões muito distantes daquelas onde tiveram seu berço e sobreviver de certo modo a si mesmas, persistindo através dos séculos nos lábios de gentes e de raças trazidas à civilização pelo povo que primeiro articulou aquelas palavras e deu à língua seu nome. [...] Do mesmo modo, a língua latina, expressão altíssima do direito e da vida civil, adequada à majestade de tanto império, e chamada por Deus providencialmente a preparar a unidade espiritual da linhagem humana, mais que pelas artes da conquista, pela comunidade da lei, não apenas extingue e apaga os vestígios das línguas indígenas na maior parte dos povos submetidos a seu domínio, excetuados os de casta ou civilização helênica, como vive vida imortal, seja como segunda língua adotada pela Igreja, seja transformada, mas sempre fácil de reconhecer, nas línguas e dialetos que falamos os herdeiros da civilização romana. [...] A América é inglesa ou espanhola: no extremo Oriente e nos arquipélagos da Oceania também coexistem, ainda que em proporção muito diversa, ambas as línguas. A literatura britânica enriquece seu caudal próprio, não só com o caudal da literatura norte-americana, mas com o da [literatura] que já começa a ter brios na Austrália. Também devemos contar como timbre de grandeza própria e como algo cujos esplendores refletem nossa própria casa, e em parte nos consolam de nosso abatimento político e do posto secundário que hoje ocupamos na direção dos negócios do mundo, a consideração dos 50 milhões de homens que num e noutro hemisfério falam nossa língua, e cuja história e cuja litera-

> tura não podemos considerar menos que parte da nossa. Ocasião bem adequada para estreitar os laços de origem e de comum idioma nos oferece hoje a solene comemoração daquele maravilhoso e sobre-humano acontecimento, mercê do qual nossa língua chegou a ressoar potente das margens do Bravo à região do Fogo [...].[44]

Como é estruturada a *Historia de la poesía hispano-americana*? A maneira com que Menéndez Pelayo localiza as figuras e toda a armação narrativa estão pensadas para situar desde o *princípio* a autoridade imperial. "O livro direciona sempre", escreveu Roger Chartier, "a instaurar uma ordem, seja a do deciframento, na qual deve ser compreendido, seja a ordem desejada pela autoridade que o mandou fazer ou permitiu que existisse. Não obstante, essa ordem não é onipotente para anular a liberdade dos leitores."[45]

Menéndez Pelayo narra histórias diversas com o propósito de dar forma a uma história "total". A sequência dos capítulos é estruturada de modo sistemático por países, ou seja, pelas tradições "nacionais" modeladas pela ordem colonial e depois pelas independências. O relato se assenta no marco geográfico, que lhe permite manter dentro de contornos precisos a enorme massa de materiais. Cada país é uma entidade particular, mas o relato é mais que a soma de suas partes. Por outro lado, a operação canonizadora produz suas próprias referências letradas e se alimenta delas. É necessário insistir no termo "letrada". A letra impressa fluía nos vice-reinos, e serve a Menéndez Pelayo para reforçar a estrita hierarquização e a *continuidade* exigidas pela canonização. Desde o princípio, sua *Historia* se concerta como uma empresa de *ordem* baseada na aura do livro. Desse modo, a fragmentação produzida pela organização em capítulos dos diversos países se corrige pela continuidade da cultura impressa "hispano-americana", uma entidade que atravessa os séculos, e que continuará, ainda que sem um Estado centralizador.

Na literatura imperial se repete a cena que é um mito de *origem*: o descobrimento do Livro. Como observou Homi Bhabha para o caso "inglês", o Livro (a Bíblia) é "insígnia da autoridade colonial e significante do desejo e da disciplina colonial". Seu descobrimento "é ao mesmo tempo um momento de originalidade e de autoridade", um processo que, de maneira paradoxal, faz com que o Livro seja repetido, traduzido e mal compreendido.[46] Reinterpretando para nossos fins, poderíamos dizer que o núcleo da *Historia* de Menéndez Pelayo está muito próximo desse movimento: o Livro está no centro. Por isso os laços com México, Peru e Colômbia são firmes: são espelhos concentrados do relato principal. Dessa perspectiva, é interessante observar como Menéndez Pelayo *entra no tema* em cada capítulo. Um claro exemplo nos dá o incipit do primeiro, dedicado ao México, batizado por Cortés como "Nova Espanha": "Teve o Vice-Reino da Nova Espanha (como a parte predileta e mais cuidada de nosso império colonial e aquela onde a cultura espanhola deixou mais fundas raízes) as mais antigas instituições de ensino do Novo Mundo, e também a primeira imprensa".[47] Será uma matriz produtiva.

Uma variante desse mesmo incipit lhe serve para abrir o capítulo sobre o Peru:

> Foi o Vice-Reino do Peru a mais opulenta e culta das colônias espanholas na América do Sul; a que chegou a ser visitada pelos mais eminentes gênios da península, e a que, por haver gozado do benefício da imprensa desde o final do século XVI, pôde salvar do esquecimento maior número de mostras de sua primitiva produção literária.[48]

O capítulo sobre a Colômbia se *inicia* também com o tópos que enaltece o valor da antiguidade: "A cultura literária em Santa Fé de Bogotá, destinada a ser com o tempo a Atenas da América do Sul, é tão antiga quanto a colônia mesma".[49] Evidentemente, nada diz sobre o fato de que já no século XVIII no México os ícones europeus da América tinham sido substituídos por imagens com traços indígenas, e que a imagem da Guadalupe junto ao escudo indígena da águia e da serpente aparecem nos emblemas oficiais do vice-reino, e fundaram o patriotismo dos *criollos*.[50] Para Menéndez Pelayo, o México, o Peru e a Colômbia eram o espelho da metrópole: três versões de um mesmo arquétipo de perfeita continuidade.

Entretanto, há momentos decisivos em que o jogo especular se interrompe. O *começo* do capítulo sobre a Argentina, por exemplo, se abre com um conflito revelador, que acaba por sublinhar outra densidade temporal e as fissuras e gretas dentro da espacialidade colonial:

> O imenso território compreendido entre o Brasil e o cabo das Tormentas, os Andes e o Atlântico formou, pela Real Cédula de 1778, um novo vice-reino, chamado de Buenos Aires, que a revolução separatista veio a fracionar em quatro repúblicas de muito desigual importância: Bolívia, Argentina, Paraguai e Uruguai.[51]

Lamenta, ademais, o "vandálico decreto" de 1776 que ordenou a expulsão dos jesuítas, a qual, segundo ele, produziu os maiores transtornos no rio da Prata, porque "não havia educadores senão eles". Eram escritores, cartógrafos e tradutores, e tinham introduzido a imprensa.[52] A negação, unida à repetição, mobiliza uma estratégia bélica pela qual os insurgentes criam seu próprio lugar da cultura.[53] Mas assim mesmo se corrobora o problema da representação colonial e da busca de seus lugares comemorativos.

Há outros mandamentos, além da antiguidade. A *Historia de la poesía hispano-americana* é, em mais de um sentido, um texto regulador: pode-se lê-lo como um tratado de moral e um tratado de política. Em algumas passagens tematiza de maneira explícita uma dupla excelência como cifra da história cultural: as ex-colônias "tropicais" são também espelho de castidade sexual. Dessa perspectiva edificante, considera o caso do México. Ao comentar a poesia erótica mexicana, infere sua pureza. Segundo ele, os poetas evitam as palavras indecentes características da luxúria:

> A poesia espanhola, mesmo nos países tropicais para onde foi transplantada, conserva sua castidade nativa, e raramente se entrega a tão vil tarefa como a expressão do deleite sensual pelo próprio deleite; expressão que na maioria das vezes não é sinal de vigoroso temperamento, mas de precoce impotência, luxúria da cabeça mais que dos sentidos.[54]

Observa-se isso também quando, no capítulo sobre a Colômbia, não poupa elogios a José Eusebio Caro (1817-53), que redigiu o primeiro programa do Partido Conservador em 1849, como "um gênio lírico" dedicado "a Deus e à eternidade", ou a José Joaquín Ortiz (1814-92), que em "Los colonos" cantou "a pátria colonial, e com ela o triunfo da civilização cristã no Novo Mundo".[55] Não é um discurso menor pacificamente acoplado à obra maior.

Seria um erro, contudo, concluir que a canonização estava isenta de ambiguidades. O fato de que Menéndez Pelayo insista de maneira clara na unidade não impede — antes confirma — que alguns casos sejam obstáculos ao fio condutor e à autoridade de seu Livro. As dificuldades se fazem sentir quando narra a história literária do Peru, colocando num dos centros fundadores o Inca Garcilaso. Inesperadamente reconhece que *Comentarios reales* é o único livro "em que verdadeiramente ficou um reflexo da alma das raças vencidas".[56] Mais adiante escreve:

> Assim se formou no espírito de Garcilaso o que poderíamos chamar o romance peruano ou a lenda incaica, que sem dúvida outros

> tinham começado a inventar, mas que apenas de suas mãos recebeu forma definitiva, alcançando enganar a posteridade, porque havia começado a enganar-se a si mesmo, pondo no livro toda a sua alma crédula e supersticiosa.[57]

Todavia, não vacila ao elogiá-lo junto a Alarcón como "o maior nome da literatura americana colonial: ele e Alarcón, o dramaturgo, os dois verdadeiros clássicos nossos nascidos na América", como antepassados um tanto incômodos com os quais se mantém relações ritualmente definidas.[58] Ambos se ajustam assim ao desejo profundo e inicial do historiador, conquanto não permitam que se lhe dispute o poder.

Quais são as fissuras que se abrem em fendas no relato de Menéndez Pelayo? A *Historia de la poesía hispano-americana* está feita não só de reconhecimentos, mas de antipatias e intransigentes exclusões políticas e raciais. De fato, pode ser lida como uma discussão surda com os separatistas, os quais postulavam uma definição própria do "nacional". E é perfeitamente visível no capítulo sobre a Colômbia, no qual o autor fala com desdém do poeta independentista José Fernández Madrid (1789-1830), um dos signatários da Independência de Cartagena em 1811, cujas odes patrióticas são "da mais intolerável e vazia patriotada".[59]

Paralelamente, ainda que Menéndez Pelayo exalte o extraordinário desenvolvimento da cultura literária cubana durante o século XIX, nada lhe parece mais perturbador que a crítica radical dos separatistas das últimas colônias. A sensação de incômodo é evidente, e no capítulo não se cansa de ajustar contas. Ademais, é significativo que numa nota no início do capítulo, na *Historia* de 1911, recorda o leitor que ele havia sido redigido em 1892: "Ao revisar meu trabalho agora, não me pareceu oportuno fazer considerações de nenhum gênero sobre a perda do domínio espanhol em Cuba e a constituição da ilha em república independente depois da intervenção anglo-americana de 1898".[60]

Menéndez Pelayo defendeu de maneira apaixonada o desenvolvimento cultural da colônia cubana; para ele era a prova de que se havia exagerado a dureza e a repressão do "regime autoritário de nossos capitães gerais":

> Mas como fiéis historiadores, temos de consignar que, a despeito da decantada tirania militar [...] Cuba, em pouco mais de oitenta anos, produziu, à sombra da bandeira da Mãe Pátria, uma literatura igual, quando menos, em quantidade e qualidade, à de qualquer dos grandes Estados americanos independentes [...]. É certo que o espírito geral dos literatos e dos homens de ciência em Cuba sói ter sido sistematicamente hostil à Espanha; mas ainda isso é indício de não ter sido tão grande a repressão das ideias como se pondera [...].[61]

Tais juízos desembocam em comentários taxativos. De imediato o notamos quando o autor situa a figura do poeta cubano José María Heredia (1803-39), que apresenta como um dos "desconformes com a unidade nacional". Aqui, como em outros casos, a narração se articula em torno de pequenas "biografias" nas quais não faltam objeções. Celebra Heredia por sua "superioridade" e "imaginação exaltada", mas o repudia porque tinha contribuído a espalhar de forma insidiosa "a semente dos ódios fratricidas, e cujos frutos de maldição vimos depois".[62] Menéndez Pelayo ecoa consistentemente a política do Estado espanhol que via as lutas independentistas cubanas como resultado dos atos de uma pequena elite conspirativa em aliança com os "negros".

Evidentemente, as coisas não eram tão simples. O que fica fora de seu relato é a complexidade do mundo letrado do século XIX. Por exemplo, na *Historia* são escassas as vozes femininas.[63]

Fica fora a luta pelo poder letrado cubano. Em Cuba os conflitos eram externos e internos: entre a metrópole e seus representantes imperiais, e com os fazendeiros que detinham o poder econômico na sociedade escravista. Entre os letrados havia "liberais" que eram racistas, e "autonomistas" que em algumas ocasiões eram tratados com a mesma dureza com que se tratava os separatistas e os anexionistas radicais. Os períodos de colaboração e negociação com as autoridades coloniais se alternavam com épocas de censura e repressão muito duras. Ambrosio Fornet sustenta que, depois da secessionista Guerra dos Dez Anos (1868-78), "enquanto durou a censura, os críticos e editores se abstiveram de iniciar o inevitável ajuste de contas com o passado colonial, dedicando-se sobretudo à crítica erudita e literária".[64] Ao mesmo tempo, nem tudo são diferenças. Há que recordar que "os pensadores cubanos anteriores à guerra de 1868 foram todos escravistas", e que "nenhum adotou uma postura firme diante do fenômeno da escravidão".[65]

Por outro lado, a *Historia* de Menéndez Pelayo se dedica a deslindar a *civilização* da *barbárie*. Essa dicotomia é um dos *princípios* estruturantes. É ao fim iluminador observar as marcas que identificam o espaço da *barbárie*, já que afirmam e negam ao mesmo tempo a unidade entre as colônias e a metrópole. No caso de Cuba, a dificuldade se faz evidente quando se aproxima à figura do poeta mulato Gabriel de la Concepción Valdés (Plácido) (1809-44). O mestiço ou mulato no metarrelato de Menéndez Pelayo é um "Outro" que permanece definido entre a genialidade e a *barbárie*, mas que tampouco pode ser eliminado. Plácido é habilmente incorporado e ao mesmo tempo desprezado. Para alguns era, diz Menéndez Pelayo, um prodígio extraordinário, um "gênio inculto", um "selvagem genial". Mas para ele não era "nem gênio, nem poeta inteiramente rude". Como evidência indiscutível de que o anátema está escrito na sua alma e no seu corpo, acrescenta que era "ainda por cima negro, ou ao menos pardo". O rancor de "casta" anunciava seu destino, arrastando--o ao patíbulo como vítima da Conspiração da Escada. É nessa sucessão de palavras que se perfilam as estratégias e os controles sobre o *hispano-americano*, que se especificam e se fundem nos corpos as classificações. Há nessas passagens uma mescla de interesse e mal matizado desdém. A *raça* se converte em categoria negativa: "Não sabemos que poesias dará a raça etiópica entregue a si mesma".[66]

A radical estranheza da cultura afro-caribenha espreita como o seu outro indizível no relato de Menéndez Pelayo, assim como no de muitos intelectuais reformistas do século XIX.[67] Estamos sempre no limite de algo latente, mas que em última instância não podemos ver. Santo Domingo é um bom exemplo. "La Española" ocupa por sua antiguidade um lugar de primeiríssima importância, mas ao mesmo tempo nos permite ver os problemas que tem o autor para atravessar a alteridade fronteiriça e uma das zonas de maior polêmica do texto. Na ilha "predileta de Colombo", a cultura tem "origens remotas, imediatamente ao feito da Conquista".[68] Contudo, logo aparece como a negação: à fundação *civilizada*, segue a *barbárie* desencadeada pelos haitianos durante a independência e a ocupação de Santo Domingo, deixando a ilha despossuída e eliminando os rastros da *civilização*. O Haiti era uma ameaçadora inversão, e havia degradado Santo Domingo com forças obscurantistas que instauravam o caos: "Em 1821 [...] caiu sob a feroz dominação dos negros do Haiti, que durante 22 anos a sequestraram da civilização europeia".[69] Por fim, acrescenta, foi "reconquistada" por Juan Pablo Duarte e outros dominicanos que em 1844 proclamaram a República, a qual nasceu, escreve Menéndez Pelayo, quando "na ilha ameaçava extinguir-se toda a cultura sob o peso da selvagem dominação galo-etiópica".[70]

Para Menéndez Pelayo, os dominicanos eram na essência "hispano-americanos", pertencentes a um espaço e a um tempo, e a um território claramente demarcados, à "nação" hispânica. É claro que para chegar a essa conclusão ele teve que se resguardar com palavras que negavam fatos fundamentais. Ou talvez, como assinala Silvio Torres Saillant, "o erudito peninsular não podia ter imaginado nem a profunda complexidade da experiência racial dos dominicanos, nem os delicados matizes do vocabulário racial que já prevalecia na sociedade dominicana até a última década do século XIX".[71] O certo é que a ocupação haitiana significou o fim da escravidão em Santo Domingo, justamente nos anos em que se desenvolvia de modo espetacular em Cuba e em Porto Rico. Mais tarde, quando ocorre a hoje quase esquecida reanexação de Santo Domingo à Espanha em 1861, a rebelião popular que derrotou os espanhóis em 1865 teve traços de guerra "racial" contra a intenção de impor uma definição "branca" do país. Além disso, alguns dos governantes dominicanos eram mulatos, inclusive com antepassados haitianos.[72]

Na busca do *consenso* em torno do cânone imperial, não se trata apenas de reconhecer-se, mas de constituir-se nas diferenças.[73] A linguagem *castelhana*, unificadora, era capaz de restituir aos dominicanos sua condição de sujeitos da história. Perfila-se com clareza no juízo que encontramos no seguinte parágrafo, extraído das considerações com que Menéndez Pelayo conclui:

> Mas o que segura e positivamente restará é o memorável exemplo de um punhado de gente de sangue espanhol, que, esquecida, ou pouco menos, pela metrópole desde o século XVII, a não ser para reivindicações tardias e inoportunas, coexistindo e lutando, primeiro com elementos exóticos de língua, depois com elementos refratários a toda raça e civilização europeias, entregue à rapacidade de piratas, flibusteiros e negros [...] resistiu a todas as provas, seguiu falando em castelhano, chegou a constituir um povo [...].[74]

Vale a pena deter-se nessa passagem. Elementos "exóticos" de língua, como se o castelhano tivesse sido o idioma natural da nação? O relato de Menéndez Pelayo se interrompe no momento exato em que começamos a formular algumas perguntas. Suas palavras não logravam ocultar a complexíssima situação dominicana. Haiti ou Hispaniola? Há muito em jogo nesses nomes. Basta confrontar a orgulhosa consciência de Menéndez Pelayo com outros testemunhos que mostram que as tradições rivais eram tenazes. Durante o século XIX as guerras entre a França e a Espanha, bem como as incursões e a ocupação haitianas, transformaram de maneira vertiginosa as alianças na ilha. Assim o expressam os versos de um letrado, o padre Juan Vázquez, sacerdote de Santiago de los Caballeros. Seu humor e economia permitem um rodeio em torno de uma complexa situação política sobre a qual Menéndez Pelayo nada comenta:

Ayer español nací
a la tarde fui francés,
a la noche etíope fui,
hoy dicen que soy inglés:
*¡no sé qué será de mí!**[75]

Em outro registro, são especialmente chamativos os testemunhos que exemplificam a lealdade de alguns setores dominicanos ao regime haitiano, sobretudo pela abolição da escravidão. Podemos considerar os versos de um "canto popular" dos anos em que era presidente Jean Pierre Boyer, que um crítico dominicano chama "poesia afro-dominicana". São, ademais, indícios que remetem a uma cultura distinta, ao tom zombeteiro da cultura oral:

* "Ontem espanhol nasci,/ à tarde fui francês,/ à noite etíope fui,/ hoje dizem que sou inglês:/ não sei que será de mim!"

Dios se lo pague
a pápa Boyé,
que nos dio gratis
*la liberté.**[76]

Mais ainda: as considerações em torno do próprio nome "Santo Domingo" indicam que os fantasmas não conseguiram descansar. Pode-se constatá-lo num outro momento singular, que tem Pedro Henríquez Ureña por protagonista. Em 1933, o intelectual dominicano, que ocupou por um breve período o posto de superintendente-geral de Ensino durante os primeiros anos do governo de Rafael Leónidas Trujillo (1930-61), preparou um relatório em que se discutia a confusão a que se prestavam os diversos nomes do país, começando por "La Española". A Junta Geográfica dos Estados Unidos tinha proposto que se adotasse o nome de "Hispaniola". O relatório conclui que a maioria dos dominicanos opinava que o nome deveria ser "Santo Domingo", ainda que alguns preferissem o duplo nome de "Santo Domingo y Haití". Henríquez Ureña traçou um rápido resumo das sondagens e das várias possibilidades:

> a) O nome "Española" tem a séria desvantagem de ser um adjetivo, o qual poderia indicar, para os desprevenidos, que a ilha é ainda colônia da Espanha. Há que ter em conta que os nomes geográficos convém que sejam breves e não se prestem a confusões, já que não é possível fazê-los acompanhar-se de uma definição que esclareça o seu alcance. b) O nome "Santo Domingo" tem a desvantagem de não ser aceitável para os haitianos; é, além disso, o nome comum da nossa República e o da sua capital. É verdade que algumas pessoas sustentam que o país só deveria chamar-se "República Domi-

* "Deus lhe pague/ a papai Boyé,/ que nos deu grátis/ a *liberté*."

nicana". Mas todo mundo o chama Santo Domingo e o nome "República Dominicana" é apenas um nome oficial. c) O nome "Haití", que é indígena, tem a desvantagem de não parecer aceitável à grande maioria dos dominicanos. d) O nome "Hispaniola" tem a desvantagem de carecer de justificação histórica e de não ter derivativo cômodo para uso; contudo, como de todos os modos se tem usado, e de fato se está usando em tratados de botânica, de zoologia e de outras ciências, por simples acordo entre homens de estudo, há que reconhecer que é o único dos quatro nomes mencionados que não se confunde com outro. e) Poderiam tomar-se em consideração outros nomes, como "Quisqueya" (de origem controversa), mas teriam a desvantagem de ser muito pouco familiares.[77]

Ainda que urgisse reprimi-lo no discurso, Menéndez Pelayo percebeu que o caráter *hispânico* de Santo Domingo não carecia de perigos, como havia sido demonstrado pelo fracasso da reanexação à Espanha e a guerra que provocou.[78] Não era fácil encadear essa história com sua versão épica. Não é de estranhar, pois, que ele se sentisse mais à vontade em seus vínculos com o Peru. Enquanto em Santo Domingo fala de uma cultura que "sobreviveu" à *barbárie*, referiu-se com simpatia efusiva a Lima e aos laços de "parentesco" com os *criollos* peruanos, "os filhos mimados da Espanha". Buenos Aires, Caracas ou Santiago do Chile seriam mais "modernas", diz, mas ninguém podia negar a Lima "o prestígio de sua tradição gloriosa",

> um não-sei-quê indefinível de graça desenvolta e não pensada, que a qualquer espanhol faz olhar com carinho e simpatia para aqueles que, sob o antigo regime, foram, entre todos os *criollos*, os filhos mimados da Espanha, tão espanhóis em tudo, até em alguns de seus defeitos e fraquezas.[79]

O *final* desse capítulo se enlaça com o *princípio* de lealdade, organizador do relato. Em sua *Historia* estava se dando uma batalha político-intelectual que hoje se pode ler como parte do debate sobre a cultura e o imperialismo.

5.

Voltemos ao contexto das guerras de independência do século XIX e aos antagonismos que vão definindo o uso que se faz dos termos "americanos" e "espanhóis", e que se repetirão, com variantes, no Caribe de fim de século. Como vimos, a *Historia* de Menéndez Pelayo contém aquilo que nega: deixa entrar — ainda que distorcidas — um rumor das vozes do "adversário". Em certas ocasiões, interpela de maneira direta seus opositores, aos quais se refere quase sempre em termos depreciativos. A *continuidade* espanhola na América polemizava, explícita e implicitamente, com o discurso americanista do século XIX, com aqueles que desobedeciam ou desrespeitavam a *tradição*, com os separatistas e reformistas antilhanos cujas vozes heterodoxas em geral ficam fora de seu relato, como se observa nas seções que dedica a Porto Rico, a Cuba ou a Santo Domingo.

Em termos históricos, o "hispano" e o "americano" formam duas das vozes, não intercambiáveis, com que se nomeia o mundo colonial. Com elas se quis dar firme expressão a identidades e alianças políticas. Também se enfrentaram desde o momento mesmo de sua constituição, e marcaram o começo ou o final de guerras polarizadoras. Para aqueles que combateram os velhos e novos impérios, o nome que deram a si mesmos era uma afirmação de controle simbólico sobre a identidade. Uma forma de perceber melhor essa tradição radical é partir do contexto das guerras de independência. Ao expor a necessidade de separar as colônias de sua metrópole, nos textos do movimento emancipador elaborou-se um discurso de *diferenciação*. Quando de sua aparição, e nos mecanismos que o sustentam, o vocábulo "americano" é parte da história e da política. Não foi um movimento linear e progressivo, mas um processo no qual se enfrentavam modelos distintos. Antes de passar a considerá-los, falta considerar um aspecto muito significativo de sua produção. Os "textos" que comentaremos agora não são tanto os "livros". Fazem parte da proliferação de folhetos, jornais, in-oitavos e impressos que continham cartas públicas, proclamas, compêndios e manifestos que se reproduziam graças à imprensa. Eram armas letradas da guerra para aqueles que sabiam usá-las. Muitos desses textos se perderam para sempre; mas outros foram conservados por bibliotecas e arquivos das nações modernas.

Apesar da celebração que faz Menéndez Pelayo do vice-reino do México, o certo é que a guerra de independência revisitou formas de ruptura violenta com o passado colonial. O nacionalismo mexicano insistiu na exaltação do passado asteca, na condenação da Conquista, na devoção pela Guadalupana, e

> os descendentes dos conquistadores e os filhos de posteriores imigrantes criaram uma consciência caracteristicamente mexicana, baseada em grande medida no repúdio a suas origens espanholas e alimentada pela identificação com o passado indígena.[80]

Tratava-se de construir um sujeito "moderno", um "nós" sustentado nos valores das Luzes, no discurso dos direitos universais e na Razão. Em muitos desses textos, inspirados pelo pensamento da Ilustração e pelas revoluções francesa e norte-americana, a Espanha passou a ocupar o polo da *barbárie*. Os ilustrados *criollos* desejavam pôr fim às "trevas" e substituí-las pela "luz".[81] No "Discurso preliminar dirigido a los americanos", de 1797, texto introdutório da *Declaración de los derechos del hombre y el ciudadano*, lê-se:

> A pouca atenção, em qualquer respeito, que têm merecido os reis, em todo o tempo, esses direitos sagrados e imprescritíveis, e a ignorância que deles têm tido sempre os povos são a causa de quantos males se experimentam sobre a Terra. Não teriam abusado tanto os reis de Espanha, e os que em seu nome governam nossas províncias, da bondade dos americanos, se houvéssemos estado ilustrados nessa parte. Instruídos agora em nossos direitos e obrigações, poderemos desempenhar estas do modo devido, e defender aqueles com a perseverança que é própria; conhecedores dos injustos procedimentos do governo espanhol, e dos horrores de seu despotismo, nos resolveremos, sem dúvida, a proscrevê-lo por completo; a abolir suas bárbaras leis, a desigualdade, a escravidão, a miséria e a vilania geral; trataremos de substituir a luz às trevas [...].[82]

O *americano* se inscrevia no espírito dos paradigmas do "bem" e do "mal" que se desenvolveram na Europa na luta contra as monarquias. Junto ao realinhamento em torno da questão republicana, dava-se ao mesmo tempo uma fundamentação "universalista". Por trás dessas considerações está, como já demonstrou Hans Kohn em seu grande livro, o nacionalismo moderno que determinou em boa medida as transformações políticas na Inglaterra, na França e nos Estados Unidos. A concepção de um Estado-nação secular teve sua primeira grande manifestação na Revolução Francesa e seu desenvolvimento exerceu uma grande influência na historiografia.[83]

A voz do "patriota" constituída nos textos americanos postulava, a um só tempo, a unidade interna e uma categórica *diferença diante da Espanha*. Os valores desse universo intelectual e político se veem com clareza na seguinte passagem:

> Americanos de todo estado, profissão, cor, idade e sexo, habitantes de todas as províncias, patrícios e novos povoadores, que vedes com dor a desgraçada sorte do nosso país, que amais a ordem, a justiça e a virtude e que desejais a liberdade: ouvi a voz de um patriota reconhecido, que não vos fala nem aconselha senão por vosso bem, por vosso interesse e por vossa glória.[84]

Há outros exemplos que ilustram essa coexistência de identificações conflitivas. Trata-se, na sua maioria, de sujeitos que descobriram no exílio a possibilidade de articular a crítica à metrópole. O texto do ex-jesuíta peruano Juan Pablo Viscardo y Guzmán (1748-98) "Carta a los españoles americanos" (1792), publicado graças à intervenção de Francisco de Miranda (1750-1816), a partir do próprio título constitui o sujeito e os destinatários ideais. Viscardo, que viveu na Itália e depois em Londres após a expulsão da Companhia de Jesus dos territórios espanhóis em 1767 por decreto de Carlos III, dirige-se a um setor que nomeia *espanhóis americanos*. Encontramos nessa denominação algo que será uma constante legitimadora para todo projeto nacional no século XIX: as genealogias com as quais os liberais *criollos* provavam a antiguidade de sua linhagem e ao mesmo tempo fundamentavam seus direitos políticos.[85] Viscardo, em cumplicidade com seus aliados na Grã-Bretanha, exortava seus compatriotas a rebelar-se contra a Coroa espanhola. Recordemos que a *Historia* de Menéndez Pelayo estava ligada aos festejos do Quarto Centenário do Descobrimento. Ainda que sua interpretação seja muito distinta, é interessante que o incipit da "Carta" de Viscardo se refira ao Terceiro Centenário:

> A proximidade do quarto século do estabelecimento de nossos antepassados no Novo Mundo é uma ocorrência sumamente notável para que deixe de chamar a nossa atenção. O descobrimento de

> uma parte tão grande da terra é e será sempre, para o gênero humano, o acontecimento mais memorável de seus anais. Mas para nós que somos seus habitantes, e para nossos descendentes, é um objeto da maior importância. O Novo Mundo é nossa pátria, sua história é a nossa, e nela é que devemos examinar nossa situação presente, para determinarmos, por ela, tomar o partido necessário à conservação de nossos direitos próprios e de nossos sucessores [...]. Quando nossos antepassados se retiraram a uma distância imensa de seu país natal, renunciando não só ao alimento, mas também à proteção civil que ali lhes pertencia e que não podia alcançá-los a tão grandes distâncias, se expuseram, sob seu próprio risco, a buscar uma subsistência, com as fadigas mais enormes e com os maiores perigos.[86]

Três séculos depois, a Espanha é "um país que nos é estrangeiro, ao qual nada devemos, de que não dependemos e do qual não devemos esperar nada, é uma traição cruel contra aquele onde nascemos".[87] Em que tradição buscar abrigo? O *espanhol americano* não pode se considerar à margem da trama que se narra na "Carta". Nela se estabelece uma diáfana relação de alteridade com o espanhol. Por outro lado, era precisamente a celebração dos antepassados "espanhóis" que lhe permitia elaborar uma identidade diferenciada de outros grupos étnicos. É em torno do eixo dessa memória das *origens* que se pode definir uma identidade "*criolla*". É-se diferente diante da Espanha, mas também diante da América não hispânica. Ao fim e ao cabo, as sociedades são réplicas

> mais complexas que seus protótipos europeus, pois estão enxertadas em sociedades ameríndias e enriquecidas com elementos africanos, mas também mais frágeis por serem tributárias de uma acumulação de desenraizamentos e por procederem de uma dominação fundada na Conquista.[88]

Viscardo não exclui seus contemporâneos indígenas nem as castas que foram o resultado da mestiçagem forçada que criou a sociedade colonial. Mas defende a legitimidade dos "*criollos*", destinados a ocupar os postos de poder. Nas palavras de David Brading, Viscardo definiu os *criollos* "como uma nobreza colonial à qual se negava o que lhe cabia por nascimento".[89]

As categorias que dirigem o discurso *americano* e *hispano-americano* da emancipação fundam a nacionalidade *americana* no húmus cultural e nos precursores europeus. Nos textos do próprio Miranda os termos mais frequentes são "América espanhola", "América meridional" ou "colônias hispano-americanas". Para a sonhada federação, propôs o nome de "Colombia".[90] Mas o discurso nacionalista no contexto colonial moderno é ao mesmo tempo uma negação e uma afirmação da pretendida universalidade do modelo metropolitano do Estado-nação.[91] A nação *americana* era, de fato, um novo sujeito da história, mimético em relação à concepção e às práticas europeias, ainda que com sua própria concepção da história.[92] Ao estudar esse jogo de representações, é pertinente a provocadora conclusão a que chega Foucault:

> A história apenas topa com a guerra, mas nunca pode se colocar por completo acima dela; jamais pode eludi-la, nem encontrar suas leis fundamentais, nem impor-lhe limites, simplesmente porque a guerra mesma sustenta esse saber, o atravessa e o determina [...]. A guerra se dá, então, através da história, e através da história que a conta.[93]

A exclusão de outros elementos étnicos e culturais do mundo americano (índios, mestiços, africanos) aponta para a persistente aporia desse discurso. É o próprio Bolívar, em seu decreto de 1813 — conhecido como "La guerra a muerte" —, quem dramatiza ainda mais a *diferença*, tornando-a arma de combate. Seu propósito era assegurar o apoio *criollo* e definir claramente o inimigo: os espanhóis. Empenhado na aplicação imediata dos postulados revolucionários, constrói seu discurso sobre a base das imagens de ruptura ("romper as cadeias"), deslocando os espanhóis até a "barbárie". Em sua exortação à "guerra até a morte", a conclusiva divisão acentua o antagonismo com a velha metrópole e a unidade interna:

> Somos enviados a destruir os espanhóis, a proteger os americanos e a estabelecer os governos republicanos que formavam a Confederação da Venezuela [...] porque nossa missão se dirige apenas a romper as cadeias da servidão que esgotam ainda alguns dos nossos povos, sem pretender dar leis nem exercer atos de domínio, a que o direito da guerra poderia nos autorizar. Tocados por vossos infortúnios, não pudemos ver com indiferença as aflições que vos faziam experimentar os bárbaros espanhóis, que vos aniquilaram com a rapina e vos destruíram com a morte; que violaram os direitos sagrados das gentes; que infringiram os pactos e os tratados mais solenes [...].[94]

Em outros textos de Bolívar o sujeito *americano* se inscreve na dicotomia *civilização/barbárie*. A partir daí, celebrou uma utopia de valores europeus que não incluíam o legado hispânico: um "nós" diferente que se fundava nos valores da *civilização*. Os signos da nação se invertem no momento da insurreição. Pode-se ver com mais clareza em sua "Carta de Jamaica" (1815), um dos textos fundadores do discurso americano, que também se desenvolve dentro do marco genérico da polêmica. Nele, a *diferença* e as descontinuidades taxativas se fazem mais profundas e se expressam com toda classe de epítetos desabonadores. Na alegoria da nação de Bolívar, a Espanha é a "madrasta desnaturalizada". Ao mesmo tempo, Bolívar sustenta que a *civilização* europeia exige inculcar novas necessidades. Em particular, a necessidade de criar um país liberal, estritamente vinculado ao mercado internacional e à introdução da tecnologia como parte do processo civilizador.

Na "Carta de Jamaica", a conjuntura era o possível reatamento da guerra num momento muito difícil para os insurretos. A contrarrevolução, como explica John Lynch, avançava, e as forças independentistas tinham sofrido grandes derrotas.[95] Bolívar avalia a situação do movimento independentista e reitera as imagens de separação em dualismos inapeláveis: "O destino da América se fixou de maneira irrevogável; o laço que a unia à Espanha está cortado [...]. Maior é o ódio que nos tem inspirado a península que o mar que nos separa dela".[96] Os emblemas das Luzes e das Trevas se repetem: "O véu foi rasgado, já vimos a luz e querem fazer-nos voltar às trevas; romperam-se as cadeias; já fomos livres e nossos inimigos pretendem de novo escravizar-nos".[97]

Nas primeiras linhas do texto menciona-se Alexander von Humboldt como a voz do "princípio exterior da Ilustração". A "Carta" de Bolívar pode ser considerada, segundo Eduardo Subirats, "uma das extensões mais notáveis da Ilustração mais além das fronteiras europeias". Seu caráter fronteiriço se expressava na forma epistolar "como um intercâmbio de ideias, um diálogo intelectual entre um militar rebelde, Bolívar, e um erudito europeu, em certa medida anônimo, que adotava a posição idealizada de um virtual filantropo, liberal e ilustrado".[98] Bolívar fala da impossibilidade de uma nação única formada com os territórios liberados e da necessidade de governos "paternalistas":

> Desejo mais que qualquer outro ver formar-se na América a maior nação do mundo [...]. Ainda que aspire à perfeição do governo de minha pátria, não posso me convencer de que o Novo Mundo seja neste momento regido por uma grande república; como é impossível, não me atrevo a desejá-lo, e menos desejo uma monarquia

universal da América, porque esse projeto, sem ser útil, é também impossível [...]. Os estados americanos hão mister dos cuidados de governos paternais que curem as chagas do despotismo e da guerra.[99]

Além dos conflitos entre os *criollos* que aspiravam ao poder, Bolívar reconhece a existência de um "Outro": o mundo indígena. A Espanha não seria mais o único adversário. Assim, nos contextos cambiantes da insurreição, o discurso das elites nacionalistas se desloca, dando lugar a "mal-entendidos". Diante do mundo indígena, Bolívar redefine o "nós" ao qual se referem os textos independentistas. Seguindo Chatterjee, que utiliza o conceito gramsciano de "classes subalternas", poder-se-ia dizer que se chega a uma reinscrição do subalterno "*criollo*" como sujeito dominante. Um sujeito ilustrado que não questiona suas *origens* na colonização, e que tem que invocá-las para sua autolegitimação. De fato, tanto em Viscardo quanto em Bolívar, a "Europa" — mas não a Espanha — representa a ilustração e o progresso (como o será para Sarmiento mais tarde). Em outras palavras: o discurso anticolonial não só não erode o modelo "europeu" como chega a colocá-lo sobre fundamentos mais sólidos. Bolívar, de fato, invoca "nossos direitos", que são os da "Europa":

> Somos um pequeno gênero humano [...] não somos índios nem europeus, mas uma espécie média entre os legítimos proprietários do país e os usurpadores espanhóis: em suma, sendo americanos por nascimento e nossos direitos os da Europa, temos que disputá-los aos do país e temos que nos manter nele contra a invasão dos invasores [...].[100]

De um lado, o sujeito americano compartilha com a população indígena o fato de ser nativo dessas terras. Mas, de outro lado, os "*criollos*" são descendentes de europeus e, portanto, serão chamados ao exercício do poder político.[101] Na alegoria de Bolívar, construía-se uma imagem de ruptura mediante a simultânea degradação da imagem filial "espanhola" e a exaltação do comércio com a "Europa". Bolívar chega a dizer:

> A Europa mesma através de sã política deveria haver preparado e executado o projeto da independência americana; não apenas porque o equilíbrio do mundo assim o exige, mas também porque esse é o meio mais legítimo e seguro de adquirirem-se estabelecimentos ultramarinos de comércio.

6.

Vejamos agora exemplos caribenhos, em especial a *tradição* crítica mais próxima à época de Menéndez Pelayo e excluída de sua *Historia*. O grande intelectual separatista porto-riquenho do século XIX Ramón Emeterio Betances, por exemplo, que sonhava de seu exílio em Paris as utopias da modernidade, permite restabelecer a complexidade do debate. Ele se formara na França, onde completou seus estudos de medicina e a praticou, fez sua obra literária (em francês) e desenvolveu sua atividade política. Betances se distinguiu porque não se cansava de desafiar a autoridade espanhola e porque queria instaurar uma linha de separação muito clara. Enquanto na França se configuravam as distintas tradições que dariam lugar à modernidade, a Espanha se mantinha à margem. Betances repetiu de maneira categórica seu juízo pessimista, situando a carência no campo espanhol: "Nada há que esperar da Espanha e de seu governo. Eles não podem dar o que não têm. Carecem, por mais que outra coisa digam, de todos os elementos de um povo civilizado".[102] A mera existência da colônia punha em questão os valores ilustrados e impunha a necessidade de buscar outros fundamentos, discurso que se reescreveria com frequência. A radiografia da situação colonial que fez o republicano "afrancesado" Betances foi, desde o primeiro momento, uma das mais influentes. Seu desengano precoce com a metrópole escravista e imperial o levou a "tomar a palavra" e à desconstrução radical do *hispanismo*.

O porto-riquenho Eugenio María de Hostos, que tinha se educado na Espanha, retoma o tema, condenando a metrópole de um modo especialmente agônico. Como Betances e Martí, Hostos era um patriota republicano. Dedicou muitos escritos, durante seu longo exílio em Nova York, Chile e Santo Domingo, a romper com o discurso civilizatório da metrópole, que nunca delegou a ele um espaço público de discussão na ilha. A distinção entre "patriotismo republicano" e "nacionalismo cultural" permitiria comparar o discurso separatista elaborado por Hostos, digamos, às tradições autonomistas e liberais nacionalistas do século XX. Maurizio Viroli estudou com perspicácia essa distinção na Europa do século XIX. A "pátria" para Manzini, por exemplo, pressupunha a recordação do passado, a linguagem e o reconhecimento de valores próprios, mas sobretudo estava ligada ao presente dos direitos republicanos. Não foi assim com o nacionalismo conservador italiano ou europeu, em que o pertencimento à "nação" se dava em termos de língua e cultura mais que em termos políticos.[103] Hostos o expressa de maneira clara no prólogo de 1873 à segunda edição de seu romance *La peregrinación de Bayoán* (1863), um livro escrito em Madri por um jovem escritor que "se atrevia a pensar em voz alta o que ninguém ousava dizer ao pé do ouvido".[104] Nesse mesmo texto, exprime com exatidão seu patriotismo republicano:

> O patriotismo, que até então tinha sido sentimento, se ergueu com irresoluta vontade. Mas se minha pátria política era a ilha desafor-

tunada em que nasci, minha pátria geográfica estava em todas as Antilhas, suas irmãs ante a geologia e a desgraça, e estava também na liberdade, sua redentora.

A figura de Hostos é ilustrativa das histórias entremeadas, "*overlapping territories, intertwined histories*" [territórios que se confundem, histórias entrelaçadas],* de que fala Said. Hostos iniciou sua ruptura com a metrópole com *Bayoán* e a levou ao cume com seu conhecido discurso no Ateneo de Madri, no qual declarou: "A Espanha não cumpriu na América os fins que devia cumprir e, uma após outra, as colônias do continente se emanciparam de seu jugo". Já aí Hostos parece antecipar-se a Menéndez Pelayo, embora invertendo as razões: "A história não culpará as colônias".[105] Essa inversão implicava um deslocamento de lealdades. Ao falar sobre Cuba em 1872, em meio à Guerra dos Dez Anos (1868-78), referia-se ao "monstruoso estado social que resulta de nossa dupla escravidão doméstica e territorial". Descreveu uma sociedade na qual os *criollos* vingavam "nas costas de nosso servo o azorrague com que nosso amo nos mortificava a alma".[106] Hostos, manejando as regras da polêmica, exacerbava ainda mais a polarização ao insistir no caráter ilusório de qualquer reconciliação:

> Mas se há na vida da humanidade uma fatalidade perfeitamente determinada é a lei do bem; e os espanhóis, que fizeram em Cuba todos os males, os que procedem do horror, os que nascem da paixão desenfreada, os que geram uma vontade mal dirigida, não puderam fazer o único mal que teria condenado Cuba ao horror eterno de ser espanhola: não puderam ter filhos espanhóis! Mesclaram-se com as índias, e saíram cubanos; com estrangeiras, e

* Em inglês no original.

nasceram cubanos; com espanholas, e até a espanhola procriou cubanos. [...] Instruíram-nos no fanatismo do Deus espanhol, do rei espanhol, da grandeza espanhola, e foram cubanos no seu fanatismo contra todos os fanatismos espanhóis. Mandaram-nos à Espanha para esquecer Cuba, e voltaram a Cuba maldizendo a Espanha.[107]

Há outro grande adversário que brilha por sua ausência na *Historia* de Menéndez Pelayo. Os textos de José Martí adquirem um significado particularmente relevante. Nos anos em que organizava, do seu exílio em Nova York, o reatamento da guerra da independência, Martí criticou os preconceitos culturais e sociais cifrados no persistente paradigma de *civilização e barbárie*. Dessa forma, por exemplo, nos grandes textos fundacionais de seus últimos anos, como o "Manifiesto de Montecristi", reconheceu os "componentes heterogêneos da nação cubana" e o ódio e o temor aos negros, que devem ser superados na guerra.[108] De outra parte, chegou a conhecer bem os conflitos do mundo republicano nos Estados Unidos, distanciou-se das "repúblicas feudais e teóricas da Hispanoamérica" e expressou sua veneração por Emerson e Whitman, primordiais para definir sua própria função intelectual. Em "Madre América", seu importante discurso de 1889, entra no debate, estabelecendo um contraste cortante entre as *origens* espanholas e as norte-americanas. O "arado" e o "cão de guarda" se convertem em emblemas polarizados:

Da maior veemência da liberdade nasceu em dias apostólicos a América do Norte [...]. E como não recordar, para glória dos que souberam vencer apesar delas, as origens confusas e manchadas de sangue de nossa América...? [...] do arado nasceu a América do Norte, e a Espanhola, do cão de guarda.[109]

O patriotismo republicano de Martí, operando já a partir da nova metrópole, exigia a crítica do mundo pós-colonial do século XIX e seus jogos de linguagem. Essa crítica se põe em evidência em suas crônicas e em seus poemas escritos em Nova York, e suas crônicas publicadas em Caracas, Buenos Aires e México, enquanto em Cuba, como em Porto Rico, seguiam adotando-se as práticas absolutistas da censura de imprensa, com a consequente dificuldade para adquirir livros e intercambiar ideias. Num exemplo muito pertinente aqui, Martí subvertia as alegorias patriarcais dos antecedentes do Quarto Centenário e, por consequência, de Menéndez Pelayo. De Nova York, comentou em 1881 os Congressos de Americanistas que reuniram antropólogos, viajantes, antiquários e folcloristas. Um dos mais significativos se celebrou esse ano em Madri. Em sua crônica, Martí enalteceu "a exibição em um valiosíssimo museu de quanta riqueza americana abarca a Espanha".[110] Mais tarde, num segundo texto, refere-se de novo à "exibição riquíssima de maravilhas e antiguidades da velha América". Mas já nessa segunda ocasião recorda justamente a violência e o estranhamento, o "espírito e métodos e não igualadas crueldades da dominação da Espanha na terra dos índios". Sua crítica se condensa numa imagem poderosa de crueldade: o mundo indígena foi "aquele mundo ignorado, ferido em seu seio pelo cavalo da conquista, e morto na flor da idade", uma série de metáforas que servem como eixos para nos orientarmos em seu discurso sobre os *princípios* coloniais.[111] Em constraste, na leitura que Martí levou a cabo do nascente *hispanismo* norte-americano de Washington Irving e Longfellow, observa-se "uma espécie de regresso ao *tempo* hispânico dentro do próprio espaço da cultura norte-americana", já que Martí vê em Irving a representação de um mundo formado por culturas heterogêneas, "um mosaico de raças, religiões e falas" e não o mundo hispano-católico. Essa experiência transformava, segundo Martí, o observador, Irving.[112]

Martí foi elaborando um paradigma de "integração" de todos os elementos heterogêneos. Em "Nuestra América" (1891), ocupa decididamente o primeiro plano: "O problema da independência não era a mudança de formas, mas a mudança dos espíritos". E acrescenta o aforismo que citávamos no início: "A colônia continuou vivendo na república".[113] De maneira polêmica, faz explodir a mitologia da independência a partir do seu interior, enquanto obriga a abandonar qualquer imagem linear do progresso. Da sedutora e ao mesmo tempo ameaçadora nova metrópole, Martí criticou as falsas emancipações e as concepções maniqueístas que demonizavam a colônia e idealizavam a república ocultando a violência sobre a qual ambas se fundam.[114]

Apesar de tudo, seu aforismo iluminador nos leva a pensar que não se podem evitar os "mal-entendidos" de que nos fala Kracauer. Como entender e valorizar a perduração da *colônia*? O certo é que Menéndez Pelayo, de uma perspectiva muito distinta, podia ter subscrito as mesmas palavras. Mas para ele a perduração da *colônia* significava o oposto: a sagrada aura da dominação da metrópole. Por essa mesma razão, quando publicou sua *Historia* em 1911 silenciou a morte de Martí, ocorrida em plena guerra de Cuba em 1895. Essa morte era um ato de inusitada ressonância que se converteria em um símbolo que Menéndez Pelayo não podia ler, embora elogiasse o primeiro livro de Pedro Henríquez Ureña, *Ensayos críticos* (1905), no qual o autor dominicano respondia à sua *Antología de poetas hispano-americanos* e destacava Martí como um dos iniciadores da poesia modernista americana.[115]

Não é menos importante o caso de Salvador Brau (1842-1912), o grande intelectual *autonomista* porto-riquenho, cuja vida esteve marcada pelas decepções criadas pela censura colonial. Suas intervenções representam um momento singular do jornalismo e da historiografia durante os anos da Restauração espanhola. Tanto em Cuba quanto no Porto Rico de fins do século XIX, consolidou-se um mundo letrado que estava enfrentando de modo ambíguo o poder metropolitano: os defensores da *autonomia* política pretendiam resolver o problema colonial no seio do Estado espanhol. Mas na prática o modelo ficava deslocado pela separação e a recusa da metrópole, e pela crescente sedução do modelo norte-americano.

Representativos da obra de Brau são os artigos jornalísticos recolhidos em *Ecos de la batalla* (1886). A *batalha* — convém deter-se no termo — era um ato polêmico, um gesto retórico e um fato prático. Nesses anos, quando a hegemonia econômica e política norte-americana se fazia cada vez mais visível, Brau acentuava as diferenças entre uma e outra metrópole, destacando o distanciamento da Espanha dos valores modernos universalizadores. Colocava-se numa perspectiva duplamente imperial:

> Frente a frente com essa democracia anglo-saxã, absorvente e cosmopolita, pretenderá a Espanha sustentar sua influência na América, opondo-se a que o *espírito democrático* [...] se arraigue em suas províncias ultramarinas? Não se proclama a cada dia a necessidade de estreitar vínculos e relações intelectuais e materiais entre a Espanha e as repúblicas que se separaram um dia violentamente de seu domínio, para chegar à realização de uma grande liga dos povos latino-americanos, que se contraponha aos impulsos da colossal República do Norte? [...]. Não; ante a democracia norte-americana, contra a influência daquela nação que funda todo o seu vigor na liberdade, não cabe opor suspicácias nem tiranias nem doutrinarismos tradicionalistas. A liberdade se combate com a liberdade [...].[116]

Brau fustigou com energia os desmandos administrativos.[117] Numa colônia carente de universidades, seu pensamento se forjou em leituras levadas a cabo em bibliotecas particulares que burlavam a censura espanhola. O *contrabando* intelectual lhe permitiu uma formação; abria um lugar para a "importação" de ideias e textos, conectando-o com outras metrópoles e com pensadores como Spencer, Stuart Mill, Comte, Henry George, Victor Schoelcher, e as ricas e substanciosas leituras que tinha feito de Frédéric Bastiat e Jules Simon. Brau manteve fresca a lembrança da circulação clandestina de ideias na colônia espanhola, e ele mesmo escreveu, pensando em metrópoles mais modernas:

> Vão era o empenho de sufocar as manifestações do pensamento quando se abria larga porta à comunicação universal das ideias, por Santomás, que facilitava o contrabando de livros, e pelos Estados Unidos e Inglaterra, cujos buques, em diligência de açúcar e mel, percorriam todo o litoral, conduzindo jornais, revistas em inglês e em espanhol, e mantendo correspondência epistolar onde palpitava a atividade intelectual do mundo culto.[118]

Não obstante, Brau amou profundamente a Espanha e defendeu as *origens* espanholas de Porto Rico. Mas sua obra tampouco deixou rastros na metrópole. Menéndez Pelayo não a comenta.[119]

Brau não compartilhava a radicalidade dos intelectuais separatistas. Para ele, o conceito de cidadania tinha um sentido fundamentalmente integrador à metrópole. Mas teve que protestar contra as severas limitações impostas pelo governo espanhol. No folheto "Lo que dice la historia (Cartas al sr. ministro de Ultramar, por el director de *El Clamor del País*)", de 1893, por exemplo, Brau critica a classificação que terminava por separar legalmente os porto-riquenhos de outros súditos de Sua Majestade. Com sentido agudo do menoscabo a que se sujeitava, resumiu o propósito de suas cartas:

> O sentimento patriótico ferido na Pequena Antilha pelo funesto erro de cindir a ideia da nação, classificando os espanhóis para o exercício de seus direitos em três classes: espanhóis peninsulares, a quem se reconhece o chamado sufrágio universal; espanhóis cubanos, de quem se exige a cota de cinco pesos para intervir com seu voto na vida nacional; e espanhóis porto-riquenhos, a quem não se reconhece esse direito senão mediante a cota de dez pesos.[120]

Se a historiografia espanhola não prestou atenção a intelectuais como Brau, ele, sim, o fez com a Espanha em seu livro *La colonización de Puerto Rico* (1907), um dos livros mais importantes da historiografia porto-riquenha e um exemplo claro da posição "assimétrica" descrita por Chakrabarty. Contudo, depois de 1898, em sua *Historia de Puerto Rico*, Brau defendeu a ocupação militar norte-americana, que acreditava necessária "para moderar a brusca transição do velho sistema colonial aos amplos métodos democráticos".[121] Era toda uma *declaração de princípios*.

A Espanha não inspirava já a lealdade de importantes setores em suas últimas colônias, em grande medida porque o comércio e as emigrações para os Estados Unidos foram decisivos nos novos projetos nacionais. Creio entretanto que se deve destacar outro caso. O testemunho do cubano Enrique José Varona é muito ilustrativo. Em seu ensaio "El fracaso colonial de España", de 1896, Varona postulava que a velha metrópole ocupava o polo da *barbárie*, enquanto a *civilização* futura estava inexoravelmente ligada à proximidade dos Estados Unidos e ao comércio. A modernidade norte-americana era uma poderosa imagem de *progresso*, sustentada pela confiança em que a república democrática seria o futuro do mundo.[122] Sua posição, por outro lado, parecia autorizada pela visão dominante nos Estados Unidos. Para Varona, o mundo colonial aparece como perdido para a Espanha, porque ela era alheia às grandes culturas modernas. Poder-se-ia dizer dele o que destacou Rafael Rojas para toda uma tradição: "A afirmação da identidade nacional, mais que uma hermenêutica, constitui uma política".[123] Varona celebrou os vínculos entre tecnologia, ciência e o mundo europeu e norte-americano:

> Ainda que a Espanha tenha tratado de mudar o rumo de nosso comércio, a vizinhança do imenso mercado americano ensinou a Cuba lições que ninguém poderá esquecer. Sua posição geográfica e a qualidade de seus produtos a puseram em relações com o mundo inteiro, que não têm sido mais amplas e regulares pela intervenção enciumada da Espanha. Das comunicações pessoais de muitos cubanos que têm morado no estrangeiro e pela facilidade maravilhosa com que hoje se difundem as ideias resultou que a cultura artística, científica e jurídica, se não geral, é extensa em Cuba.[124]

7.

No entanto, a visão de Menéndez Pelayo contava com aliados, entre os quais se destacaram alguns proeminentes letrados caribenhos. Said insistiu na importância de estudar as *conexões* entre a colônia e a metrópole. Se só houvesse opositores à visão oferecida por Menéndez Pelayo, seria simples estabelecer essas relações. Quem eram os "aliados"? Na "religião do hispanismo" ressoam ecos de discursos "pós-coloniais" de exaltação da "raça latina". No século XIX o *hispanismo* estava, por assim dizer, "no ar", pelo menos havia logrado um relativo enraizamento entre setores das elites e abriu outros campos de ação para alguns intelectuais que se encontravam no exílio. Disso há testemunhos suficientes. O processo esteve encabeçado por figuras como o colombiano José María Torres Caicedo (1830-89), radicado em

Paris desde meados do século, e o dominicano Francisco Muñoz del Monte (1800-65). Na *Revista Española de Ambos Mundos* (1853-5), Muñoz del Monte — que viveu em Madri desde 1848, depois de seu exílio em Cuba, onde foi tido por "suspeito" — deu a conhecer um artigo intitulado "España y las repúblicas hispanoamericanas". O texto é importante para a genealogia da *latinidade*. É um dos primeiros lugares em que se articulou a noção de uma *latinidade* sem tensões frente à expansão norte-americana. Assentavam-se aí as bases para uma aliança com a velha metrópole espanhola: "pertencer" ao mesmo horizonte era requisito indispensável para frear o avanço da "raça anglo-germânica". Ao mesmo tempo, a designação "raça latina" se postulou como cultura "superior" às africanas e indígenas, ainda que os espanhóis não empregassem o termo "América Latina".[125] Por razões várias, é importante ressaltar que esse texto se deve a um liberal dominicano exilado na Espanha.[126] Vale a pena examinar uma passagem desse precursor do *hispanismo* do século XIX:

> O Texas foi anexado; a Califórnia foi adquirida; o Novo México foi agregado; as agregações, as aquisições e as anexações continuam sendo o objeto predileto da política exterior da União: o desenvolvimento ulterior, a mesma existência futura da raça latina são já um problema [...]. Qual é, sob o ponto de vista da etnografia e da estatística internacional, a situação atual do Novo Mundo? [...] Duas raças diversas o povoam sobretudo, a raça latina e a raça anglo-germânica, prescindindo da indígena e da africana, cuja inferioridade física e intelectual as subordina necessariamente à ação mais poderosa e civilizadora das primeiras. Essas duas raças lutaram desde a mais remota antiguidade [...]. A verdadeira e sólida garantia de sua salvação reside unicamente em seus próprios recursos, secundados até o alcance de seus meios atuais pela simpática cooperação de sua antiga metrópole.[127]

Depois do "desastre" de 1898, há curiosamente uma nova corrente de simpatia pela Espanha, que já não representava nenhuma ameaça política para os estados hispano-americanos. Escreve Carlos Real de Azúa:

> O conflito hispano-estadunidense e a trama final do processo da independência de Cuba suscitaram, nos setores responsáveis da América Latina, reações extremamente ambíguas. Apoios, por um lado, à irmã menor governada até então sob a férula quase sempre brutal dos capitães-gerais; apreensão crescente diante da formidável contundência que a participação norte-americana tinha exibido; corrente cordial de solidariedade e compaixão pela "mãe pátria" humilhada, além de vencida.[128]

Nesse contexto, ganham importância algumas vozes hispano-americanas contemporâneas. Uma das mais significativas foi a de Rubén Darío, que assistiu como delegado às atividades do Quarto Centenário (1892) e em seguida regressou à Espanha em 1898. Darío atuou diplomaticamente no mesmo centro de poder da velha metrópole e na luta pelo poder cultural.[129] Sua primeira viagem à Espanha teve uma importância extraordinária. O então jovem poeta — tinha apenas 25 anos — assistiu como "membro da delegação que enviava a Nicarágua por motivo das festas do centenário de Colombo", segundo conta em *La vida de Rubén Darío escrita por él mismo* (1915).[130] Dedicou-se com afinco a proclamar sua adesão à cultura espanhola: "Ninguém ama com mais entusiasmo que eu nossa língua e sou inimigo dos que corrompem o idioma", declarou numa reportagem em *La Ilustración Americana y Española*.[131] A viagem de Darío era o *início* de uma espécie de reconquista espiritual da Espanha, a possibilidade de seus próprios *beginnings*.[132]

Nas "Dilucidaciones" que servem de prólogo a seu livro *El canto errante* (1907), Darío recordou as amizades literárias *espa-*

nholas e o lugar privilegiado que ocupou como "delegado de meu país natal nas festas colombinas".[133] Entretanto, para alguns intelectuais espanhóis, Darío era a imagem do Outro. Juan Valera, grande admirador de sua poesia, caracterizou-o em 1892 como um "raro", híbrido, uma sedutora figura exótica vista com admiração e certo desdém, análoga ao olhar perturbador que em outro contexto descreve, exasperado, Frantz Fanon em *Pele negra, máscaras brancas* (1952) ao narrar sua experiência como estudante na França. Darío era um mestiço que podia alcançar um estado refinado e "civilizado":

> Em Rubén Darío há, sobre o mestiço de espanhol e índio, o extrato, a refinada tintura do *parnasiano*, do *decadente* e de todo o novíssimo do estranja, de onde resulta, a meu ver, muito de insólito, de novo, de inaudito e de raro, que agrada e choca porque está feito com acerto e bom gosto. Tampouco há afetação, ou esforço, ou prurido de imitar, porque tudo em Darío é natural e espontâneo, ainda que primoroso e como que cinzelado. [...] E não me cega nem seduz sua figura, que não é de todo boa como poderia ser, nem seu fácil palavreado, porque é encolhido e silencioso.[134]

É difícil não ver Darío como objeto de representação "orientalizada", a qual espreita sempre o "bárbaro": as portas da "casa" apenas haviam se entreaberto.[135]

Mas um mito sustenta e produz outro. Em *El canto errante*, Darío incluiu o poema "A Colón", que tinha lido e publicado em 1892 em Madri, e no qual assumia — congratulando-se com seus destinatários espanhóis — a crítica do período de independência. O poeta se preparava para disputar a hegemonia espanhola no terreno literário, e desdobra todo o seu poder de sedução. Darío acentuou o empobrecimento material e ético da América, acumulou ataques ao passado independentista ao mesmo tempo que distribuía seus elogios à conquista espanhola. Mostrava-se obediente à *tradição* definida por Menéndez Pelayo. Começava por afirmar que a América tinha se extraviado de sua origem "civilizada". A América "índia" era uma "histérica de convulsivos nervos". O presente era inferior à etapa colonial, já que a América tinha esquecido o princípio fundador:

> *¡Desgraciado Almirante! Tu pobre América,*
> *tu india virgen y hermosa de sangre cálida,*
> *la perla de tus sueños, es una histérica*
> *de convulsivos nervios y frente pálida.*
> [...]
> *Desdeñando a los reyes nos dimos leyes*
> *al son de los cañones y los clarines,*
> *y hoy al favor siniestro de negros Reyes*
> *fraternizan los Judas con los Caínes.*
> [...]
> *Duelos, espantos, guerras, fiebre constante*
> *en nuestra senda ha puesto la suerte triste:*
> *¡Cristóforo Colombo, pobre Almirante,*
> *ruega a Dios por el mundo que descubriste!*[*136]

Sua segunda viagem, já derrotada a Espanha em 1898, Darío a fez como correspondente do jornal *La Nación*, de Buenos Aires. Nesse diário, tinha publicado entre 1893 e 1896 os retratos que

* "Desgraçado Almirante! Tua pobre América,/ tua índia virgem e formosa de sangue cálido,/ a pérola de teus sonhos, é uma histérica/ de convulsivos nervos e fronte pálida.// [...]// Desdenhando os reis nos demos leis/ ao som dos canhões e dos clarins,/ e hoje ao favor sinistro de negros Reis/ fraternizam os Judas com os Cains.// [...]// Aflições, espantos, guerras, febre constante/ em nossa senda pôs a sorte triste:/ Cristóforo Colombo, pobre Almirante,/ roga a Deus pelo mundo que descobriste!"

formariam seu influente *Los raros*, livro que discutia a relação entre arte e decadência através das figuras de Paul Verlaine e Max Nordau, e no qual também mostrava "que estava a par do último grito literário do continente".[137] Mas as consequências da guerra e as circunstâncias que atravessava a vida espanhola ofereciam o momento ótimo para outra intervenção de Darío: a conquista da velha metrópole. Para dizê-lo nos termos de Raymond Williams, Darío compartilhava a *formação*, mas tinha outro *projeto*, e sabia demonstrar respeito. Desejava ser reconhecido como a figura que podia sustentar a rede literária de língua espanhola. Suas crônicas, recolhidas no livro *España contemporánea*, se situavam no contexto da *regeneração* da Espanha e na possibilidade de recompor uma identidade interrompida. Em mal dissimulada busca de aliados, reforçava uma identidade *americano-espanhola*:

> De novo a caminho, e até o país maternal que a alma americana — américo-espanhola — há de saudar sempre com respeito, há de querer com profundo carinho. Porque se já não é a antiga poderosa, a dominadora imperial, amá-la o dobro; e se está ferida, estender-se a ela muito mais.[138]

Numa espécie de novo "pacto", Darío tentava fundir os dois tempos, pensar de dentro da metrópole, insistindo que eram descendentes de espanhóis. No prefácio de *Cantos de vida y esperanza* (1905), ademais, estendia seu desdém a toda a mediocridade, à "mulatez intelectual", ecoando uma "versão racial hispânica" que coincidia com o moderno racismo biologista.[139] Entretanto, Darío, assim como outros viajantes ou diplomatas, contribuiu com sua presença e sua obra para criar uma nova identidade para a literatura *hispano-americana*.[140]

O colonialismo supõe uma grande continuidade que de nenhum modo termina com a independência política. De fato, nas primeiras décadas do século XX abundam exemplos de projetos de identificação com a cultura *hispânica* que revelam a complexidade da história e da memória da palavra. Alguns setores intelectuais proclamaram uma lealdade fervorosa às raízes espanholas, às vezes com suspeitosa insistência. Vejamos algumas das instâncias mais iluminadoras. É o caso do crítico cubano José de Armas y Cárdenas (1866-1919), mais conhecido pelo seu pseudônimo Justo de Lara. Foi reconhecido como um destacado estudioso de Cervantes, sumamente culto e, segundo observa Cintio Vitier, "o melhor crítico profissional de nossas letras".[141] Ao longo de sua vida, sua filiação política passou por toda uma gama de posições: foi autonomista, crítico do governo colonial espanhol, simpatizante de Martí, mas também do protetorado norte-americano. Teve uma carreira muito variada: foi jornalista em Nova York, e logo depois em Madri, de 1909 a 1919. Em 1908 publicou um artigo intitulado "Hablando con Menéndez Pelayo", no qual terminava elogiando o erudito espanhol como encarnação da grande *tradição*, em contraste com a precariedade cubana, isto é, com o campo social local. Sua linguagem lembra a descrição do "romance familiar" de Freud, em que se substitui os pais por "pessoas mais grandiosas, revelando saudades da idade ditosa e perdida". Dizia Justo de Lara:

> Voltava eu a nossas lutas da América, aqui onde os problemas sociais estão por resolver-se, onde começamos a vida política, onde as tradições mal existem, onde não há vida literária e os homens de nossa geração carregam como Atlantes todas as responsabilidades do futuro. Lá ficava, encarnada em Menéndez y Pelayo, a obra sólida dos séculos, firme como a pedra, inquebrantável. Aqui a evolução étnica, lá o eterno: lá a fala robusta, a alma da raça, o gênio original da Espanha, suas glórias seculares, seu passado gigantesco.[142]

Our New Possessions, livro dedicado às Filipinas, ilhas do Havaí, a Porto Rico e Cuba, escrito por Trumbull White e publicado em Chicago em 1898, por J. H. Moore & Co. Contém mapas, desenhos e fotos das cidades, do campo e de seus habitantes. Na Introdução, a primeira frase é: "*Within the measure of a single year, there have come into the possession and under the sway of the United States of America, four splendid colonies*" [Em apenas um ano, quatro esplêndidas colônias vieram ao domínio dos Estados Unidos da América].

"Cena de rua. San Juan. Perto do mercado." Imagem de um álbum de fotos de 1898, inéditas em sua maioria. À direita provavelmente um jornalista ou fotógrafo norte-americano.

“Uma família feliz. Um pouco mesclada.” Fotógrafos e jornalistas norte-americanos em um bairro porto-riquenho. Álbum de fotos de 1898.

This is a typical Sunday morning scene in one of the side streets of Havana, and indicates a negro dance—“up and down and all chassée.” Negroes are children of sun and fun.

“Cena típica de um domingo matinal nas ruelas de Havana, e indica uma dança negra ‘para cima e para baixo e *chassé*’. Negros são filhos do sol e da diversão.”

THREE MESTIZO SISTERS.

These three young ladies are daughters of a wealthy Spanish planter and a high-caste Tagalog mother. They represent the best element on the island of Luzon.

"Três irmãs mestiças [...] filhas de um rico agricultor espanhol e de uma mãe Tagalog de alta casta. Elas representam o setor mais distinto na ilha de Luzón."

A SOCIABLE GROUP
American soldiers in Manila fraternizing with native Filipinos.

“Um grupo sociável. Soldados norte-americanos fraternizam com nativos filipinos em Manila.”

O uso do “garrote vil” para a execução da pena de morte pelas autoridades espanholas chamou a atenção dos fotógrafos e dos militares norte-americanos. Charles Edward Doty incluiu uma demonstração do garrote entre as fotos que tirou em Cuba entre 1899 e 1902.

“Modo de operar o garrote. Filipinos servis apenas mostram ao fotógrafo como se usava o garrote. A execução real seria outra história. O desumano instrumento era uma forma comum de execução em todas as colônias espanholas.”

“Subindo no coqueiro atrás da água de coco.” A imagem, decerto impublicável, circulava em álbuns particulares e dá uma ideia de algumas das fotos que exibiam os corpos nativos. Aqui os homens com cocos na mão são provavelmente fotógrafos e correspondentes.

“Tipos de soldados espanhóis no sul das Filipinas. O Exército espanhol nas Filipinas era largamente composto por jovens, muitos deles apenas meninos, que cumpriam o serviço militar. Eles estavam felizes por voltar para casa depois de um desgastante período no arquipélago.”

TYPES OF CUBAN WARRIORS.

"Tipos de guerreiros cubanos." Integrantes do Exército rebelde cubano.

Rafael Ortiz, um cocheiro porto-riquenho, residente em Caguas, acusado de ter assassinado um soldado norte-americano em fevereiro de 1899, sob o regime militar. Ortiz foi condenado à prisão perpétua e enviado a Minnesota para cumprir a pena. A foto foi enviada à revista *Harper's Weekly* pelo major-general Guy Vernor Henry, governador militar de Porto Rico.

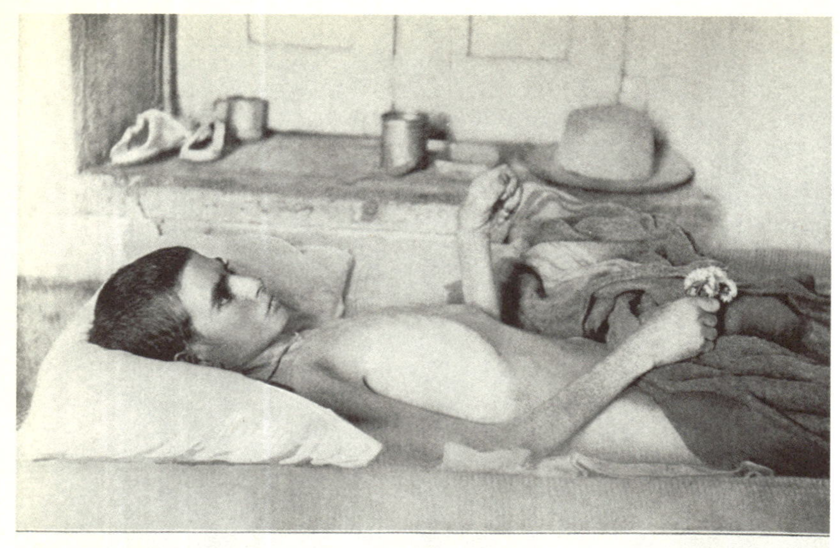

Here is a sad but common scene. Reconcentrados are dying of starvation in the hospital of the American Orphans in Havana—too far gone to be saved by the belated treatment.

Uma das vítimas da reconcentração dos camponeses levada a cabo pelo general espanhol Valeriano Weyler durante a guerra de Cuba. "Eis aqui uma cena triste, mas comum. Reconcentrados estão morrendo de fome no Hospital dos Órfãos Americanos, em Havana, em estado muito adiantado para serem salvos por um tratamento tardio."

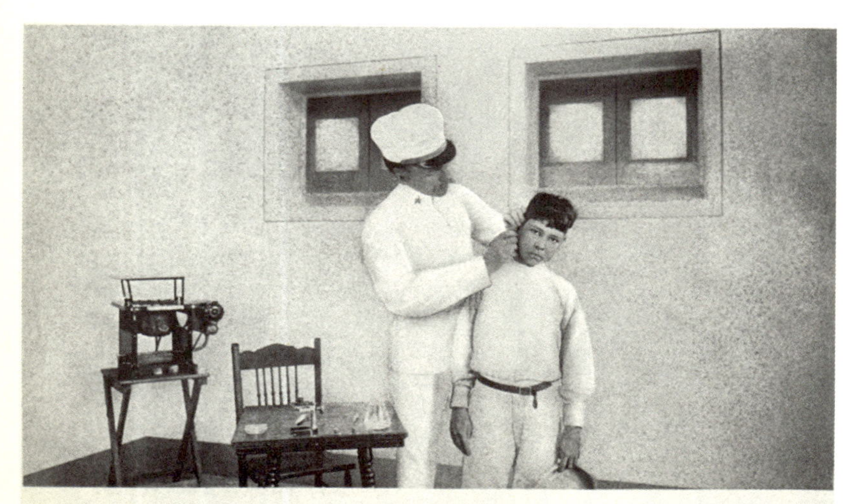

DR. ASHFORD TAKING A BLOOD SPECIMEN FROM AN ANEMIC PUERTO RICAN BOY (1904)

"Dr. Ashford tira mostra de sangue de um menino anêmico de Porto Rico (1904)." Ele ficaria em Porto Rico, dedicando-se à medicina tropical.

“Nativos porto-riquenhos.” Há indicação de que esta foto, entre outras, foi tirada pelos integrantes da tropa A da Cavalaria de Nova York.

This scene is taken in the suburbs of Havana. These are two bachelors, with a retinue of servants jumbled around them. Clearly a strong, supreme, female **ruling hand is lacking.**

"Dois rapazes solteiros com um grupo de servidores à sua volta, cena de um subúrbio de Havana. Claramente, uma mão feminina, forte e suprema, está faltando."

A COSMOPOLITAN GROUP.

This group includes Americans, Spaniards, Filipinos and Chinese, and is representative of the mixed character of the population of the islands. Those bright-faced American boys are out of place in such company.

"Um grupo cosmopolita. Inclui americanos, espanhóis, filipinos e chineses, e é representativo do caráter mesclado da população das ilhas. Esses garotos americanos de face clara estão fora de lugar em tal companhia."

Abundam as caricaturas racistas dos nativos, aqui identificados como alunos porto-riquenhos, cubanos, havaianos e, ao fundo, Emilio Aguinaldo, líder independentista filipino. A legenda da imagem diz "O novo curso do Tio Sam sobre a arte do autogoverno". Caricatura de W. A. Rogers na capa da *Harper's Weekly* de 27 de agosto de 1898.

"O primeiro passo para aclarar. O fardo do homem branco se dá por meio do ensino das virtudes da limpeza. Sabão Pears é um potente fator para iluminar os cantos escuros da Terra à medida que a civilização avança, enquanto nas mais cultivadas nações ele mantém o mais alto lugar — é o sabonete ideal." Anúncio do sabão Pears usa a imagem do almirante George Dewey.

"Fotógrafos nativos." Muralhas da cidade de San Juan durante a ocupação militar. Álbum de fotos de 1898.

Em 1910, José Enrique Rodó propunha mais uma vez a questão do nome, e reivindicava o termo *hispanoamericano* com palavras que não deixam nenhuma dúvida sobre sua *filiação* à "raça heroica e civilizadora". Rodó não apenas aceitava o nome e o "romance familiar" como também propunha a inclusão do Brasil:

> Não necessitamos, os sul-americanos, quando se trata de abonar essa unidade de raça, falar de uma América Latina; não necessitamos chamar-nos latino-americanos para acedermos a um nome geral que nos compreenda a todos, porque podemos chamar-nos algo que signifique uma unidade maior muito mais íntima e concreta: podemos chamar-nos "ibero-americanos", netos da heroica e civilizadora raça que só em termos políticos se fragmentou em duas nações europeias; e ainda poderíamos ir mais além e dizer que o mesmo nome de hispano-americanos convém também aos nativos do Brasil [...].[143]

Outra adesão notável foi aquela subscrita pelo mexicano José Vasconcelos (1882-1959) em seu livro *Indología: Una interpretación de la cultura ibero-americana*, de 1927, publicado depois de seu mais célebre *La raza cósmica* (1925) e sua experiência na Secretaria de Educação mexicana. *Indología* recolhe as conferências que o autor deu em sua viagem por Porto Rico e Santo Domingo. Nelas, ele reiterava a problemática exaltação da nova *raça*, produto da *mestiçagem*, do castelhano como língua da *civilização*, e fazia a defesa de seu programa de alfabetização. Não há melhor descrição que a feita por Rafael Rojas desses livros: representam "a coroação e a conclusão do debate eugenésico sobre a América Latina".[144] Ao longo de *Indología* ressoam também as ideias fundamentais de Menéndez Pelayo. Há uma apologia da "conquista" moral e religiosa — ainda depois de concluída a dominação política — como meio de aceder ao *progresso*. Trata-se, de maneira clara e ostensiva, de uma concepção intolerante da fé e um grande desprezo pela alteridade islâmica. Para Vasconcelos, um grande exemplo da "conquista moral" era a cruzada contra os muçulmanos. É preciso lembrar que essas páginas são escritas durante a guerra espanhola no Marrocos, entre 1909 e a chamada "pacificação" da zona em 1927, e do desastre em Annual* em 1921.[145] Transcrevemos a passagem:

> Os espanhóis fizeram da América uma grande Espanha. E nela veem reproduzidos seu sangue e sua própria alma, ainda quando não a tenham politicamente sob seu domínio. E explica-se, os espanhóis empreenderam uma verdadeira conquista de almas. Conseguiram substituir uma civilização retardada como era a indígena por uma civilização em ascensão, como a deles na época dos descobrimentos. Para uma empresa ideal desse gênero se pode crer que é legítimo empreender uma conquista. Os modernos sistemas de colonização e de mandato à inglesa e à francesa, cinicamente apoiados em interesses comerciais, não se propõem sequer a única coisa que poderia justificá-los: a evangelização do mundo muçulmano. Substituir o despotismo oriental com os métodos civilizados e democráticos do Ocidente poderia ser uma bandeira moral comparável à luta dos missionários que aboliram os sacrifícios humanos. [...] Não se deve destruir uma raça, mas se pode empreender a redução dela.[146]

Said argumenta que "não existe um princípio teórico superior que governe o conjunto imperialista", mas que cada situação local, cada relação de interdependência tem "sua própria trama de associações e formas, seus próprios motivos, obras e instituições".[147] É o que permite examinar os textos de Vasconcelos e de

* Referência à derrota do exército espanhol na Batalha de Annual.

alguns intelectuais caribenhos no início do século xx. A construção de uma *tradição hispânica* tem estado ligada à invenção de novas — e problemáticas — possibilidades de existência. No centro desse debate estavam, ao mesmo tempo, uma subjetividade moderna que se apoiava no *hispânico* para se autorrepresentar e a nova hegemonia política norte-americana.[148] O escritor Tomás Blanco (1896-1975) se inscreve no lugar central dessa tradição. Em *El prejuicio racial en Puerto Rico* [O preconceito racial em Porto Rico], de 1937, um arrazoado com o qual pretendia negar a existência do preconceito, concluía: "Nossa população de cor está completamente hispanizada em termos culturais e são muito escassas as contribuições africanas no nosso ambiente, salvo no folclore musical".[149] Devemos ressaltar, além disso, que a presença espanhola não cessou de repente, mesmo que o ano de 1898 tenha iniciado um processo de transformação que romperia em definitivo com muitos aspectos das colônias. O escritor cubano Alejo Carpentier, ao falar de sua formação escolar na Havana de princípios do século xx, oferece um testemunho revelador da complexidade das tradições coloniais:

> Aprendi as primeiras letras em colégios cubanos, claro. Mas ocorria uma coisa: como obtivemos a independência apenas no ano de 1902, não tinha havido tempo ainda [...] de produzir textos ajustados à nova realidade cubana [...] estudávamos de acordo com os livros que eram vigentes e se usava na Espanha de fins do século xix: a *Gramática* da Real Academia, os textos de literatura e preceptiva, os livros de história, livros de história nos quais evidentemente não se dava nenhuma importância às independências da América porque os autores eram espanhóis.[150]

Os modos de ler e de interpretar têm sua própria história. Na *diferença* cultural "mudam a posição de enunciação e as relações de interpelação internas; não apenas o que é dito mas também onde é dito".[151] De que modo se dá essa particular relação com a *tradição hispanista* durante os anos da Segunda República e a Guerra Civil Espanhola? É a pergunta que nos formulam os textos de Antonio S. Pedreira, Pedro Henríquez Ureña, César Vallejo e Alfonso Reyes.

O porto-riquenho Antonio S. Pedreira, em seu livro *Insularismo* (1934), revela o traçado de um programa. A partir de um *começo* já clássico, declara, enfático: "Fomos e seguimos sendo culturalmente uma colônia hispânica".[152] É verdade que Pedreira tratou desses temas a partir de pressuposições que hoje não são aceitas, com ecos das ideias racistas de Gobineau e Gustave Le Bon, e a tradição do discurso patologizante em textos como *Pueblo enfermo* (1909), de Alcides Arguedas. Em *Insularismo*, Pedreira postulou que a *raça superior*, branca, era "a legislativa". Os males do país vinham da mistura, do "fundo titubeante" do mulato. O mulato herdava todos os defeitos constitutivos, com o perigo da instabilidade política e o atraso cultural. Pedreira se legitimava pela "firmeza e vontade do europeu" frente à "dúvida e ao ressentimento do africano".[153] É decisivo para compreender o projeto de um intelectual acadêmico formado no *hispanismo* institucionalizado na Universidade Columbia, nos Estados Unidos, sob a direção de Federico de Onís.[154] Esse *hispanismo*, com poucas exceções, se ajustou a essa norma e prestava pouca ou nenhuma atenção ao mundo afro-caribenho.

Pedreira estava muito longe de propor uma identificação submissa à velha metrópole, ou à tradição católica defendida pelo *hispanismo* de Menéndez Pelayo e por setores do nacionalismo porto-riquenho.[155] Como Vasconcelos, ainda que nos antípodas de seu impulso messiânico, Pedreira queria *começar* de novo. Concebeu-o como a capacidade de "manipular" e "ordenar" elementos de procedência distinta:

> Atentos à dimensão espanhola e à norte-americana, temos esquecido de buscar a terceira dimensão que é a nossa, a porto-riquenha, a única que obriga a uma ordenação e seleção dos elementos de ontem e de hoje que nos convenha guardar para amanhã. Ao manipular ambas as culturas, não podemos nem devemos viver de costas para as derivações naturalizadas que formam o bosquejo de nossa personalidade.[156]

As palavras "hispanofilia" ou "hispanófilo" são insuficientes para caracterizar essa conveniente plasticidade que, por outro lado, lembra algumas das estratégias de Rubén Darío e de Pedro Henríquez Ureña quando se situavam *entre* o francês e o espanhol, o primeiro, e *entre* o *colonial* e o *moderno*, o segundo. Em *Insularismo*, Pedreira se colocava na tensão *entre* dois mundos, no meio do caminho entre objeto e sujeito. Jogou com uma noção ambígua de "transição" dialógica muito "moderna" com a qual pensou que conseguia sair do dilema. Não se projetava necessariamente como oposição frontal aos Estados Unidos, que representavam uma *civilização* florescente; mas tampouco queria ser uma cópia servil da cultura "espanhola". Aspirava a ser um *terceiro* capaz de conectar entre si as duas tradições, de absorvê-las e redigi-las para fortalecer seu próprio projeto. Talvez isso explique que seu ensaio terminasse por ser tão poderosamente atrativo para membros da elite intelectual porto-riquenha e para um novo setor profissional cujo modo de ler a literatura e a história se foi formando ou confirmando nos ensaios de Pedreira.

A partir dessa *transição*, e com um nacionalismo difuso mas nunca separatista, Pedreira formulou uma variação da "dupla lealdade" e do "duplo patriotismo" característicos de algumas formações nacionalistas.[157] Seu projeto pressupunha, por exemplo, alcançar o domínio do inglês, um grau sofisticado de bilinguismo. Por meio de sua prática docente e com frequentes intervenções na imprensa e nas revistas que contribuíram para definir o comportamento da elite cultural, Pedreira exerceu uma grande influência. Foi ao mesmo tempo um intelectual acadêmico e público, cujo *hispanismo* abriu caminho para uma visão pragmática. Podiam-se alcançar esses objetivos negociando *entre impérios*, sem a necessidade de um Estado independente. Também aqui os *beginnings* ficam estabelecidos em função do ponto de chegada. A *transição* era a condição sine qua non, uma fronteira que lhe permitia assumir-se como ator "original" *entre passado e futuro*, para citar Hannah Arendt.

Em outro aspecto, talvez se possa traçar um paralelo com a posição do dominicano Pedro Henríquez Ureña, cujo *hispanoamericanismo* se fundava também no temor do mundo afro-caribenho ou na impossibilidade de pensá-lo como cultura. Em contraste, em 1920 Henríquez Ureña defendia explicitamente Menéndez Pelayo diante das "negociações rotundas e extremas" de Azorín.* Menéndez Pelayo, segundo diz, "ainda que as tenha atenuado muito, nunca perdeu de todo, com relação às coisas de nosso tempo, suas atitudes de *clássico* e de católico, nem, com relação à América, sua atitude de espanhol". Não obstante, insistia que, apesar de seu conservadorismo, era um crítico de primeira ordem e podia ser um *aliado* na vocação da crítica. Expressou-o com cortês diplomacia, retificando o menosprezo de Azorín, que "nega o mestre, sem notar que este pode ser um aliado dos *modernos*, ainda que pareça ser dos *antigos*".[158] Assim como Pedreira, Henríquez Ureña não queria ser um epígono; desejava certo tipo de reciprocidade.

O *hispanismo* tinha chegado a ocupar um lugar privilegiado entre outros discursos. Para dizê-lo com palavras de Foucault,

* Pseudônimo de José Martínez Ruiz (1873-1967), crítico e escritor espanhol da chamada geração de 98, que oscilou entre posições políticas extremamente conservadoras e revolucionárias.

era uma "trama epistêmica apertada", o que "não significa, absolutamente, que todo mundo pense o mesmo".[159] A Segunda República e a excruciante guerra civil, com concepções opostas de "Espanha", despertaram adesões e recusas que permitem examinar essas especificidades. De um lado, a Espanha republicana era um caminho de abertura que encontrava adesões crescentes. Em 1934, o próprio Pedro Henríquez Ureña influía de maneira profunda ao celebrar uma Espanha "ampla e aberta", de grande impacto liberalizador. Destacava que a nova Constituição da Segunda República criava "a dupla nacionalidade, espanhola e americana", desenhando assim uma nova figura de comunidade.[160]

Nos textos do poeta peruano César Vallejo (1892-1938) aparece com clareza o lugar importante do *hispanismo*, que se deve compreender *também* em função do contexto crucial da guerra civil. Para os escritores que se inscreviam numa tradição de esquerda, a militância do autor de *España, aparta de mí este cáliz* afetou de maneira decisiva a forma de entender o papel do intelectual e do "*hispanoamericano*". Em 1937, Vallejo recusou com vigor o discurso do "império hispano-americano" essencializado por Franco. Fazia-o em nome da democracia, mas também do idioma e da civilização que "nos são comuns", e de sua própria concepção da significação de "Espanha". Seu artigo permite reconstruir outra trama de alianças e filiações. *Inicia-se* com a seguinte frase: "Os povos ibero-americanos expressam, de forma cada vez mais entusiástica, sua solidariedade com o povo espanhol, que luta contra os generais rebeldes, instrumentos das forças regressivas europeias e traidores de sua pátria". Mais adiante condena o *hispanoamericanismo* franquista nestes termos:

> Resposta mais eloquente não podia dar a América aos repetidos chamados dirigidos por Franco a nossos países para fundar um império hispano-americano diz-se que sobre a base dos "laços de

> sangue e do idioma, da história e da civilização". Claro, ignoramos o que Franco entende por império hispano-americano, não levamos a sério a néscia e extravagante ocorrência — porque não há por onde levá-la —, apenas a registramos para notificar, à face do mundo, ao "generalíssimo", que a América rejeita, em nome precisamente dos autênticos destinos da raça, todo vínculo, seja ainda momentâneo e circunstancial, com os lacaios da invasão estrangeira na Espanha e destruidores dos povos e cidades em que tiveram berço esse mesmo idioma e essa mesma civilização, que nos são comuns.[161]

Em meio ao discurso público e à discussão política o *hispanismo* se renegocia várias vezes. Sintomático dessas tensões — nunca resolvidas de todo — é também o exemplo do mexicano Alfonso Reyes (1889-1959), que possuía uma íntima experiência das tradições culturais espanholas e levou a cabo um importante trabalho crítico em Madri. Ao mesmo tempo, distanciava-se de Menéndez Pelayo, que "apesar de seu magno esforço nunca chegou a entender por completo o espírito americano".[162] Derrotada a Segunda República, distanciava-se da noção de "decadência" e da identificação do "sentido hispano da vida" com o muito menos edificante organismo político do Estado espanhol. Em meio à Segunda Guerra Mundial, Reyes afirmava: "Porque uma coisa é o sentido hispano da vida — até hoje jamais derrotado, mas lançado sempre a novos rumos em busca de novas aventuras — e outra coisa, a configuração jurídica que se chama o Estado espanhol".[163] E em 1942, das páginas dos *Cuadernos Americanos*, enquanto se encontrava empenhado em dar asilo aos republicanos espanhóis no México, Reyes se expressava com um renovado discurso *americanista*. Fazia a apaixonada defesa da herança que permitiria à América intervir como continuadora de uma Europa em ruínas: "O ibérico é uma representação do mundo e do homem, uma estimação da vida e da morte elaboradas de modo infatigável pelo povo mais fecundo de que se tem notícia. Tal é a nossa magna herança ibérica".[164] Era um ato de apropriação que invertia os *começos* de Menéndez Pelayo. Livre da dominação política imperial, em meio a outra guerra, a América podia acrescentar um legado simbólico já firmemente assentado. Era uma atitude de esperança. O "grande relato" não desaparecia: estava sendo reinterpretado e reescrito.[165]

8.

Até aqui vimos que com a *Historia* de Menéndez Pelayo a literatura proporcionou novos *beginnings* à autoridade espiritual do império e ao castelhano. O erudito espanhol encontrou aliados em alguns setores da elite hispano-americana que utilizaram argumentos parecidos para justificar a "superioridade" da "latinidade" ou seus próprios projetos nacionalistas. A tais setores interessava promover uma aproximação da Espanha como apoio frente ao novo poder dos Estados Unidos, ou em aliança com ambos. Em que pese esse complexo contraponto, quase todos fundaram seus *beginnings* na cultura letrada que se olha no espelho da "Europa". A imprensa e o Livro são os emblemas da *civilização*.

Há exemplos comparáveis entre outros escritores espanhóis das primeiras décadas do século XX. Basta recordar o caso de Ramón Pérez de Ayala (1880-1962) em seus ensaios de 1914, ou o de Luis Araquistáin em seu livro *La agonía antillana* (1928). Pérez de Ayala formulou de maneira clara o projeto de conquista espiritual:

> Nosso problema é a conquista da América. E como vamos realizar a conquista espiritual da América, se antes não nos colocarmos

> com vida e alma a descobrir, desbastar, concentrar e fortalecer nosso próprio espírito? O chamado problema da Espanha é o problema americano. Estão em litígio nada menos que a sobrevivência e a continuidade histórica da Espanha.[166]

O intelectual socialista e republicano Araquistáin colocava-o em outros termos. Visitou as ilhas entre 1926 e 1927 e contou sua viagem num livro que teve uma recepção favorável no campo letrado porto-riquenho e cubano, em boa medida por sua solidariedade com a luta contra os latifúndios açucareiros. Já na frase que lhe serve de incipit, declara: "Este livro pretende ser um ensaio de hispano-americanismo liberal, nem sistematicamente lisonjeiro, nem sistematicamente flagelador". Pouco depois revela seu marco:

> A obra de decadência política e social iniciada neste arquipélago por distintas nações europeias — com exceção da Espanha, a única que manteve o predomínio da população branca —, estão a completá-la os Estados Unidos. A Espanha europeizou suas possessões, enquanto a Inglaterra, a França, a Holanda, a Dinamarca (e agora a república norte-americana) africanizaram as suas, destruindo os germes de nacionalidade e civilização branca que levaram os primeiros povoadores da Europa.[167]

Os termos "hispano" e "americano" amiúde supõem um terceiro excluído, o mundo indígena ou o afro-americano, ou o Caribe "não hispânico".

Por outro lado, o *hispanismo* é um campo acadêmico, com suas próprias regras de consagração e hierarquização, que estimulou uma intensa produtividade cultural. Conta com saberes especializados, grandes bibliotecas, mestres que se dedicam profissionalmente a essa tarefa, textos canônicos e uma densa trama de relações editoriais e acadêmicas. Sua estrutura institucional varia de modo considerável em tamanho e complexidade. Dessa perspectiva, haveria que falar, no plural, de *hispanismos*: o francês, o italiano, o alemão, o britânico, construídos a partir de tramas culturais mais ou menos autônomas. Na América foi particularmente fecundo o trabalho realizado pelo influente Instituto de Filología de Buenos Aires, assim como El Colegio de México, que nasceu como La Casa de España em 1938.[168] Não deixa de ser revelador que o que seria a primeira referência ao termo "hispanismo" num dicionário alude ao uso dos estrangeiros. O *Diccionario Salvá*, de 1846, define-o da seguinte maneira:

> Modo de falar peculiar da língua espanhola, que se aparta das regras comuns da gramática geral ou que é tão característico de nossa sintaxe que, se um escritor o emprega em outra língua, comete um *hispanismo*, assim como incorremos às vezes em galicismos, italianismos etc.[169]

Aqui nos interessa mais o *hispanismo* nos Estados Unidos. Seu desenvolvimento ocorreu em boa medida graças aos interesses econômicos e políticos evidentes desde as guerras de independência, fortalecidos depois como consequência dos acontecimentos de 1898 e a Primeira Guerra Mundial. Como demonstrou James D. Fernández, nos Estados Unidos no século XIX o interesse pragmático pela América Latina se deslocou, academicamente, para a cultura literária e artística da Espanha, o que ele chama a Lei de Longfellow.[170] Enquanto os países hispano-americanos interessavam, sobretudo por razões políticas, para o mundo dos negócios, a "Espanha" se converteu no referente privilegiado para quem se esforçava por compreender a *cultura hispânica*, já que tinha a força mítica e simbólica de ter sido o centro do império. No *hispanismo* norte-americano essa foi a concepção dominante durante muito tempo, sustentada também pela obra de Washington Irving (1783-1859) e pela ambivalente visão de William H. Prescott (1796-1859).[171]

Mas a história do campo *hispanista* no século XX é muito mais complexa: deve muito ao fluxo de emigrantes do México, da América Central e do Caribe, assim como à Revolução Mexicana. Essa história se alarga mais tarde com os exilados da Guerra Civil Espanhola e do peronismo na Argentina. A queda do Império Espanhol deixou os Estados Unidos como a principal potência no Caribe, inspirando representações literárias muito difundidas. Além disso, graças ao comércio com as ilhas do Caribe, ao desenvolvimento de um movimento anticolonialista, à presença de intelectuais expatriados e às publicações do exílio caribenho, a cidade de Nova York era já desde a segunda metade do século XIX uma das capitais do mundo *hispânico*.

Da nossa perspectiva, interessa examinar que lugar ocupou o hispanismo dentro do conjunto das políticas públicas que levou adiante o Estado espanhol de princípios do século XX.

Vejamos alguns testemunhos. A obra de Menéndez Pelayo estabeleceu linhas importantes e estimulou múltiplas atividades que continuaram durante décadas. Inspirou as práticas do Centro de Estudios Históricos (1910-39), o dinâmico instituto de investigação em humanidades da Junta para Ampliación de Estudios e Investigaciones Científicas, dirigida por Ramón Menéndez Pidal (1869-1968), cuja ampla obra filológica se esforçou em "fazer frente ao sentimento antiespanhol que pudesse existir nas antigas colônias e assegurar a lealdade da elite ao projeto de construção de uma comunidade hispânica *moderna* na qual se reservasse um papel central à Espanha".[172] O *hispanismo* marcou de maneira profunda o mundo acadêmico, como se confirma nos casos de Rafael Altamira, Menéndez Pidal, Federico de Onís, Américo Castro, Amado Alonso e seus discípulos. Castro e Onís, ademais, coincidiram em muitos momentos de sua trajetória pessoal nos Estados Unidos. Ao mesmo tempo, havia clara consciência da pujança do *hispanismo* norte-americano. É revelador que Américo Castro, ao final de sua vida, recordasse ter descoberto a obra do hispanista George Ticknor (1791-1871). Castro relata que descobriu, "ali por 1900, estudando para os exames preparatórios de direito, que a melhor história da literatura do Século de Ouro era a do norte-americano George Ticknor, traduzida e anotada por Gayangos y Vedia".[173]

Na primeira e na segunda décadas do século XX há outros *princípios* de grande importância nos Estados Unidos, que não respondem diretamente ao Estado, mas à iniciativa "privada" ou gremial. A Hispanic Society of America tinha sido fundada em Manhattan em 1904 com os vultosos recursos privados de Archer Milton Huntington (1870-1955). Graças às coleções artísticas, literárias e cartográficas de Huntington, e ao seu êxito no recrutamento de colaboradores espanhóis, converteu-se em um referente indispensável. Seu mecenato contribuiu de forma decisiva para preservar a identidade e a antiguidade da "alta" cultura espanhola nos Estados Unidos, bem como a convicção de que nessa nova fase a "Espanha" ofereceria sólidos *beginnings*. Num discurso de 1920, na contramão da rebeldia das vanguardas, Onís assinalava uma função simbólica ao edifício que abriu suas portas em 1908 e no qual se restaurava com entusiasmo romântico o sentido espiritual da "Espanha". Postulava que com a contribuição de Huntington o *hispanismo* norte-americano mudava de rosto e de conteúdo:

> Sua biblioteca e seu museu constituem o monumento mais grandioso que se levantou à Espanha no estrangeiro [...]. Toda uma Espanha ideal, feita de pedaços reais da Espanha, se ergue na colina mais alta desta imensa cidade de Nova York, entre Broadway, a grande rua ativa que se estende e se estenderá até onde a cidade

chegue, e Riverside Drive, o formoso passeio que segue as margens do rio Hudson, grande e imponente como a natureza e a alma americanas.[174]

Sob o olhar vigilante de uma monumental estátua de El Cid, o edifício da Hispanic Society, entre as ruas 155 e 156, perdura hoje como paradigma de cultura elevada, para muitos em contraste com o tecido urbano do bairro *latino* de Washington Heights, que o rodeia.[175] Por outro lado, a revista *Hispania*, órgão da Association of Teachers of Spanish and Portuguese, foi fundada em 1917, no marco das facções inimigas da Primeira Guerra Mundial, e provou ser capaz de sustentar um esforço editorial de largo prazo.[176] James Fernández assinala o papel destacado de Lawrence Wilkins na associação e na revista, na proposta de reformas educativas encaminhadas para melhorar a qualidade do ensino do espanhol, que deveria, segundo Wilkins, substituir o alemão nas escolas públicas.[177] *Spain in America*: o novo reconhecimento da cultura "hispânica" nos Estados Unidos abria possibilidades de *beginnings* normativos para o *hispanismo* moderno. Reimaginava-se a "Espanha" como o "passado" prestigioso da América "latina" e se estabelecia cartograficamente o território cultural.

É útil mapear os delineamentos gerais do processo. Adolfo G. Posada (1860-1944) dava a pauta, colocando-a como uma tarefa de persuasão e negociação no campo intelectual e educativo. Depois de sua viagem à Argentina como delegado da Junta de Ampliación de Estudios, entregou um relatório, publicado em 1911, no qual delineava o projeto em relação à América Latina e insistia na urgência de incorporar o período "colonial" às histórias nacionais americanas:

A ação reflexiva, essa ação que tanta falta faz no campo de uma possível e desejável cultura *hispano-americana*, terá muito que fa-

> zer para precipitar o influxo unificador da história ciência [sic]. Por um lado urge fomentar o estudo em comum desta história comum: a história da Espanha na América, e da América em relação com a Espanha no período colonial e nos momentos determinantes da revolução e da independência, até conseguir a plena e justa incorporação da história da Espanha pré-colonial e do período colonial às histórias nacionais americanas.[178]

Em 1917, Federico de Onís obteve a certificação que lhe permitiria cumprir essa função nos Estados Unidos. O êxito que sua iniciativa encontrou contribuiu de maneira considerável para a implantação do *hispanismo* na academia norte-americana. Contudo, a Junta para Ampliación de Estudios expressou sem nenhum tipo de reserva a consciência da superioridade dos espanhóis para "encabeçar e dirigir" o *hispanismo* naquele país. Contavam com as credenciais e a equipagem intelectuais requeridos, "com mais títulos que os povos irmãos", como fica claro na certificação que recebeu Onís:

> O movimento de interesse em relação aos estudos espanhóis cresce com rapidez na América do Norte e na Espanha e não pode se subtrair, sem grave dano para sua futura situação no concerto internacional, aos requerimentos que continuamente se lhe fazem para que seja ela que se faça cargo de encabeçar e dirigir a corrente hispanista, com mais títulos que os povos irmãos do continente americano. Os Estados Unidos, dando mostras dessa preferência, há pouco pediram à Junta professores que já ocupam as cátedras de algumas universidades (Baltimore, Chicago, San Francisco).[179]

A canonização da literatura espanhola teve êxito nos Estados Unidos: o *hispanismo* do século XX é inseparável da produção e das bibliotecas norte-americanas, e dos Hispanic Studies ou dos Spanish Departments. Um de seus resultados foi a frequente subordinação da literatura hispano-americana, tema que ainda aguarda um estudo detido. Essa hierarquização, contudo, não se produziu como um desenvolvimento linear, mas através de diferentes iniciativas e apoios contraditórios. O próprio Onís se queixava, por exemplo, de que a *Antología de la poesía española e hispanoamericana* que publicaria em 1934 — a mais significativa depois da de Menéndez Pelayo — não havia despertado suficiente interesse da parte do Centro de Estudios Históricos. Assim maneja os mesmos argumentos:

> Digo isso porque, a despeito dos incômodos que contra a minha vontade causei com a impressão da *Antología*, pareceu-me notar desde o princípio uma reserva ou indiferença em relação a esse meu ensaio de estudo hispano-americano, que creio está feito com a máxima seriedade e precaução científicas. Creio, além disso, que é muito próprio do centro e dos tempos novos que o centro abra o caminho do estudo da literatura hispano-americana, e creio também que meus pontos de vista fazem ressaltar a unidade hispânica frente a tanto erro parcial, negativo e separatista como há na América e na Espanha.[180]

Onís se apresentava também como mediador entre os hispano-americanos e os norte-americanos, reafirmando desse modo a hierarquia dos *lugares* que instituíam o *hispanismo* acadêmico e seu próprio *lugar*. Numa carta publicada em 1927 na *Revista de Avance*, em Cuba, anunciou a criação da *Revista de Estudios Hispánicos* (1927-9), patrocinada pela Universidade de Porto Rico com a colaboração do Centro de Estudios Históricos de Madri e da Universidade Columbia, com o objetivo de "dar a conhecer nos Estados Unidos a cultura hispano-americana". É um dos melhores resumos dessa política. Convidava os críticos cubanos a colaborar e assegurava que teriam na revista publicada em Porto Rico "o órgão de comunicação com os hispanistas norte-americanos".[181] Onís dizia ter levado aos Estados Unidos "a novidade do interesse pelos outros países da América".[182] Em 1955, já aposentado da Universidade Columbia, regressou a Porto Rico, em cuja universidade já havia um espaço institucionalizado para os "estudos hispânicos", que tinha se fortalecido com a presença dos exilados republicanos espanhóis. No prefácio a seu livro *España en América*, escreve: "Desde minha chegada aos Estados Unidos em 1916 havia tido estreitas relações com a ilha, que era então, como sempre foi, um lugar fronteiriço da cultura hispânica".[183]

Américo Castro foi mais abrupto. Numa carta que enviou a Onís em 1928, a propósito da revista feita em Porto Rico, tornava mais visível a prática de um *hispanismo* devedor da dominação norte-americana. Eram indispensáveis as redes institucionais de universidades e fundos para os projetos de pesquisa e publicações. Castro não demorou a se dar conta da necessidade de cooperar — e competir — com os Estados Unidos, buscando reajustar as relações de poder a seu favor. O avanço do *hispanismo* naquele país era um forte desafio. A melhor estratégia era aproveitar a oportunidade que se abria com a colaboração com os norte-americanos, seus salários e as condições favoráveis de produção e recepção. Portanto, aconselhava deixar que eles financiassem o projeto, mas "num sentido favorável a nossos interesses". A Universidade de Porto Rico, que nasceu em 1903 com um novo regime colonial que ia além das definições tradicionais dos Estados-nação, converteu-se numa espécie de atrativo laboratório para essas novas e tensas alianças. Castro acreditava efetivamente que se podia recompor todo o campo. Apresentou suas propostas como um verdadeiro estrategista:

> Há que fazer em cada lugar uma coisa diversa: algumas coisas na Espanha, outras na Hispano-América, e outras nos Estados Uni-

> dos. Este último é um campo que seria suicida abandonar. Alguém crê que, se não colaborarmos com os norte-americanos, estes vão ficar quietos? Seguiriam fazendo suas coisas sem contar conosco, como já fazem, e a influência que logramos exercer para encabeçar as atividades hispânico-norte-americanas num sentido favorável a nossos interesses será sempre uma grande vantagem para nós. Se os franceses, italianos, ingleses ou alemães conseguissem o que nós conseguimos fazer na nova revista, ter uma intervenção diretiva numa obra feita com meios norte-americanos, se considerariam muito felizes; porque não poupam seus próprios meios para propagar sua cultura nos Estados Unidos.[184]

Essas expressões levam a repensar o caráter colonial do "capital" intelectual do *hispanismo*. Têm muito a ver concretamente com os limites do campo no qual atuavam os porto-riquenhos. A política de criar na ilha um dos pontos de concentração apoiado por velhos e novos colonialismos deu sua marca ao *hispanismo* acadêmico que se desenvolveu em Porto Rico, de formas que não podemos ainda precisar por completo, talvez porque seu próprio desenvolvimento tenha impedido uma discussão a fundo sobre o seu significado. Sem dúvida, as declarações de Américo Castro oferecem outra dimensão para compreender melhor a importância da *transição* e da "dupla lealdade" que víamos na obra de Pedreira. Poder-se-ia traçar, ademais, um paralelo com a história do perfil arquitetônico da Universidade de Porto Rico. Nesses mesmos anos ela foi assumindo sua identidade segundo o modelo do *revival* espanhol levado a cabo de acordo com os planos dos arquitetos norte-americanos em colaboração com porto-riquenhos formados nos Estados Unidos.[185]

A história do *hispanismo* foi dramaticamente transformada pela Guerra Civil Espanhola e pela Segunda Guerra Mundial. Américo Castro, assim como muitos outros intelectuais europeus, encontrou refúgio nos Estados Unidos, e nos anos posteriores ocupou uma cátedra da Universidade de Princeton. Era um momento de viragem, foi uma época de enorme fertilidade, e ele alcançou uma reputação considerável na academia norte-americana. Sua historiografia ganhou nova vida no exílio. Já em 1936, Castro escrevia: "Comecei a me dar conta de nossa ignorância sobre nós mesmos; não sabíamos quem éramos, nem por que nos matávamos uns aos outros".[186] Apesar disso, ou talvez por causa disso, rejeitou a existência da "Espanha" como uma identidade permanente e impermeável à coexistência de "mouros, judeus e cristãos". Escreveu seu célebre livro com a convicção de que se tratava de uma cultura "que a um só tempo se afirma e se destrói numa contínua série de cantos do cisne".[187]

É importante notar que nem Castro, nem Onís, nem tampouco os republicanos exilados tinham qualquer coisa a ver com a *hispanidade* do discurso do regime franquista. Com sua *Antología*, Onís não apenas canonizou Rubén Darío como iniciador da modernidade poética de língua espanhola como também reconheceu de maneira inequívoca que o modernismo representava "a plena independência literária" da América. Assim, concluiu sua "Introdução" reafirmando a "comunidade [sobre o] seu fundo espanhol".[188] Castro, por seu turno, não se cansou de repetir que a "história escrita dos espanhóis foi submetida a um estatuto de 'limpeza de sangue'".[189] Contudo, em Princeton, segundo o testemunho de Vicente Lloréns (1906-79) — que foi professor na mesma universidade —, irritava-o ser colocado num discreto segundo plano. Encontrou-se em "um mundo universitário onde o espanhol como valor cultural contava pouco, em contraste com a estima de que gozavam outras culturas europeias".[190]

No entanto, e apesar da considerável distância da *hispanidade* franquista, a convicção da superioridade da cultura espanhola acompanhou muitos deles. Basta lembrar que Américo Castro se mostrou fortemente normativo em textos como *La peculiaridad lingüística rioplatense* (1941), que foi tema da ironia demolidora de Borges em seu célebre "Las alarmas del doctor Américo Castro".[191] Depois, em "El escritor argentino y la tradición", uma conferência de Borges do começo dos anos 1950, incluída na reedição de *Discusión* de 1957, sua posição dissidente é muito mais clara: "A história argentina pode se definir sem equívoco como um querer apartar-se da Espanha, como um voluntário distanciamento da Espanha".[192] A guerra não parece ter arrastado consigo uma mudança fundamental na visão que Castro tinha do hispano-americano. Em seu último grande livro de 1962, defendeu com vigor a *continuidade* da "comunidade espanhola" estabelecida nas ilhas pela monarquia católica, integrando épocas contraditórias e afirmando uma só identidade:

> Os habitantes de Cuba, Santo Domingo e Porto Rico se sentiam em 1800 tão espanhóis quanto os das ilhas Canárias ou os de Sevilha. Em que pesem as evidentes diferenças regionais, quem possuía um mínimo de cultura sabia que sua unidade política e seus meios de conduzir-se na relação com seu concidadãos, fossem ilhéus ou peninsulares, eram resultado dos desígnios e das ações de quem, séculos antes, tinha preparado seu atual presente de forma contínua e sustentada.[193]

Na sua visão das últimas colônias do Caribe, com sua contínua totalização, reaparecia o império.

Nesse sentido, um exemplo tardio de Federico de Onís ilustra bem a persistência do hispânico como fundamento cultural do mundo antilhano. Onís interveio com destaque na recepção crítica do poeta porto-riquenho Luis Palés Matos. Na sua notável edição da *Poesía* (1957) de Palés, Onís se mostrou ansioso por "corrigir" o termo "afro-antilhano", empregado pelo poeta. Os poemas incluídos no livro *Tuntún de pasa y grifería* (1937), de Palés Matos, coincidiam com o redescobrimento das tradições estéticas e políticas do mundo afro-americano por artistas e intelectuais europeus e norte-americanos. O livro constituiu uma provocação para os alarmados defensores da hispanidade antilhana. Com um tom que ele mesmo chama "contundente", Onís declara: "Minha divergência espanhola — como não? — é com o subtítulo. Isso de *afro-antilhano* tão usado sempre me pareceu tão inexato e falso quanto se se dissesse *hispano-antilhano*".[194] Onís conclui dissolvendo o caráter provocador do livro e seus vínculos específicos com as vanguardas. Em seu estudo, reinscreveu a poesia afro-antilhana na tradição clássica espanhola de Lope de Vega e Góngora, na "Espanha universal do século XVI, na qual também havia negros".[195] Mas deixava intacta precisamente a especificidade de sua poética afro-antilhana e a larga herança escravista que desafiava esse pretenso universalismo. Onís, como Menéndez Pelayo, estava dominado pela convicção de que a Espanha seguia sendo o sujeito legítimo dessa história.

9.

Por ser uma das últimas "possessões" espanholas, por sua prolongada subordinação política aos Estados Unidos e pelo lugar que ocupa nos *princípios* do hispanismo, Porto Rico merece que voltemos à *Historia* de Menéndez Pelayo. Apesar da *continuidade* postulada na *Historia*, Porto Rico emergia como uma zona capaz de infringir as regras da ordem dos livros. Figura como uma zona silenciosa, perdida na complexa trama político-cultural-institucional da cidade letrada. Quando Menéndez Pelayo escreve sobre Porto Rico, começa com uma duvidosa homenagem. O perfeito estado de natureza era a marca de nascença que ao mesmo tempo desqualificava a ilha. Com piedoso desdém, Menéndez Pelayo declarou que seus habitantes não ocupavam o mesmo edifício que outros em sua *Historia*. O incipit desse capítulo é o oposto dos que destacamos no caso do México ou do Peru:

> A pequena e povoadíssima ilha de Borinquen, cuja tranquila prosperidade nos tempos modernos contrasta com o infelicíssimo destino de Santo Domingo, pertence ao conjunto daqueles povos afortunados dos quais se pode dizer que não têm história.[196]

Seu "Porto Rico" carece de acontecimentos e de literatura, e se lhe reserva de fato um *não lugar* devido à "ausência de tradições literárias durante três séculos". Todo o marco de referência da *Historia* de Menéndez Pelayo se expressa nessa frase. Trata-se de povos sem escrita e, por consequência, sem memória, sem história e sem centro, convertendo-se em objetos opacos e misteriosos. Disso resulta uma situação paradoxal que contradiz o modelo letrado: uma terra de Ninguém que produz uma quebra argumentativa ou um lugar de proibição. Apesar do desejo de simular sua inexistência, ou o aparente desinteresse em contar sua história, algo é nomeado.

A ilha se situa na distância da fronteira; não uma cidade alfabetizada, mas uma imagem de *finisterra* que parecia subverter a estabilidade construída na *Historia*. Além disso, e em contraste com o que faz em outros capítulos quando fala do século XIX, Menéndez Pelayo não reconhece como interlocutores, críticos como Hostos, Betances ou Brau. A *diferença* porto-riquenha reside no *não ser*, uma entidade sem passado, estritamente adaptada à medida do sujeito da enunciação. A ilha, "trazida à civilização por aquele velho romântico Juan Ponce de León, que se perdeu pelos ermos da Flórida buscando a fonte da juventude", era a um só tempo geografia e ficção que inventaram seus viajantes, nutrida tanto dos mitos de descobertas quanto de seus fracassos.[197]

Os estudiosos porto-riquenhos do século XX se encarregaram, com uma paixão semelhante, a desmentir Menéndez Pelayo quanto às "ausências de tradições literárias". Inclusive, se comparamos o que escreveu o abolicionista porto-riquenho Alejandro Tapia y Rivera (1826-82), veremos uma diferença muito grande. Em 1854, Tapia publicou a primeira *Biblioteca histórica de Puerto Rico*, na qual lamentava que os conquistadores tivessem "deixado na escuridão os antecedentes do país". Mas precisamente sua *Biblioteca* foi concebida para construir uma *tradição*, para "buscar no labirinto dos documentos de ofício e na correspondência particular da época o fio que, cortado em pedaços, pode guiá-lo em seu trabalho".[198]

Por outro lado, talvez haja uma verdade que não está tanto no que Menéndez Pelayo diz como no que ele cala ou sugere. Em contraste com a estabilidade que celebra nos vice-reinos, muitos habitantes das fronteiras caribenhas estavam sempre num movimento centrífugo, *cimarrón*,* com frequência *entre impérios*, destinados a não deixar rastro algum que se pudesse arquivar. Não havia maneira de ouvir suas vozes, e nem sempre elas eram concebíveis em relação à letra impressa. Sua retirada da história era um desafio interpretativo. Como registrar e estudar a expressão poética efêmera de uma comunidade caracterizada por formas específicas da oralidade que pouco têm a ver com o livro, isto é, com o produto mais emblemático da cultura letrada? Conhecemos melhor, por exemplo, o Porto Rico dominado pelo Estado colonial e suas instituições, mas conhecemos mal a vida dessas comunidades que, com uma ampla metáfora, se chamaram "*cimarronas*".

* Ver nota na p. 59. A palavra aparecerá em seguida em referência à obra de Homi Bhabha, em que, em inglês, se utilizará o termo *maroon*.

Com um raciocínio sociológico, Ángel Quintero Rivera observou que essa sociedade estava composta de fugitivos, índios, escravos e europeus dispostos a sobreviver longe do Estado, apartados dos lugares que expõem os indivíduos ao olhar "oficial".[199] Os indivíduos não queriam aparecer nos arquivos do Estado.

A distância não implica, é claro, carência de voz. De fato, poder-se-ia dizer que a imagem da Espanha que perdurou em Porto Rico e em suas emigrações do século XX, fora dos círculos da elite e seus projetos de restauração cultural, foi a de uma Espanha muito reduzida e remota. Essa Espanha "da memória"* permaneceu, embora em escala minúscula, em manifestações como as belas esculturas de madeira dos santos porto-riquenhos e na tradição acima de tudo oral das *décimas* — derivadas do romanceiro espanhol —, que exigiam a palavra memorizada do trovador. As décimas e os santos, levados e trazidos através do tempo e do espaço até Nova York ou Chicago, fazem brilhar a pegada das *culturas hispânicas* — no plural —, culturas e experiências históricas híbridas que entretecem suas fronteiras, e inventam e fabricam rituais.[200] Por outro lado, testemunham a precária autonomia das zonas periféricas do Estado colonial. Como observou Homi Bhabha, as práticas culturais "*cimarronas*" se enriquecem "com estratégias de hibridez, deformação, mascaramento e inversão".[201] Nas fronteiras do Caribe as práticas de convivência e as formas de identificação cultural problematizavam a um só tempo a autoridade e a alteridade do modelo: não correspondiam à legalidade impressa da cultura letrada defendida por Menéndez Pelayo.

Nesse sentido, é muito produtivo voltar à grande *Historia geográfica, civil y natural de la isla de San Juan Bautista de Puerto Rico*, do frei Íñigo Abbad y Lasierra (1745-1813), a primeira história de Porto Rico, publicada originalmente em 1788 em Ma-

* "*De memoria*", no original. Significa também "de cor".

dri. O texto de frei Íñigo foi citado por Menéndez Pelayo, que no entanto não se deteve a comentá-lo, e apenas menciona as importantes "notas" do porto-riquenho José Julián Acosta à edição de 1866.[202] Uma leitura atenta leva a temas de grande riqueza. Não só para questionar a *Historia* excludente de Menéndez Pelayo, como também para ver como se constituía outra sociedade nos limites do império, uma sociedade baseada na plantação e na contraplantação, na escravidão e na *cimarronería*, na adaptação a novos entornos. Aos olhos de frei Íñigo, as múltiplas e peculiares mesclas são tão centrais como as descontinuidades, e há uma vontade de dignificação da marginalidade. Ele se deteve a descrever como, ao atuar reciprocamente uns sobre os outros, europeus, índios e africanos produziam laços firmes de cumplicidade que tendem a apagar as diferenças entre colonizadores e colonizados:

> Os europeus de diferentes nações que se estabeleceram nesta ilha, a mistura destes com os índios e negros e os efeitos do clima que obra sempre sobre os viventes têm produzido diferentes castas de habitantes, que se distinguem na sua cor, fisionomia e caráter. Verdade é que, vistos em conjunto e sem reflexão, nota-se pouca diferença em suas qualidades, e só se descobre um caráter tão mesclado e equívoco, como suas cores; efeito sem dúvida das diferentes misturas dos transmigrados, que têm comunicado, com seu sangue, sua cor e suas paixões aos seus descendentes neste país. Os primeiros espanhóis que se estabeleceram na ilha corrigiram em parte o caráter dos índios, tomando destes ao mesmo tempo o modo de viver, alimentar-se e alojar-se, deixando grande parte dos costumes de sua educação com seu trato e mudança de clima [...].[203]

A descontinuidade espacial de uma comunidade semiclandestina torna difícil a cartografia do território cultural. A lealdade dessa comunidade ao Estado era bastante confusa, apesar de sua importância estratégica de fronteira. Muitos deixavam tudo para trás, porque era necessário ocultar-se, e escapavam, furtivos, para outro lugar. Gyan Prakash chama a atenção para as mesclas criadas nas zonas fronteiriças dos impérios, em territórios escassamente controlados, que obrigavam a um reordenamento da linha divisória entre colonizador e colonizado.[204] O dinamismo do contexto histórico e social escapa ao historiador pela falta de documentos escritos. Sua história de fato não existe — ou é irrepresentável — até o momento em que se coloca certo tipo de perguntas. Na *Historia* de frei Íñigo, os habitantes de Porto Rico deixam, sim, frágeis recordações. O que chama a atenção é sua disponibilidade para a fuga, protegidos e também desamparados pela sua própria insignificância. Em alguns capítulos, aparecem como os migrantes que descreve Lévi-Strauss em *Tristes trópicos* (1955), que recordavam de onde vinham, mas também aceitavam que já não era possível viver ali. Precisamente o *métissage** seria uma viagem em que há mudança, mas não esquecimento; foi o que também ocorreu com a enorme migração porto-riquenha do século XX. No relato de frei Íñigo há alguém que se nega, isto é, um sujeito que atua com seus próprios afetos e desejos. A vida podia *recomeçar* graças à rápida fuga. Aí há outra poética narrativa, e outro possível mito de origem. De maneira implícita, reconhecia o isolamento em relação à Espanha e o forte atrativo das riquezas naturais. O leitor percebe no texto de frei Íñigo que alguns aspectos da vida na ilha o foram cativando, fascinação que o leva a descrever com profusão de detalhes:

> Com a mesma facilidade empreendem suas viagens de mar ou terra; com uma canoa e um cacho de bananas vão a qualquer ilha que diste quarenta ou cinquenta léguas. Vão pelas ilhas desertas:

* Em francês no original.

> ali colhem marisco, fazem fogo, recolhem água, e vendo o mar em calmaria passam a outra, até chegar a seu destino. Não são mais providos nas jornadas por terra: não há uma pousada nem venda em toda a ilha; mas os recebem em qualquer casa aonde chegam, ainda que só em caso de chuva busquem esse refúgio.[205]

O autor também se refere aos desertores espanhóis, que pareciam gozar da confiança imediata dos ilhéus. Frei Íñigo não faz do desertor uma figura da infâmia. À medida que lemos seu relato, podemos ir entretecendo os fios de uma tradição pouco "heroica", mas rica em outras valorizações. Por meio da descrição dos costumes e dos códigos sexuais, descobre-se quanto se valorizava o "espanhol" na colônia remota, como se tratava de "melhorar a raça" e se formavam os "corsários" e "contrabandistas". Quando descreve a população de Aguadilla, o autor procura considerar cuidadosamente a experiência da contínua absorção de prófugos:

> O mais admirável é a boa acolhida que encontram esses prófugos de sua pátria entre os ilhéus. Eles os escondem nas montanhas, até que se ausente a frota; recolhem-nos em suas casas, alimentam-nos com franqueza e com uma facilidade incrível lhes oferecem suas filhas por esposas, ainda que não tenham mais bens que a pobre roupa que levam consigo [...]. Esses novos colonos faltos de meios para subsistir honestamente se fazem contrabandistas, corsários e vagabundos, de que há muitos nesta parte [...].[206]

Diante desse mundo fronteiriço, teríamos que nos colocar perante a necessidade de repensar as fontes letradas. Que tipo de documento nos permitiria estudar uma cultura rica em improvisações, na qual a oralidade é tão central? A não historicidade de "Porto Rico" torna manifesto o conflito no arquivo letrado de Menéndez Pelayo e sua narrativa.[207] O "silêncio" da ilha definia uma encruzilhada: uma cultura sem escrita apontava a uma ampla *alteridade* recíproca. O suprimido era o "inimigo íntimo", o dito e o não dito que davam origem ao próprio discurso. Por outro lado, não se pode duvidar que esses esquecimentos são seletivos: há alguns "rastros" mais prestigiosos que outros. Nesse ponto é também necessário reconhecer que há formas culturais e um mundo de afetos e de códigos que escapam ao olhar teórico do analista moderno. Como resultado, algumas zonas permanecem no escuro e ininteligíveis, sem que se tenha encontrado um discurso para elas.[208]

Sempre falta algo nas palavras da tribo, como sabem os poetas. Nas guerras interpretativas, a palavra "hispano-americano" arrasta uma ambiguidade constitutiva, mas o que estava em questão era muito mais que uma simples mutação terminológica. O discurso totalizante de Menéndez Pelayo encontrou aliados na América até bem entrado o século XX. Mas mesmo essas alianças se desdobraram num campo carregado de tensões. As próprias palavras obrigavam a pensar em significados distintos ou aludiam a comunidades opostas. Assim demonstram os nomes que deram a si mesmos os habitantes dos territórios coloniais em distintos momentos de sua história. Mais ainda: entre as dobras discursivas e os inevitáveis "mal-entendidos" do "hispano-americano", a "Espanha" se tornou especialmente remota nas velhas e centrífugas colônias antilhanas, ou seja, ela foi "provincianizada".

Assim como não há nenhum *começo* claro, diz Said, tampouco há um *final* definitivo. Assumir-se como frágil negação do objeto histórico é precisamente o que fizeram alguns escritores caribenhos contemporâneos em seus poemas e em suas narrações. Por exemplo, o cubano Antonio Benítez Rojo, quando volta à velha metáfora do náufrago. Em *La isla que se repite*, livro indissociável da fuga como prática definidora do Caribe, o título mesmo convoca a uma espécie de exorcismo de qualquer noção estável de identidade ou origem. Benítez Rojo o condensa numa melancólica imagem: um texto muito singular, inscrito num corpo devolvido à costa pela ressaca. A nudez e as tatuagens são sinais indeléveis:

> Todo caribenho, ao final de qualquer tentativa de chegar às origens de sua cultura, se verá numa praia deserta, só e nu, emergindo da água salgada como um náufrago trêmulo, sem outro documento de identidade que a memória incerta e turbulenta inscrita nas cicatrizes, nas tatuagens e na própria cor de sua pele.[209]

Nessas condições, é inevitável voltar a começar.

3. A guerra simbólica: 1898

Uma fotografia, embora registre o que foi visto, sempre e pela sua natureza mesma refere o que não é visto.

John Berger, *Understanding a Photograph*

Para o arquipélago das Filipinas e para Porto Rico e Cuba, as guerras de 1898* significaram uma enorme e insólita visibilidade. Em nenhum outro momento havia se difundido de maneira maciça, e em tão curto período, a quantidade de fotos, textos e mapas das antigas colônias espanholas. Graças ao desenvolvimento espetacular da tecnologia e à simplificação da máquina Kodak portátil (que era vendida por sete dólares de então), a ocupação militar das ilhas pelos Estados Unidos gerou uma iconografia e

* Referência à Guerra Hispano-Cubano-Norte-Americana, em que o domínio sobre áreas do Caribe e do Pacífico passa para os Estados Unidos. Sobre o significado da guerra para a formação de identidades "hispano-americanas", ver o capítulo anterior.

uma documentação visual sem precedentes. Os militares e os jornais contratavam seus próprios fotógrafos e artistas gráficos. As legendas e os textos eram tão importantes quanto as imagens. A guerra de 1898 estabeleceu uma nova e dupla relação: por um lado, entre a linguagem, as imagens e a ação; e, por outro, com um universo pré-moderno representado em publicações fadadas a ter uma repercussão considerável na moderna cultura de massas que já funcionava nas cidades norte-americanas.

A guerra permitiu que os fotógrafos percorressem grandes distâncias, e tornou possível sua presença em caminhos remotos e recintos privados. Quase tudo nas ilhas do Caribe e do Pacífico se tornava público. Há literalmente milhares de fotos, retratos ou instantâneos, esquecidos ou inéditos, nos arquivos militares e nas instituições como a Smithsonian, e há também, nos álbuns privados dos fotógrafos, fotos "secretas" e cartões-postais que se tornaram públicos ou que tiveram circulação restrita. O mais provável é que alguns tenham sido vendidos privadamente, e circulado com textos manuscritos, irônicos e mesmo com piadas macabras e racistas: hoje estão nas mãos de colecionadores ou abandonados em algum armário. O visível se tornava nesse caso disponível. Decifrar, comentar, reproduzir são formas de posse: é parte da larga experiência colonial.

Nem as guerras imperiais em Cuba (1895-8) e nas Filipinas (1896-1902) nem a ocupação militar de Porto Rico foram, como pensam alguns, criação da febre patriótica da imprensa norte-americana, dominada pelo *World*, de Joseph Pulitzer, o *Journal*, de William Randolph Hearst, e o *Herald*, de James Gordon Bennett Jr. Essa interpretação cristalizada é tão simplista como a da guerra "humanitária" reiterada pelo Estado norte-americano a fim de ocultar seus objetivos na era da "repartição do mundo". Para refutar leituras tão superficiais, bastaria recordar a guerra de 1846-8 contra o México ou o persistente desejo de alguns setores da sociedade norte-americana, ao longo do século XIX, de anexar Cuba e a República Dominicana. Por outro lado, há que se levar em conta o fato fundamental de que o Partido Revolucionário Cubano foi fundado por José Martí nos Estados Unidos em 1892, com aliados e lugares de encontro no território norte-americano.[1]

A outra face da questão é que, desde muito antes de 1898, a imagem da sociedade civil e política norte-americana operava como ponto de referência crescente no pensamento cubano e porto-riquenho do século XIX.[2] Evidentemente, os laços econômicos eram muito poderosos. Os investimentos norte-americanos em Cuba chegavam a 50 milhões de dólares em 1894, quando Cuba vendeu aos Estados Unidos mais de 90% de sua produção açucareira. A intervenção norte-americana não só foi desejada por muitos cubanos como, para dizê-lo sem meias palavras, foi o resultado de cumplicidades, acordos tácitos e interesses muito emaranhados. Morto José Martí, o certo foi que o Partido Revolucionário e o Exército Libertador cubanos concordaram com a entrada dos Estados Unidos na guerra. De certo modo, vinha a cumprir-se um final cujo desenlace estava previsto.[3]

No entanto, é evidente que a guerra entre impérios requeria grande energia para a produção simbólica destinada a consolidar o controle efetivo dos territórios e a satisfazer a avidez de informação e a imaginação dos leitores. A Espanha, com o monopólio exercido pela Companhia Transatlântica de Barcelona, transportou em seus navios mais de 200 mil soldados destinados a Cuba para lutar por manter os restos de seu império. Por isso, tanto na Espanha como nos Estados Unidos, em torno de 1898 deram-se guerras de palavras, de fotografias, de caricaturas, de proclamas militares, de relatos de viajantes e correspondentes assalariados que acompanhavam as tropas e jogavam com a história e a fábula.

Esse combate simbólico, em meio à orgia nacionalista de ambos os países, foi decisivo. O livro-reportagem *The Cuban and*

Porto Rican Campaigns [As campanhas de Cuba e Porto Rico], de Richard Harding Davis, foi de imediato publicado em 1898, assim como *Photographic History of the War with Spain* [História fotográfica da guerra com a Espanha], este último com fotos que representavam a aliança com o Exército cubano. Tem razão o escritor cubano Jesús Díaz quando afirma que a guerra de Cuba foi a primeira guerra moderna na acepção midiática da modernidade, não só pela presença da fotografia e dos jornalistas, mas também pela presença do cinema, com suas primeiras imagens em movimento de uma guerra real.[4] Não por acaso, o presidente McKinley nomearia Whitelaw Reid, editor do influente *New York Tribune*, integrante da comissão norte-americana que impôs a lei dos vencedores nas negociações de paz de 1898 em Paris.[5]

Nas guerras de 1898 deu-se uma luta sem trégua pelo monopólio da legitimidade: as ilhas estavam no centro de zonas de confrontação imperialista. Nas principais cidades da Espanha e dos Estados Unidos, jornais e revistas participaram dessa complexa guerra simbólica, em geral com versões opostas dos fatos, ainda que frequentemente com idêntico e visceral racismo, como se comprova com as caricaturas espanholas e sua representação do exército *mambí*.* Ler hoje hebdomadários como *La Campana de Gracia*, da Catalunha, *Nuevo Mundo*, de Madri, ou *Harper's Weekly*, de Nova York, permite ver essa guerra interpretativa e gráfica, ao mesmo tempo que oferece uma nova percepção da acachapante derrota espanhola e da iniciação imperial dos Estados Unidos. Permite ainda estudar as tramas narrativas, ver como se contava e se ilustrava um combate ou como se traduzia o mundo colonial com suas diferenças, algumas das quais se apresentavam como arcaicas e outras como intoleráveis.

* Termo que designa o exército que se insurgiu contra o poder espanhol na guerra de independência de Cuba.

Mais uma vez as armas e as letras avançaram juntas, mas agora acompanhadas pela câmera fotográfica, os desenhistas e o cinema. Já não respondiam apenas às exigências do Estado, da propaganda ou da censura. Produziam-se no marco da nova cultura de massas e no contexto do domínio militar que constituía o verdadeiro direito de entrada nos novos territórios. Nos Estados Unidos — e na Europa — as guerras e o espírito de missão "civilizadora" multiplicaram a oferta e a demanda de imagens, de novos saberes geográficos e econômicos, com um sem-número de relatórios de missionários, engenheiros e técnicos, e descrições das práticas da vida cotidiana.[6] Potencializaram-se, ao mesmo tempo, o incipiente documentário cinematográfico, a épica militarista dos vencedores, o turismo e a publicidade. Na mídia, criou-se um espaço para os abundantes testemunhos das reais ou supostas características dos filipinos, porto-riquenhos e cubanos, e para as cenas estetizadas da guerra.

O que era vida cotidiana nas antigas colônias adquiria imediata importância, vista do centro do novo império. Muitos dos aspectos da vida em Cuba, Porto Rico e nas Filipinas passavam pelo filtro da fotografia ou pelo olhar do desenhista: eram o olho da guerra. Ao longo do tempo, o resultado foi algo complexo e decisivo: uma nova construção cultural que implicava uma consciência e uma política determinadas da história. Essa consciência, há que dizê-lo sem rodeios, não encontrou qualquer inconveniente em aceitar a política de extermínio em massa nas Filipinas nem o controle político em Cuba e em Porto Rico: esse era o preço do progresso. Uma das exceções foi Mark Twain, num de seus lúcidos textos anti-imperialistas, *To the Person Sitting in Darkness* [Para a pessoa sentada na escuridão] (1901), que deveria hoje ser uma leitura-chave.[7]

A minuciosa documentação acumulada nos meios impressos obedecia a razões diversas. A oposição à aventura imperial gerou nos Estados Unidos um intenso debate político que obrigava a legitimar as intervenções militares e navais. As crônicas ilustradas — dentro dos limites impostos pela censura militar e pela tecnologia — favoreciam uma ou outra posição, misturando o lido, o visto e o imaginado. Por um lado, foi se construindo um arquivo das façanhas portentosas da guerra em Santiago de Cuba e em Cavite. Por outro lado, buscava-se o essencial dos seres e das coisas, o campo e a cidade, a paisagem e a rua, onde com frequência há grupos de pessoas que contemplam o fotógrafo de uma prudente distância. Ao mesmo tempo, as imagens destacavam o contraste entre os amplos balcões das residências suntuosas e as casas paupérrimas que definia as classes sociais; e também a alimentação, os mercados, as possibilidades comerciais, as crianças com a barriga inchada pelas lombrigas e as "raças" exóticas. As ausências brilham: mal existem fotos que representem a vida religiosa das comunidades ou os aspectos mais sangrentos da própria guerra.

O papel das diversas *Pictorial History* [História pictórica] das guerras, com relatos, mapas, cromolitografias e fotos publicadas com grande desperdício em papel de boa qualidade, formato grande e encadernação de luxo, foi central nos Estados Unidos. Essas publicações sustentaram o idílio dos militares com o público como hoje faria a televisão — recordemos a Guerra do Golfo (1990-1) —, mantendo um negócio extraordinário. Os comandos militares norte-americanos alardeavam sua impecabilidade, sua planificação exata, numa esmerada construção da própria imagem. Mas por acaso o mesmo não ocorria com o general espanhol Valeriano Weyler? Nas suas memórias, *Mi mando en Cuba* [Meu governo em Cuba], em vez de lamentar a morte de milhares e milhares de jovens espanhóis, não entoa loas a essa espécie de ritual sacrificial? Da mesma forma, os planos de estratégia e tática das forças navais e da infantaria norte-americanas se comunicavam invariavelmente. As fotos e os desenhos citavam a destruição sem mostrar os rostos humanos do desespero e da morte. A imprensa cobriu Dewey de honras por seu fácil triunfo nas Filipinas: era a confirmação, com furor nacionalista, do novo poderio naval. Do mesmo modo, o espelho do artista desenhista passeou pelos caminhos e através das montanhas porto-riquenhas na marcha triunfal do sul ao norte pela ilha. Nos territórios ocupados, o Exército chegou a ser Estado. Apesar de tudo, em Washington a ratificação do Tratado de Paris foi obtida por um só voto em fevereiro de 1899.*

Tudo isso gerou uma complexa experiência bilíngue e bicultural, e um imaginário da guerra e das invasões que foi tomando forma numa impressionante produção de livros de viagem e guias turísticos e comerciais de vários formatos, com títulos como *The Rescue of Cuba* [O resgate de Cuba], de Andrew S. Draper; *Puerto Rico: Its Conditions and Possibilities* [Porto Rico: Suas condições e possibilidades], de William Dinwiddie; *Our New Possessions* [Nossas novas possessões], de Trumbull White; *Our Islands and Their People as Seen with Camera and Pencil* [Nossas ilhas e seu povo vistos com câmera e lápis], dois tomos compilados por William S. Bryan; *Columbia's War for Cuba* [Guerra de Columbia por Cuba], de H. Allen Tupper Jr.; *Commercial Cuba: A Book for Business Men* [Cuba comercial: Um livro para homens de negócios], de William J. Clark; e a esplêndida autobiografia de Bailey K. Ashford, *A Soldier in Science* [Um soldado da ciência], uma exaltação da razão positivista por um jovem médico que chegou a Porto Rico com as tropas e declarou sua própria "guerra" contra a anemia. Outras publicações, ilustradas com fotos tiradas pelos próprios soldados, circularam como memória das tropas, como se pode ver numa

* Referência ao tratado, assinado em 1898 e ratificado em 1899, pelo qual a Espanha cedia Cuba, Porto Rico e as Filipinas ao domínio norte-americano.

publicação da infantaria de Nova York enviada a Porto Rico.[8] Essa produção atesta a energia dedicada à descrição das novas colônias e a sedução exótica ou científica que elas exerciam.

As publicações misturavam informação mercantil e política, descrições das atrocidades cometidas pelo espanhóis, fotos "etnológicas" da população das Filipinas ou do mundo afro-caribenho. Muitas crônicas são relatos de viagem, profusamente ilustrados, que elaboraram os critérios de legitimidade humanitária, comercial ou científica da expansão norte-americana. Ser correspondente ou fotógrafo de publicações como *Scribner's*, *Century Magazine*, *Collier's*, *Leslie's Weekly*, *McClure's Magazine*, ou trabalhar para a *Harper's Weekly* (como fizeram Stephen Crane, o famoso autor de *O emblema vermelho da coragem*, a partir de Cuba e Porto Rico, John F. Bass, das Filipinas, e William Dinwiddie, de Porto Rico), era alcançar uma meta muito ambicionada,[9] um modo de ganhar a vida num mercado editorial cada vez mais competitivo e que tinha suas próprias urgências. Alguns fotógrafos, como foi o caso de Jimmy Hare, que trabalhou para a *Collier's Weekly*, colaboraram com os militares como espiões, fizeram-se famosos durante a guerra de Cuba e depois tiveram uma carreira brilhante.[10] Os correspondentes tinham nos Estados Unidos um público muitíssimo amplo, que conhecia os gêneros jornalísticos e as crônicas. Escritores e leitores contavam, é claro, com uma larga tradição de crônicas e fotos da guerra civil e das últimas fronteiras da "expansão" para o Oeste, e com uma multidão de diagramadores capazes de armar as páginas várias vezes. Em outras obras, como as memórias do médico Bailey K. Ashford, ficam claras as complexas relações entre ciência e imperialismo e a ânsia de consagração nos círculos científicos por seu trabalho nas colônias. O certo é que se gerou uma quantidade enorme de informação e uma nova compreensão da realidade geográfica, econômica e social das ilhas.

As imagens que ilustravam os textos impressos eram outra forma de invasão ou de espionagem na qual se projetavam os poderes de observação, as mitologias, os desejos e as fantasias dos fotógrafos e seu público. Abundam as fotos de soldados espanhóis e norte-americanos e seus magníficos cavalos, dos navios de guerra dos Estados Unidos atracados nos portos e da frota espanhola destruída, das armas modernas, dos rebeldes filipinos, de figuras como Sampson, Miles, Máximo Gómez, Calixto García, Theodore Roosevelt e o delírio masculino de seus "*rough riders*",* ou do almirante espanhol Pascual Cervera, vencido em Santiago de Cuba. A maioria dessas crônicas ilustradas elaborava um gênero escrito por e para homens. (Uma importante exceção é Margherita Arlina Hamm, com seus livros *America's New Possessions* [Novas possessões da América] e *Porto Rico and the West Indies* [Porto Rico e as Índias Ocidentais].) Era um esforço por construir uma épica moderna para uma nação reunificada depois da guerra civil, uma épica singularmente marcada pelos modelos da grande indústria das fotos e das memórias que produzira a Guerra de Secessão. De fato, nas crônicas se destacava que nos altos-comandos participaram juntos, pela primeira vez, velhos veteranos do Norte e do Sul, assim como seus filhos. A luta por "Cuba livre" os tinha unido.[11]

Nas fotos, ademais, a exibição cerimonial foi importante: as expressões de adesão e as festas elegantes oferecidas pela burguesia da cidade porto-riquenha de Ponce a Miles e seus oficiais, por exemplo, ocuparam um lugar relevante na *Harper's Weekly*. Nessa recepção — como num palácio real — aparecem representados os homens porto-riquenhos de fraque, os militares norte-ameri-

* Soldados do 1º Regimento de Cavalaria Voluntária, que participou da guerra contra a Espanha em 1898, lutando como infantaria. Poderia ser traduzido como "duros na queda". Theodore Roosevelt publicou um livro intitulado *The Rough Riders*, em 1899.

canos com suas condecorações e as mulheres trajadas de longo e com joias. Por outro lado, alguns correspondentes e fotógrafos buscavam e encontravam a ilha luminosa de um encantador e "exótico" anacronismo. Outros achavam um mundo opaco, o inferno dos "selvagens", o desamparo da população doente e abatida. São frequentes as imagens de multidões famélicas, cadavéricas, no universo de crueldade criado em Cuba pela política espanhola da "reconcentração" de camponeses nas cidades, levada a cabo pelo general Valeriano Weyler, uma desapiedada máquina de guerra suja contra a população civil, denunciada inclusive pelos próprios espanhóis. As vítimas da reconcentração, tão esquecidas na historiografia espanhola, são parte do arquivo.

Chama a atenção que as mesmas imagens se repitam no Caribe e nas Filipinas, como receitas aplicadas ao pé da letra: a briga de galos, a junta de bois no campo, a função produtiva e os laços econômicos de subsistência, os vínculos dos seres humanos com a natureza. Há interesse especial e reiterado no cultivo do café, da cana-de-açúcar e do tabaco, nos meios de transporte, nos artesãos das zonas urbanas e nos vendedores ambulantes de expressão fatigada. Em outras fotos bem posadas há um arsenal de alegorias, posturas, gestos. São fotos "coloniais" em sentido mais convencional: um bando de crianças acompanhadas pelos militares norte-americanos, o exército invasor avançando de maneira laboriosa pelos novos territórios, a evacuação ordenada das tropas espanholas vencidas e doentes. Há também autorretratos irônicos, como o de dois fotógrafos que posam nas muralhas de San Juan de Puerto Rico como atores numa cena, que figura clandestinamente num álbum privado da coleção particular da família porto-riquenha McConnie, com a legenda "*Native Photographers*" ao pé da foto.

Alguns retratos femininos são centrais pelo seu caráter exótico ou por estarem tingidos de leve erotismo, como os de mulheres meio ocultas atrás das janelas gradeadas de Havana, ou as modelos de beleza "mestiça" das filipinas que aparecem como objeto de desejo. Em contraste com isso, os cemitérios ou os métodos repulsivos como o do *garrote vil* [garrote] cativaram os fotógrafos. Em alguns momentos, como no notável caso de Charles Edward Doty em Havana, foram produzidos retratos para demonstrar o uso do garrote pelos espanhóis, na execução dos condenados à morte.[12] Em muitos textos que acompanham as imagens, atribuem-se aos espanhóis ou aos *criollos** características negativas: falta de asseio, crueldade, preguiça, predisposição inata à traição, e uma moral deformada. Por outro lado, a *Harper's Weekly* não tardou em utilizar o nome e a aura de Dewey na publicidade dos sabões Pear's e Sapolio, notórios por acabar com toda a "sujeira". Grande parte dessa iconografia explodia comercialmente — e se carnavalizava — com o êxito assombroso de Dewey, aludindo de maneira explícita a "The White Man's Burden".** Outras imagens empregavam o emblema por excelência do "progresso" e da modernidade: a locomotiva. Confirmavam-se, ao mesmo tempo, como notou Jackson Lears, as "fábulas de abundância" e as estruturas do poder político, e se misturavam o tecnológico, o espiritual e o discurso da civilização.[13] A locomotiva aparecia para anunciar o transporte da cerveja Schlitz a todo vapor de Milwaukee a Manila e a outros lugares da rota civilizadora. O empuxo da publicidade, como o do turismo, ilustra as novas formas de consumo das imagens de 1898 na iconografia comercial.

Mas a intervenção gráfica não se limitava a refletir estereótipos, apesar do racismo e dos preconceitos profundos de muitas

* Ver nota na p. 54.

** O almirante George Dewey, que liderou a tomada norte-americana das Filipinas, inspirou o famoso poema — marco da consciência imperial da era vitoriana — de Rudyard Kipling, "The White Man's Burden" [O fardo do homem branco], de 1899.

fotos. É impossível atribuir em bloco um efeito idêntico e uniforme, por exemplo, às imagens daqueles que a *Harper's Weekly* chamava de *banditi* porto-riquenhos (e, os espanhóis, "*partidas sediciosas*" [bandos sediciosos]), camponeses dedicados à pilhagem e movidos pela vingança contra os espanhóis, cuja violência havia que desativar. Em Porto Rico, *criollos* e espanhóis pediram proteção ao Exército norte-americano contra os "*banditi*", e a obtiveram. Há fotos construídas com uma tensão contundente, enquanto outras, com uma atenta sensualidade, beiram o amor erótico. Há também algumas notáveis pela intensidade e concentração para lograr determinados efeitos, ou por sua capacidade narrativa e teatral, como os desenhos e as fotos dos desembarques em Daiquirí, em Cuba (dos quais existem documentos fílmicos), ou da ocupação de Manila e de Ponce em Porto Rico. Todo o sistema de representação tem a capacidade de desenvolver sua dinâmica própria e distintos níveis discursivos. Nem tudo é inocência ou cinismo.

As imagens de Manila, Ponce, Matanzas ou Santiago de Cuba constituem um arquivo de efêmera imortalidade, uma verdadeira sociedade do espetáculo criada para a cultura de massas de então. Ainda não se esgotaram seus mistérios. Muitas fotos dizem e calam ao mesmo tempo: amiúde se tem a sensação de estar esquadrinhando as personagens através do buraco da fechadura. Quem eram essas figuras dispostas em grupos ou fotografadas individualmente? Quem foram os guias e colaboradores dos correspondentes e fotógrafos? São questões difíceis de responder. Muitas imagens "escapam" de seu momento até nosso presente. Os cubanos, porto-riquenhos e filipinos que aparecem nas fotos de 1898 adquirem, no horizonte de nosso olhar, um brilho singular e uma presença afirmativa: nos desafiam e nos interrogam.

Por baixo do espelho assoma outra verdade, a verdade de um mundo impossível de interpretar pelos correspondentes ou pelos organismos do novo Estado: o avesso da trama. Há imagens menos nítidas, ainda que seguramente não menos pressionadas pela realidade política ou pelas pequenas misérias e intrigas das invasões, do jornalismo e da guerra. O historiador Vicente L. Rafael estudou as fotos das Filipinas, em especial as muitas imagens dos cadáveres de soldados filipinos que jazem abandonados nos caminhos ou insepultos nas trincheiras, e defende a importância disso que vai irredutivelmente além do olhar imperial.[14]

À precisão de imagens taxativas do desembarque das tropas ou às justificações utilitárias da necessidade de modernizar a agricultura e as estradas, contrapõe-se a imprecisão das imagens do universo social e cultural que era encontrado em Cuba ou Porto Rico. As figuras posavam com candor ou acinte nos caminhos ou nos umbrais das casas. A recepção de mensagens visuais é muito complexa, e está cheia de desencontros de códigos que tornam discutível qualquer binarismo. O enigma não se desvela, enfim: na memória gráfica de 1898 podem coexistir versões contraditórias da história. O conjunto oferece uma espécie de representação teatral, em que debaixo de cada personagem encontra-se um personagem distinto, que é necessário ir descobrindo. Não é de estranhar que o narrador porto-riquenho José Luis González tenha trabalhado sobre algumas dessas fotos em *La llegada* [A chegada] (1980), seu grande romance anti-heroico em que enfrenta as mitologias de 1898 em Porto Rico.

Restam algumas perguntas. Que significa, um século depois, em 1998, esse grande arquivo carregado de tanto simbolismo? Como se usaram essas fontes, e de que pontos de vista foram mostradas nas representações e nos espelhamentos que povoam as historiografias das antigas colônias espanholas? Por que alguns desses documentos foram omitidos das histórias "nacionais"? Vejamos o caso porto-riquenho. Alguns historiadores, como Guillermo A. Baralt em seu excelente livro sobre a fazenda *La Buena*

Vista 1833-1904 (1988) e Fernando Picó em *La guerra después de la guerra* (1987), usaram com inteligência, e com sabedoria retrospectiva, alguns desses documentos e imagens, devolvendo-os ao tecido complexo da época. Osvaldo García faz bom uso desse material em seu livro *Fotografías para la historia de Puerto Rico* (1993), como antes o fizera Angel Rivero em seu fundamental *Crónica de la Guerra Hispanoamericana en Puerto Rico* (1922). É importante recordar que o artista Antonio Martorell trabalhou os arquétipos fotográficos e sua releitura estética é uma série gráfica memorável, o *Album de Familia* (1978). Mas pouco se refletiu sobre a importância dos novos saberes inscritos nas fotografias coloniais de 1898, ou sobre o que W. J. T. Mitchell chamou de "dialética de resistência e colaboração" entre fotografia e linguagem.[15] As fotos foram passando devagar, do mercado criado pela cultura de massas e dos relatórios oficiais ou das crônicas impressas, ao arquivo e ao museu, ainda que a maioria tenha ido parar nos arquivos norte-americanos.

Por exemplo, não deixa de ser revelador da cegueira das instituições porto-riquenhas que as crônicas norte-americanas que constroem, cristalizam e fundam o império sobre Porto Rico não tenham sido sequer traduzidas para o espanhol. E, sobretudo, é incompreensível que com a tecnologia disponível em Porto Rico não exista um arquivo amplo de fácil acesso às imagens e às fotos que plasmaram canonicamente uma determinada visão do país.

Talvez hoje se devesse refletir sobre o que esse olhar externo significou para o autorreconhecimento posterior e a autorrepresentação das velhas e novas colônias. Em Cuba, Porto Rico e nas Filipinas é necessário pensar nessa outra entrada ambígua na modernidade que criou novos saberes, visões da paisagem e do povo, múltiplas formas e referentes míticos para o turismo, e uma complexa superposição de lealdades. Haveria que localizar os distintos destinatários das crônicas e das fotos, pensar nas condições de sua recepção. Mas, como já notou Siegfried Kracauer, as fotos, quando envelhecem, só oferecem resíduos que a história depositou nelas, e nos obrigam a um duro — e às vezes impossível — esforço por reconstruir seu significado.[16] Por outro lado, livros escritos com acertada eficácia e formulações explícitas, como o bem documentado *Puerto Rico: Its Conditions and Possibilities* [Porto Rico: Suas condições e possibilidades] (1899), de William Dinwiddie, que foi correspondente do *Herald* e colaborador da *Harper's Weekly*, ensejam ainda assim a reformulação das relações entre modernidade, comércio e militarismo, assim como as exigências inscritas nas posições que ocupam os que escrevem e desenham. O correspondente Dinwiddie, que chega a Porto Rico depois de se fazer conhecer por suas fotografias e crônicas sobre a guerra em Santiago de Cuba, escrevia a partir do novo poder: também ele se situava, em termos culturais, num lugar de mudança do mundo católico e monárquico espanhol.[17] Nesse contexto, com câmera na mão, assumiu a tarefa de tornar o mundo porto-riquenho transparente para seus leitores. Sua relação com o poder estava governada por circunstâncias únicas e especiais, pelas relações entre novo jornalismo, colaboração com os militares, cultura de massas e olhar imperial.

Os relatos que subjazem à argumentação de Dinwiddie, entre a documentação e a propaganda, resumem o marco de muitas dessas publicações imperiais. Destacam, por um lado, a narração da crueldade da dominação espanhola, que era condição e premissa para validar a intervenção norte-americana, e, por outro lado — o que era politicamente complementar —, seu relato das "possibilidades" do novo império no marco da racionalidade moderna. A partir do próprio título, o autor sustenta a exposição programática das "possibilidades" de Porto Rico, compensadora do poder militar. Mas na realidade Dinwiddie quase não podia entrar em relação pessoal com o objeto de seu estudo. As condições de produção do correspondente condensam e exemplificam a complexidade do problema: em Porto Rico, ele contou com o favor dos generais Henry e Brooke, pôde infiltrar-se em todas as partes e traçar na terra e na imaginação um mapa para que outros, talvez nós mesmos, transitássemos por esses lugares e produzíssemos, em diálogo com os mortos, outra verdade. A guerra simbólica começou em torno de 1898, mas ainda não terminou.

4. Espiritismo e transculturação: Fernando Ortiz e Allan Kardec

Em cada momento presente da vida há um passo de envelhecimento e de renovação [...]. *Renovar-se, que é morrer e renascer, para tornar a falecer e a reviver. Cada instante vital é uma criação, uma recriação. É uma ligação do passado, das potenciais sobrevivências que o indivíduo traz encarnadas consigo, e do presente, das possíveis circunstâncias que o ambiente oferece; de cuja contingente conjunção com a individualidade nasce o porvir, que é a variação renovadora.*

Fernando Ortiz, *El engaño de las razas* (1946)

As duas modas, a da psicanálise e a das ciências ocultas, têm em comum sua oposição à ideologia e ao modo de vida transmitidos pela "sociedade burguesa de consumo", em outras palavras, pelo establishment. [...]. *Elas expressam, cada uma a sua maneira, aquilo de que o homem moderno sente falta, e sua esperança numa renovação espiritual que ao fim daria um sentido e uma justificação a sua própria existência.*

Mircea Eliade, *Journal III: 1970-1978*

Fernando Ortiz (1881-1969) é hoje conhecido sobretudo pelo conceito de *transculturação*, que se difundiu a partir da publicação de seu livro fundacional, *Contrapunteo cubano del tabaco y el azúcar* (1940; 1963). A *transculturação* chegou a constituir-se num centro conceitual dos debates culturais e literários contemporâneos.[1] No entanto, os *começos* intelectuais de Ortiz, tradicionalmente considerados uma etapa positivista e lombrosiana prévia ao *Contrapunteo*, merecem um estudo à parte, para compreender o desenvolvimento extraordinariamente rico da categoria. Tais *princípios* representam uma etapa formativa na qual Ortiz começou a explorar categorias de análise que procedem de saberes diversos (criminologia, direito, etnografia, ciência e espiritismo) e de práticas políticas e sociais muito concretas.

Ortiz chegou logo a ser uma figura pública e intelectual de grande importância em Cuba, posição que ocupou até sua morte.[2] Exerceu uma influência profunda entre seus contemporâneos e foi um dos mais importantes porta-vozes da geração que atuou na Cuba pós-1898.* Nos ensaios, intervenções públicas e debates de seu tempo, Ortiz revelou uma veia polêmica e um desejo de abordar problemas muito diversos. Entre 1902 e 1906 fez carreira consular na Itália e na França; em 1906 foi nomeado *abogado fiscal de la Audiencia* em Havana; de 1908 a 1916 foi catedrático de direito público na Universidade de Havana; e em 1915 ingressou no Partido Liberal, chegando a ser parlamentar (1916-26). Em 1926, Ortiz publicou seu *Código criminal cubano*, projeto que incluía um entusiasmado "juízo" escrito como um prólogo por Enrico Ferri (1856-1929), que propunha dar forma ao "sistema defensivo do Estado contra a delinquência" (p. ix).

* Sobre a importância da Guerra Hispano-Cubano-Norte-Americana em torno de 1898, como a culminação da transferência de influência do imperialismo espanhol para o norte-americano no Caribe, ver o capítulo 2.

Em todas essas práticas, que se deram no marco da nova República cubana, foi o iniciador de um modo de pensar a nação e as raças, a religiosidade e a política; e, por outro lado, um modo de aplicar a criminologia e a datiloscopia à reforma penal e ao estudo da delinquência.

Ortiz cresceu em Minorca (1882-95), onde fez os estudos escolares; regressou a Cuba e, durante a Guerra de Independência (1895-8), iniciou-se na carreira de direito em Havana. Terminada a guerra, voltou a Barcelona, onde se licenciou em direito (1899-1900). Logo mais se transferiu para Madri, onde se doutorou na mesma disciplina (1901), e daí de novo para Cuba, onde obteve o título de doutor em direito civil na Universidade de Havana (1902). Além de sua carreira institucional — e dos conhecimentos específicos com os quais se identificava —, foi de grande importância para o fortalecimento de sua presença no espaço público seu casamento com Esther Cabrera (1908), filha do influente intelectual cubano Raimundo Cabrera (1852--1923).[3]

Ortiz voltara da Espanha com grande entusiasmo e energia para desenvolver novos saberes "científicos" e para construir para si mesmo um lugar de autoridade como intelectual público. Ainda que soubesse muito pouco de Cuba em termos de vivência pessoal, porque se formara no exílio, logo se destacou por sua visão crítica da cultura e da política cubanas. Esses ambiciosos propósitos podem ser comprovados desde seus inícios, em um de seus primeiros livros, *Hampa afrocubana. Los negros brujos: Apuntes para un estudio de etnología criminal* [Malta afro-cubana. Os negros bruxos: Notas para um estudo de etnologia criminal] (1906), em *La reconquista de América: Reflexiones sobre el panhispanismo* (1911) e em sua coleção de ensaios *Entre cubanos: Psicología tropical* (1913), na qual atacou o vazio intelectual e moral da jovem República.[4] Nesses textos, Ortiz elaborou um discurso cultural e político que oferecia um projeto moderno de república nos anos em que Cuba emergia da guerra contra a Espanha e da ocupação norte-americana. Neles se podem ler as urgências políticas, éticas e historiográficas que o animavam em sua busca de uma ordem social viável e progressista. Essa linha de inquietudes se reflete em seu conhecido discurso programático — com caráter de verdadeiro manifesto — "La decadencia cubana" (1924). Mais tarde, seguiu impulsionando, de diversas maneiras, a renovação do campo intelectual. Ortiz foi diretor da prestigiosa *Revista Bimestre Cubana*, presidente da Sociedad Económica de Amigos del País (1924-33) e membro fundador de outra organização de vasta projeção: a Institución Hispanocubana de Cultura (1926-32; 1936-47).[5]

Na biografia intelectual que foi mais ou menos fixada pelos historiadores e pela crítica, costuma-se apresentar Ortiz como protagonista de uma trajetória unidimensional. Segundo essa interpretação, o pensador, influenciado por Cesare Lombroso (1835-1909), teria começado sua trajetória pela antropologia criminal e pelos estudos dos sistemas penais. De fato, enquanto ocupava seu posto consular em Gênova, entre 1902 e 1905, Ortiz foi discípulo dos criminologistas Cesare Lombroso e Enrico Ferri, e se inscreveu com orgulho na linhagem intelectual de Lombroso. Seu primeiro grande tema será precisamente a marginalidade, a "*mala vida*" e os fenômenos religiosos. Procurou delimitar um objeto científico, a "*hampa afrocubana*" [malta afro-cubana] ou os "*negros brujos*", que contribuísse também para o desenvolvimento dos estudos etnográficos e criminológicos em Cuba. Além disso, é significativo que aparecesse na revista de Lombroso, *Archivio di Psichiatria, Neuropatologia, Antropologia Criminale e Medicina Legale*, onde publica, em italiano, alguns dos artigos que mais tarde formariam seu livro: "La criminalità dei negri in Cuba", "Superstizione criminose in Cuba" e "Il suicidio tra i negri". Depois seu livro seria aumentado por Lombroso. Todo ele pode ser visto como parte das relações intelectuais com os centros metropolitanos, destacadas por Said.[6] No curso de investigações posteriores, teria descoberto a *transculturação*, que lhe permitiu construir um metarrelato da cultura nacional baseado em uma larga reflexão sobre a hibridação e a mistura. Na biografia intelectual de Ortiz, tal mudança de paradigma da criminologia à *transculturação* culminaria no *Contrapunteo cubano del tabaco y el azúcar*, cuja trama discursiva sói considerar-se como seu modo de ler a história e a cubanidade.[7]

O inconveniente dessa interpretação linear é que ela ignora o profundo interesse de Ortiz pelas correntes espiritualistas do século XIX, pelas complexidades de seu discurso nacional e suas contínuas intervenções no terreno jurídico. Haveria que explorar a continuidade das perspectivas evolucionistas em Ortiz, seu persistente afã por conciliar religião e ciência, sua constante atenção ao espiritismo e seu interesse pelas descontinuidades de espaço e tempo na formação da sociedade cubana. Suas origens intelectuais incluem sua evidente e complexa reformulação das tradições nacionais (Varela, Saco, Martí e outros), e paralelamente a apropriação da criminologia "científica" e o interesse pelas novas formas jornalísticas de relatos policiais.

A complexa etnologia racista do brasileiro Nina Rodrigues (1862-1906) foi o modelo de análise a que Ortiz pôde ter acesso para interpretar o problema da relação entre raça, nação e cidadania na América.[8] Contudo, esse modelo não era suficiente. O espiritismo cientificista de Allan Kardec (Hippolyte Léon Denizard Rivail, 1804-69) ocupa um lugar privilegiado, proporcionando-lhe ferramentas para compreender a questão racial da perspectiva de uma teoria evolutiva que abarcava a espiritualidade nacional, o direito e a religião. A doutrina espírita é, como veremos, um aspecto fundamental nas origens do conceito de *transculturação*.

Portanto, reduzir a trajetória de Ortiz à passagem da criminologia à *transculturação* não permite ver as múltiplas filiações, ressonâncias e entrecruzamentos que encontramos em textos como *La africanía de la música folklórica de Cuba* (1950) e *Los bailes y el teatro de los negros en el folklore de Cuba* (1951).

Interessa-me aqui reconsiderar os *beginnings* de Ortiz, com o propósito de abrir uma perspectiva na qual as categorias lombrosianas — positivistas e racionalistas — entrem em diálogo com as correntes espiritualistas representadas por Kardec.[9] De fato, como veremos, há uma relação muito sutil entre a *transmigração* das almas — a história das sucessivas reencarnações, o trânsito entre a vida espiritual e a corporal — e a categoria da *transculturação.* Ainda que a obra de Kardec tenha quase desaparecido da discussão intelectual e dos estudos sobre o autor do *Contrapunteo*, Ortiz, assim como outros intelectuais na Europa e na América, se sentiu muito atraído pela religião letrada representada por *O livro dos espíritos* ou por *A gênese: Os milagres e as predições segundo o espiritismo*, de Kardec, e pela mediação possível entre a ciência e a "religião popular".

Ortiz não apenas foi um leitor de Kardec como dedicou parte de sua atividade intelectual à exegese de sua doutrina. *La filosofía penal de los espiritistas*, obra que se originou no discurso inaugural que Ortiz proferiu na Faculdade de Direito da Universidade de Havana em 1912, foi publicado primeiro na *Revista Bimestre Cubana* em 1914.[10] Em 1919, Ortiz proferiu, a pedido da Sociedad Espiritista de Cuba, uma conferência intitulada "Las fases de la evolución religiosa". No Teatro Payret, de Havana, ele expressava publicamente sua simpatia pelo espiritismo: "Espíritas! Quem não participa de vossa mística com serenidade vos diz: Sois fiéis de uma sublime fé! Talvez sejais os que com maior pureza vos aproximais do ideal de marchar em direção a Deus pelo amor e pela ciência!".[11]

Ortiz nunca deixou de retomar o que havia escrito em *La filosofía penal*, de retrabalhar o texto, de modificá-lo e continuá-lo. Seu interesse pelo espiritismo não diminuiu ao longo de sua vida. Inclusive nos anos 1950 seguia escrevendo sobre o tema: "Una moderna secta espiritista de Cuba" e "Los espirituales cordoneros del Orilé" foram trabalhos publicados em *Bohemia*, muito pertinentes para um estudo mais detalhado da importância de Kardec em sua obra. Há ainda referências ao espiritismo em sua *Historia de una pelea cubana contra los demonios* (História de uma briga cubana contra os demônios).

Sem dúvida, o pensador definia-se a si mesmo a partir da dupla instituição da ciência moderna e da nacionalidade republicana. Já em 1903 o escritor Miguel de Carrión (1875-1929) afirmava na revista *Azul y Rojo* que o muito jovem Ortiz era "o único de nossos homens de ciência dotado de faculdade criadora" e um "positivista convicto", ao mesmo tempo que elogiava a tese de doutorado que ele publicara em Madri, intitulada *Base para un estudio sobre la llamada reparación civil* (1901). Carrión também comentava o "valioso estudo sobre o ñañiguismo em Cuba",* que Ortiz logo publicaria em Madri pela Librería Fernando Fé, com o título *Hampa afrocubana. Los negros brujos*. Carrión destaca o fato de que o autor construía um novo arquivo de territórios pelos quais poucos tinham se arriscado a caminhar:

> Nenhum trabalho mais árduo que o do colecionador de dados necessários para este livro, ao longo do qual o seguimos, passo a passo. O investigador tropeçava dia após dia com a eterna dificuldade que encontra em nosso país ineficaz o esforço dos homens de ciência: nada havia sido feito antes; era preciso criar tudo, or-

* Referência à sociedade secreta masculina dos ñáñigos, ou Abakua, de origem afro-cubana.

ganizando os poucos dados incompletos e isolados que chegavam ao seu conhecimento, e para cúmulo dos males a fé do autor chocava-se contra a apatia do mundo científico local e das esferas do governo, que pouco se importavam que um *desocupado* escrevesse monografias de ñáñigos, coisa bem trivial por certo, ao lado dos interesses da política.[12]

Em *Los negros brujos*, Ortiz proclamava que a vida "selvagem" não podia ser silenciada, mas que devia ser cuidadosamente entendida — e reprimida —, precisamente porque o país tinha que ser disciplinado, educado em termos morais e afinado em sua sensibilidade de acordo com as normas éticas e políticas modernas. Por um lado, o autor se armava com as doutrinas da escola italiana de criminologia e direito penal positivo; por outro, já se pode perceber que o marco conceitual do positivismo era insuficiente para interpretar a religiosidade e o desenraizamento cultural na sociedade cubana. O espiritismo de Kardec lhe permitirá interrogar os limites do positivismo e a noção de uma identidade estável e segura.

O subtítulo do livro *Los negros brujos: Apuntes para un estudio de etnología criminal* já anunciava sua condenação da bruxaria. Ortiz escrevia, enfático, que "o culto bruxo é, enfim, socialmente negativo em relação ao melhoramento de nossa sociedade, porque, dada a primitividade que lhe é característica, totalmente amoral, contribui para reter as consciências dos negros incultos nos subterrâneos da barbárie africana" (p. 227). Concluía que era "um obstáculo à civilização, sobretudo da população de cor [...] por ser a expressão mais bárbara do sentimento religioso desprovido do elemento moral" (p. 229). Reiterou tal análise da bruxaria em sua conferência "Las fases de la evolución religiosa", em que a interpretava no contexto cubano da "luta pela vida" de três correntes religiosas, para chegar ao estágio superior do espiritismo:

> Em Cuba três correntes religiosas lutam pela vida, quando não pelo predomínio: o fetichismo africano, em especial *lucumí*;* o cristianismo em suas várias derivações mais ou menos puras, em especial o catolicismo, e o filosofismo religioso contemporâneo, em especial o espiritismo. As três religiões correspondem a três fases sucessivas da evolução religiosa.[13]

Diante da Sociedad Espiritista de Cuba, Ortiz apresentava o espiritismo como uma superação do catolicismo e da bruxaria: "O fetichismo é a *religião amoral*, o catolicismo é a *religião moral*, o espiritismo é a *moral arreligiosa* sem dogmas, nem ritos, nem ídolos ou sacerdotes" (p. 79). Assim, o espiritismo terminaria por ser "um vigoroso estímulo em prol do melhoramento moral da humanidade" (p. 65). Ao olhar retrospectivamente para suas publicações, Ortiz estimava que a honra que lhe haviam concedido os espíritas se devia a sua "obra sobre a *Hampa afro-cubana*" (*Los negros brujos*) e a *La filosofía penal* (p. 66). Com isso, sugeria que seu trabalho intelectual tinha uma coerência como um serviço público para a evolução religiosa cubana. É importante notar que Ortiz concebeu sua conferência como um serviço à "existência republicana". Seu propósito era o fortalecimento da República, o que o levou a acusar "muitos de nossos homens públicos" de "covardia cívica" (p. 65).

No pensamento de Ortiz, a etnologia racista de Nina Rodrigues, citado com frequência, lhe permitia desenvolver uma teoria racial da nação: as raças se encontravam em estados desiguais na escala da evolução cultural, e portanto não se podia esperar que se adaptassem aos cânones europeus de cidadania. A "má vida" era resultado da "primitividade psíquica".[14] Mas para Ortiz não

* Referência a práticas religiosas de origem iorubá, comumente associadas à *santería* em Cuba.

bastava determinar a desigualdade racial cubana; preocupavam-no as possibilidades de "progresso" ou "retrocesso" espiritual da República. Para isso, como veremos adiante, recorreu às categorias kardecistas da teoria evolucionista da alma.

Havia em Ortiz um temor da "regressão" cultural e intelectual, temor dos efeitos que ela poderia ter na sociedade, temor do "contágio". A promiscuidade ameaçava pela proximidade. Era preciso tirar a bruxaria de seus esconderijos: trata-se de todo um olhar sobre o mundo "negro". Durante os primeiros anos do século apareceram crônicas policiais na imprensa sensacionalista nas quais os bruxos eram vistos como protagonistas de feitos de violência. Ortiz usou esse "arquivo" repleto de estereótipos e cristalizações lexicais; é uma fonte que crispa seu texto.[15] A bruxaria e os bruxos eram adversários políticos: "Mas a inferioridade do negro, que o sujeitava ao mal viver, era devida à falta de civilização integral, pois tão primitiva era sua moralidade quanto sua intelectualidade". Por outro lado, Ortiz falava da perspectiva de uma concepção categórica do progresso: "É natural que o progresso intelectual traga Cuba, como o resto do mundo, à progressiva debilitação das superstições, e instile mais fé em nós mesmos e vá apagando a que se tem no sobrenatural, pois, como disse Bain, o grande remédio contra o medo é a ciência" (p. 221). O saber "civilizado" deve exterminar essas práticas, penetrar em seu vocabulário secreto para que não reste nenhum espaço fora do controle do intelecto branco. A bruxaria pode ser liquidada por meios penais e científicos, e os materiais — submetidos a inspeção e registro — devem ser confiscados num museu: "A campanha contra a bruxaria deve ter dois objetivos: um imediato, a destruição dos focos infecciosos; mediato o outro, a desinfecção do ambiente, para impedir que se mantenha e se reproduza o mal" (p. 235).

O "progresso" dos espíritos rumo à "perfeição" e a escala evolutiva de Kardec se encontravam implícitos na revisão que

Ortiz fez do conceito de *atavismo* lombrosiano aplicado ao caso cubano. Para Lombroso, no marco geral do darwinismo, o conceito de atavismo postulava uma regressão a uma condição primitiva. O termo vem do latim: *atavus*, ancestral. Tratava-se de um salto para trás. No criminoso nato, Lombroso encontrava certas qualidades físicas, e sobretudo uma falta de moral. O cientista italiano postulava como solução, por um lado, a pena de morte; por outro, a reforma que transformaria os fatores ambientais que operam sobre o criminoso.[16] Conquanto Ortiz não cite Kardec, sua interpretação histórico-espiritualista do deslocamento do africano no meio cubano inclui categorias mais que apenas criminológicas:

> O bruxo afro-cubano, do ponto de vista criminológico, é o que Lombroso chamaria um delinquente nato, e esse caráter congênito pode aplicar-se a todos os seus atrasos morais, além de a sua delinquência. Mas o bruxo nato não o é por atavismo, no sentido rigoroso dessa palavra, ou seja, como um *salto atrás* do indivíduo em relação ao estado de progresso da espécie que forma o meio social ao qual aquele deve adaptar-se; muito mais se pode dizer que, ao ser transportado da África para Cuba, foi o meio social o que para ele saltou de improviso para a frente, deixando-o com seus compatriotas nas profundezas de sua selvageria, nas primeiras escalas da evolução de sua psique. Por isso, com maior propriedade que pelo atavismo, podem-se definir os caracteres do bruxo pela *primitidade psíquica*; é um delinquente *primitivo*, como diria Penta. O bruxo e seus adeptos são em Cuba imorais e delinquentes porque não progrediram; são selvagens trazidos a um país civilizado.[17]

Para Ortiz, o africano é em essência um delinquente, não tanto no sentido pentiano do delinquente *primitivo* citado por ele próprio, mas porque seu espírito se encontrava em outro lugar da escala evolutiva. Quando afirma que o bruxo e seus adeptos são "imorais e delinquentes", não resta dúvida de que Ortiz está pensando no problema nos termos espíritas que logo desenvolveria em "Las fases de la evolución religiosa", e não apenas em termos criminológicos.

A doutrina da reencarnação garantia a Ortiz uma hierarquia espiritual que superava o marco do criminoso "nato" para incluir a nação, a raça e o "progresso".[18] Sua leitura de Kardec, que, de maneira significativa, chamou de "aquele interessante filósofo francês", deu-se muito cedo e coincidiu com seus estudos de criminologia. De fato, o próprio Ortiz comentou a "simultaneidade" de suas leituras espíritas e sua iniciação no positivismo. É óbvio que Kardec teve um valor formativo em seu pensamento, ainda que se tratasse de "leituras religiosas" não validadas nem legitimadas pela academia, embora buscadas "com fervor":

> Faz já uns quatro lustros, quando nas aulas de minha muito querida Universidade de Havana eu cursava os estudos de direito penal e o programa do prof. González Lanuza — então o mais científico nos domínios espanhóis — me iniciava nas ideias do positivismo criminológico, eu intercalava essas leituras escolares com obras muito alheias à universidade, que o acaso punha ao meu alcance ou que minha curiosidade investigativa buscava com fervor.
>
> Entre estas últimas estavam as leituras religiosas, que antes como agora me causam especial deleite e despertam em meu ânimo singular interesse. Naquele momento conheci os livros fundamentais do espiritismo, escritos por León Hipólito Denizart Rivail, ou seja, Allan Kardec, como ele gostou de chamar-se, revivendo o nome com o qual, segundo ele mesmo, foi conhecido no mundo numa encarnação anterior, nos tempos druídicos.
>
> E quis a simultaneidade dos estudos universitários sobre criminologia com os acidentais estudos filosóficos sobre a doutrina

espírita que o entusiasmo que me despertaram as teorias lombrosianas e ferrianas sobre a criminalidade me levasse a investigar sobretudo como pensava, sobre os mesmos problemas penais, aquele interessante filósofo francês, que ousava se apresentar como um druida redivivo.[19]

Deve-se entender seu interesse como um entusiasmo propiciado pelos traços "científicos" do espiritismo? É aceitável, do ponto de vista metodológico, sua afirmação de que os "problemas penais" da criminologia e do espiritismo sejam "os mesmos"? Queria Ortiz legitimar o espiritismo pelo positivismo? E, por fim, como poderia explicar-se de outro modo seu persistente interesse pelo espiritismo?

Na introdução a *La filosofía penal*, Ortiz declarou, enfático: "Não sou espírita". Ao mesmo tempo, insistia que o espiritismo compartilhava com o "materialismo lombrosiano" premissas importantes. É possível que, assim como outros intelectuais, ele sentisse necessidade de distanciar-se de outros espíritas talvez não tão letrados. Em uma carta de 1924 a José María Chacón y Calvo vemos a flutuação entre a fascinação e a recusa. Ortiz agradecia a Chacón y Calvo a publicação da segunda edição de *La filosofía penal*. Mas também aludia com acentuado menosprezo às

> sociedades chamadas espíritas de Cuba, mais ocupadas com mediunidades mais ou menos sérias ou grotescas e com práticas de curandeirismo supersticioso e parasitário. Nesse campo, como nos demais das ideias, soem ser poucos os que têm interesse por filosofias, arrastados como são pelo pragmatismo ao uso e pelo torvelinho da incultura.[20]

Entretanto, qualquer leitor atento aos textos do primeiro Ortiz poderá comprovar sua afinidade com o espiritismo. Há nele certa ambiguidade em relação a Kardec: não se compromete publicamente de todo com suas ideias e com as práticas dos espíritas, mas reserva a Kardec um lugar no mundo intelectual e da ciência, contribuindo para abrir-lhe um espaço maior de difusão e consolidá-lo como símbolo de saber e autoridade.

Ortiz apresenta Kardec por meio de um dos tópicos centrais de sua poética: a *coincidentia oppositorum*:

> E tão pronto minha mente tomou essa direção cuidei, não sem certa surpresa, que o materialismo lombrosiano e o espiritualismo de Allan Kardec coincidiam de forma notável em não poucos extremos, e que mesmo para algumas teorias criminológicas se poderia ir partindo de premissas materialistas, conduzido pelo positivismo mais franco, [mais] que partindo de juízos espiritualistas e levado pelo idealismo mais sutil.[21]

Como fará mais tarde no *Contrapunteo* com o tabaco e o açúcar, sua poética procura harmonizar formas de pensamento opostas: "Os extremos se tocam, poder-se-ia dizer, e decerto é assim no nosso estudo" (p. 33). Segundo indicava o próprio Kardec, o espiritualismo e o materialismo têm um filão evolucionista em comum, e a possibilidade de encontrar um complemento na passagem de um a outro permite a Ortiz estruturar seu livro. Seu interesse principal é mostrar o profundo acordo com o essencial da doutrina de Kardec. *La filosofía penal* é, pois, um livro de tradução, de passagem entre doutrinas e de *transmigração* da matéria ao espírito.[22]

La filosofía penal é também uma obra didática: oferece instrução na doutrina kardecista. Ortiz admite o conhecimento do positivismo por parte do leitor, mas se sente obrigado a oferecer extensas citações de Kardec e a glosá-las. A seu modo, o livro se deixa ler como uma antologia de textos de Kardec comentados por Ortiz. Em sucessivos capítulos, o autor analisa os seguintes aspectos do kardecismo: as bases ideológicas do espiritismo, as leis da evolução das almas, o delito, o determinismo e o livre-arbítrio, os fatores da delinquência e o atavismo dos criminosos. Em todos esses capítulos, estabelece e celebra as analogias entre Kardec e Lombroso.

Um aspecto central da tradução que Ortiz faz de Kardec é o capítulo dedicado a "La escala de los espíritus", de onde o autor tira uma teoria da elite. O evolucionismo espírita, com sua escala baseada no grau de progresso dos espíritos, fincava pé no paulatino despojamento das imperfeições. Os espíritos "imperfeitos" — nos quais a matéria domina mais que o espírito — são propensos ao mal, entregues a todos os vícios que engendram paixões vis e degradantes, tais como o sensualismo, a crueldade, a ganância e a sórdida avareza. Qualquer que seja o estrato social que ocupem, são o castigo da humanidade. Para Ortiz, são o equivalente aos *delinquentes natos*. Os espíritos superiores — nos quais o espírito domina mais que a matéria — se distinguem por seu desejo de fazer o bem. Esses espíritos puros reúnem a ciência, a prudência e a bondade. Sua linguagem é sempre elevada e sublime: são os mais aptos para a vida intelectual. Quando excepcionalmente encarnam na terra, é para realizar uma "missão de progresso", e nos oferecem um modelo do tipo de perfeição a que pode aspirar a humanidade neste mundo. A possibilidade do progresso pela purificação espiritual deve ter se revelado bastante atrativa para Ortiz, que em obras como *Proyecto de código criminal cubano* estava ocupado com a formulação de campanhas de "saneamento nacional": "É, pois, indispensável para a saúde moral cubana que façamos contra os criminosos o que fizemos contra os mosquitos: uma campanha de saneamento nacional" (p. xii). O "inimigo" se encontrava dentro das fronteiras do Estado. Em 1924, contudo, Ortiz cita Lombroso no marco da "decadência", não tanto no sentido spengleriano, mas no sentido do "retrocesso" lombrosiano.

Em seu discurso "La decadencia cubana", com quase vinte anos de distância, ressurge com paixão a linguagem de *Los negros brujos* para profetizar o desastre causado por diferentes males que comprometem e assombram a vida da comunidade nacional: "A sociedade cubana está se desagregando. Cuba está se precipitando com rapidez na barbárie". E continua (pp. 21-4):

> A cultura cubana corre grave risco de ir se debilitando até colocar em perigo a capacidade para o governo próprio. [...] é perigo iminente permanecer em estado de semicultura, com uma população sem técnicos, sem aristocracias mentais, indefesa ante as exigências da cultura universal [...]. Em Cuba, 53% de seus habitantes não sabem ler ou escrever. Estamos na escala da instrução abaixo de todas as Antilhas inglesas, habitadas quase totalmente por negros.

A organização polêmica desse texto é evidente. Mais adiante, acrescenta (p. 33):

> Tudo isso demonstra, se recordamos as geniais teorias que expuseram Lombroso e Nicéforo sobre a evolução da criminalidade, que também nossa delinquência vai perdendo sua cultura, vai retrocedendo, fazendo-se mais violenta e primitiva, em vez de mais astuta e progressista, como nos demais países de cultural normal.

No capítulo intitulado "Fundamento de la responsabilidad", em *La filosofía penal*, Ortiz afirmava que o criminoso é um indivíduo no qual encarnou um espírito "atrasado". Isso o leva a outra glosa na qual desenvolve de modo paralelo as noções de penalidade espiritual e social: há uma responsabilidade *espiritual*, subjetiva, baseada na lei do progresso dos espíritos; há uma responsabilidade humana, objetiva, baseada na lei social. O autor acrescentava que "a lei de conservação impõe à sociedade — dentro e fora da filosofia espírita — a necessidade de lutar por si e por sua integridade, e dessa necessidade os espíritas, assim como os positivistas, fazem derivar a razão do castigo" (p. 288). Desse modo, Ortiz pôde aplicar um fundamento absoluto à noção de penalidade: "O progresso do homem, o progresso do espírito, eis aqui a finalidade psicológica e subjetiva da pena neste mundo, assim como no universo infinito do progresso dos seres" (p. 289). Sem dúvida, ele tinha em mente a necessidade de operar sobre um terreno sólido na organização social da nação.

Em *Los negros brujos* o próprio Ortiz reconhecia que algumas de suas proposições repressivas poderiam ser consideradas inquisitoriais. Sua posição frente ao bruxo e ao africano, muitíssimo problemática, exigia os fundamentos teológicos de uma filosofia penal. Essa teologia evolutiva lhe permitiu vislumbrar um sentido humanitário na repressão das práticas culturais daninhas para a República. Ortiz se sentia atraído pela força moral dos princípios de Kardec: há progresso, embora ameaçado pelos movimentos regressivos da história. A possibilidade de aplicar conceituações científicas à ordem moral assegurava a *renovatio* da sociedade cubana. Em *La reconquista de América*, escreveu: "Não há povos nem civilizações fatalmente superiores ou inferiores; há apenas adiantos ou atrasos, diferenças na marcha integral da humanidade" (p. 26).[23]

Voltemos a *La filosofía penal*. Nos capítulos sobre a escala dos espíritos e o livre-arbítrio, Ortiz se interessa em especial pelo papel dos espíritos "prudentes", os quais vêm à terra para realizar uma "missão de progresso".[24] Nessa visão coincidem dois projetos opostos: construir um espaço para a elite ilustrada, com privilégios de cidadania plena, e abrir a porta do progresso a outros espíritos "atrasados", que não tinham a capacidade de formular seus próprios projetos.[25] A produção de cidadãos para a República era possível, ainda que complexa. Tinha que se basear na ciência da criminologia, na vigilância, na disciplina e na hierarquia de uma espiritualidade evolucionista. *La reconquista de América* oferece um comentário particularmente iluminador: "Sejamos os cubanos brancos os que constituímos o nervo da nacionalidade, mais cultos ainda para poder manter a vida republicana independente de retrocessos hispanizantes ou africanizantes" (p. 47).[26]

Como se chegava à *renovatio* que permitia a ascensão dos espíritos inferiores? De um ponto de vista teológico, a noção do livre-arbítrio continha a possibilidade de superação espiritual. Na concepção espírita, o livre-arbítrio vai sendo adquirido através das provas e superações das diversas reencarnações. Ortiz insiste que se trata de um livre-arbítrio relativo:

> De modo que há espíritos atrasados cujo livre-arbítrio está como que numa crisálida, sem crescimento nem desenvolvimento, e caem com facilidade impulsionados pelos espíritos maus ou por diferentes causas concomitantes externas; e há outros espíritos mais adiantados, com maior liberdade, que se dirigem e se defendem da tentação e resistem a ela, vitoriosos.[27]

A reafirmação do livre-arbítrio começava a romper o marco rígido do racismo ao mesmo tempo que preservava a hierarquia interna. Vemos como Ortiz começa a reconhecer, a partir da diferença, elementos de positividade na cultura afro-cubana. A unidade nacional existirá no seio dessa diversidade. A liberdade moral, como ele a chama, não é absoluta, mas relativa. Dado que o espírito não é essencialmente mau nem bom, Ortiz encontrou na reencarnação postulada por Kardec uma alternativa ao determinismo biológico do *atavismo*. De novo Ortiz cita o próprio Kardec:

> Assim como temos homens bons e maus desde a infância, também há Espíritos bons e maus desde o princípio, com a diferença

> capital de que o menino tem instintos completamente formados, enquanto o Espírito, ao ser formado, não é bom nem mau, mas tem todas as tendências, e em virtude de seu livre-arbítrio toma uma ou outra direção.[28]

Assim, a versão espírita do *atavismo* consiste, em essência, num estancamento do progresso espiritual na passagem de uma vida a outra. Enquanto os espíritos superiores continuaram progredindo, os *atávicos* só representam uma regressão em relação ao estado de avanço dos demais: são espíritos que trazem à vida encarnada um espírito "atrasado".

Mas não cabem retrocessos na construção da nação. O pensamento político de Ortiz não se deixa entender sem referência a Kardec e à possibilidade utópica de que todos se integrem ao progresso espiritual.[29] Tal noção de "progresso" se concebe de modo orgânico com a evolução biológica:

> A filosofia espírita nasce da existência de um Ser Supremo, Deus, criador de todas as coisas e da existência imortal dos espíritos. Mas o espiritismo se distingue de outros credos religiosos, porque vem a ser uma teoria evolucionista da alma, teoria decerto antiga, mas cuja revivência moderna se deve ao espiritismo e à teosofia. De fato, os espíritos são criados imperfeitos, e sua existência se desenvolve ao longo de uma série infinita de provas dolorosas que o despertam, fortalecem suas faculdades e o elevam até os estados superiores da evolução psíquica, da mesma maneira que, segundo os biólogos materialistas — Sergi, por exemplo —, os seres que entram dentro do campo de sua visualidade, da ameba aos grandes mamíferos, progridem e se transformam e se fazem inteligentes pela dor, na série infinita de *provas* que supõe o contato constante com o meio ambiente.
>
> O fim do espírito é progredir, ascender, elevar-se sempre e acercar-se de Deus. Na história natural dos espíritos não há regres-

sões; pode haver estancamentos, situações de quietude, mas nunca de retrocesso.[30]

Por outro lado, a harmonização do material e do espiritual se traduz na "teoria da beleza" que Ortiz toma de Kardec, que explicava as diferenças raciais estabelecendo uma correlação entre a beleza corporal e a escala evolutiva dos espíritos. Sua estética racial situava o "negro" num lugar próximo ao dos animais. Ortiz cita Kardec:

> O negro pode ser belo para o negro, como o é um gato para outro, mas não é belo no sentido absoluto; porque seus traços toscos e seus lábios grossos acusam a materialidade dos instintos; podem muito bem expressar paixões violentas; mas não poderia se acomodar aos matizes delicados do sentimento e às modulações de um Espírito distinto.[31]

Assim, na evolução da alma, o "negro" iria devagar desprendendo-se dos traços físicos que o caracterizam, para aproximar-se do "branco".

Na apropriação que Ortiz faz do "credo reencarnacionista", observa-se o germe do conceito da *transculturação*. Em seu ensaio "La cubanidad y los negros" (1939), ele elaborou a expressiva e célebre metáfora do *ajiaco** como emblema da nacionalidade. Nesse texto, interpretava "os abraços amorosos" da mestiçagem como "augúrios de uma paz universal dos sangues [...] de uma possível, desejável e futura desracialização da hu-

* Espécie de caldo de carne, legumes e pimentão (o "cubanísimo *ají*", como dirá Ortiz), que pode ser pensado como o equivalente da invenção da feijoada como metonímia do Brasil. A expressão tem em Cuba também o sentido de uma "confusão", com conotações sociais e políticas.

manidade" (p. 6). Já na década de 1930, Ortiz negava as hierarquias raciais, embora não tivesse abandonado a fundamental noção kardecista de progresso espiritual, apresentada aqui como *desracialização*.[32] Da mesma forma, ele substituía a categoria de *mestiçagem* pelo conceito de *transmigração*, enriquecendo suas possibilidades interpretativas ao oferecer um tecido complexo de relações e encontros:

> Não acreditamos que tenha havido fatores humanos mais transcendentes para a cubanidade que essas contínuas, radicais e contrastantes *transmigrações* geográficas, econômicas e sociais dos povoadores; que essa perene transitoriedade dos propósitos e que essa vida sempre desenraizando-se da terra habitada, sempre em desajuste com a sociedade que a sustenta [...].[33]

A noção de *transmigração* como um desajuste espacial e temporal já se encontrava perfilada em *Los negros brujos* e *La filosofía penal*, onde Ortiz aplicava a teoria espírita da evolução das almas. "La cubanidad", peça fundamental na formulação do conceito de *transculturação*, desenvolvia novos modos de interpretar a cultura nacional, aproveitando as conceitualizações kardecistas da ordem espiritual. Em consonância com a "regressão" espiritual em *La filosofía penal*, ou ao adiantamento do meio em relação ao africano em *Los negros brujos*, "La cubanidad" retém a categoria de deslocamento para explicar o lugar do "negro" na cultura cubana. Cada encarnação permite um acesso ao aperfeiçoamento: cada vida é, portanto, histórica e transformável. Vale a pena deter-se na seguinte passagem, em que Ortiz deixa ver claramente o aspecto espiritualista de sua formulação da *transculturação*:

> *Os negros trouxeram com seus corpos seus espíritos* [...] mas não suas instituições, nem seu instrumental. [...] Não houve outro

> elemento humano em mais profunda e contínua *transmigração* de ambiente, de cultura, de classes e de consciências. Passaram de uma cultura a outra mais potente, como os índios; mas estes sofreram em sua terra nativa, *crendo que ao morrer passavam ao lado invisível de seu próprio mundo cubano*; e os negros, com sorte mais cruel, cruzaram o mar em agonia e *pensando que mesmo depois de mortos tinham que retornar para reviver além, na África, com seus pais perdidos* [...].[34]

A *transculturação* tem um aspecto espiritualista inegável, e a contribuição filosófica de Kardec ao pensamento de Ortiz não pode continuar a ser ignorada. No pensador cubano encontramos a nacionalização, historicização e antropologização da crença kardecista na *transmigração* das almas. É a *renovatio* que continuava fascinando Ortiz. A *transculturação* se construiu tomando como fundamento as categorias de *transmigração*, deslocamento, progresso espiritual e evolução. Não posso comentar aqui o *Contrapunteo cubano del tabaco y el azúcar*, mas não será difícil para o leitor descobrir a espessura do conceito de *transculturação* enriquecido pelo referente de Kardec. Para Ortiz a história da humanidade é também uma história das almas em *transmigração*. A lição que ele tomou de Kardec ressoa de maneira silenciosa em seus textos fundadores da nacionalidade cubana: o espírito é irredutível ao corpo.

5. A memória rota

Se tudo o que resta do passado são as incompletas e enevoadas lembranças que chamamos de tradição, isso oferece ao artista uma atração peculiar, pois, nesse caso, ele fica livre para preencher as lacunas da memória de acordo com os desejos de sua imaginação e para retratar o período que quer reproduzir segundo suas intenções. Quase se poderia dizer que, quanto mais vaga uma tradição, mais útil ela se torna para um poeta.

Sigmund Freud, *Moisés e o monoteísmo*

1.

Um homem está por morrer, e fala. *Hoy recuerdo: es un día venturoso/ de cielo despejado y clara tierra* [Hoje recordo: é um dia venturoso/ de céu amplo e terra clara]. A voz de Luis Palés Matos, nesse grande poema de esquecimento, memória e morte que é "El llamado" [O chamado], fixa os valores da lembrança. Por meio da escrita, as recordações vão adquirindo mais realidade que a vida cotidiana, salvando-se do contingente. *Gravar*, para que a imagem permaneça legível, é um dos sentidos da palavra *memória*, inclusive na época dos computadores. Derrida nos recorda, em seus ensaios *Memorias para Paul de Man*, que a figura mítica e alegórica da Memória, "Mnemosyne", era, para Sócrates, a mãe de todas as musas.

Agora que assistimos ao vazio produzido pelo retraimento dos modelos clássicos de recordação coletiva e ao triunfo da cultura como espetáculo, talvez valha a pena regressar ao significado e à prática da memória. Eliminar, apagar, separar: parece ser a condição da cultura — e da política — dominante, na Argentina, na Guatemala, em Porto Rico, na "nova ordem" imperial. Palés Matos nos lembra como atua a memória para nos constituirmos, enlaçando-nos com um passado que ela constrói.

Como recordam os poetas? Como recordam as sociedades? Em "El llamado" a voz de um homem que está por morrer diz a sua verdade. A literatura tem voltado muitas vezes, com variantes, à situação daquele que fala diante da morte. Palés trabalha, como Borges no "Poema conjetural", uma forma que encontrou na literatura. Aquele que escreve põe sua marca sobre uma tradição, naquilo que outros fizeram, mesmo quando seja para desajustar o modelo. É uma das maneiras de recordar. Margot Arce de Vázquez (1904-90) o viu bem em sua leitura desse texto de Palés, com suas evocações de Fray Luis [de León], [Rubén] Darío e [Antonio] Machado que estão em "El llamado". Palés trabalha o velho lugar literário do *memento* da Morte e dos mortos e, é claro, a adesão pagã ao prazer, ao *carpe diem*, um momento fugaz de felicidade. Em "El llamado" recupera, além disso, a posição do *vidente*, aquele que olha e vai contar o que contempla, que é sua própria dissolução. No poema ele trabalha também o motivo da "barca romântica" que, como mostrou Gaston Bachelard em *A água e os sonhos*, convida à viagem imaginária, ao "sonho conduzido". Trata-se de uma abertura e uma certeza:

Estoy frente a la mar y en lontananza
se va perdiendo el ala de una vela;
va yéndose, esfumándose,
*y yo también me voy borrando en ella.**

Recorda o futuro, que contém uma só certeza, e esta é a morte. E recorda uma corrente fecunda, que é a tradição poética: *estoy frente a la mar.*** Palés, antes da morte, pôde experimentar essa viagem sem retorno. Mas essa recordação *diante* da morte provoca de imediato outra, a do amor. No *aire de otoño* [ar de outono], recolhida e distante, a morte transmite seus gestos. A morte o chama, ouvem-se suas vozes débeis, que ao mesmo tempo se ocultam: *mano fugaz de nube que en el aire de otoño se dispersa* [mão fugaz de nuvem que no ar do outono se dispersa]. Mas o reflexo radiante da luz do *cielo despejado* [céu aberto] irradia beleza e recorda o calor do corpo humano, que cumpre seus ritos: *Ahora, dormida junto a mí, reposa/ mi amor sobre la hierba* [Agora, dormida junto a mim, repousa/ meu amor sobre a relva]. O poder da sedução, o exaltado deleite dos sentidos, em especial a sensualidade misteriosa dos olhos que convidam ao rito cíclico, é o que a memória constrói. Essa é sua verdade constitutiva: uma memória corporal, na qual o corpo ganha forma, vida, volume e se impõe como verdade absoluta. O círculo mágico, todo lugar e nada de tempo, permite a liberdade do ser, apesar da vizinhança

* "Estou frente ao mar e ao longe/ se vai perdendo a asa de uma vela;/ vai-se indo, esfumando-se,/ e eu também vou-me apagando nela."
** "*Mar*" é substantivo de dois gêneros em espanhol, mas a utilização da forma feminina é mais comum na poesia.

da morte. É a memória do irrestrito gozo do amor na terra, as histórias do corpo, Adão e Eva, elevadas a uma dimensão redentora:

> *Mas de pronto, despierta,*
> *y allá en el negro hondón de sus pupilas*
> *que son un despedirse y una ausencia,*
> *algo me invita a su remota margen*
> *y dulcemente, sin querer, me lleva.**

Estamos diante de uma visão edênica recordada mil vezes na literatura. Um universo pletórico, harmonioso, como as ilhas antes de serem achadas. Nesse *arrullo narcótico* [arrulho narcótico] de Eros, há um segundo nascimento que é ao mesmo tempo vida e visão: a alteridade do outro termina abolida. Essa imagem é exacerbada, contudo, pela proximidade da morte: *Me llaman desde allá* [Me chamam de além]. E, sobretudo, pela contraposição desse mundo erótico e perfeito, um rito privado, no qual a perfeição não está isenta de agressividade (*cuerpo de trampa y presa* [corpo de armadilha e presa]), com o mundo da *caída* [queda], isto é, com o mundo esvaziado de todo sentido, estéril, que o rodeia: *a su redor, en grumos de silencio/ sordamente coagula la tiniebla* [ao seu redor, em grãos de silêncio/ surdamente coagula a treva]. A oposição é como esse deserto, esse vazio: outro *mar* de água impura, dessa vez um *mar hueco* [mar vazio], inerte e sem vida, que agora revela as implicações profundas da metáfora. É uma imagem de derrota e de terror, o desencanto do mundo, sem mediação possível, todo o contrário de seu poema "Mulata-An-

* "Mas prontamente desperta,/ e lá no fundo negro de suas pupilas/ que são um despedir-se e uma ausência/ algo me convida a sua remota margem/ e docemente, sem querer, me leva."

tilla", e do *tibio mar* [tépido mar] que ali se constrói. Mas Palés se deleita na reiteração e nas simetrias das oposições:

Un mar hueco, sin peces,
agua vacía y negra
sin vena de fulgor que la penetre
*ni pisada de brisa que la mueva.**

Memor, a palavra latina, segundo comenta David F. Krell em *Of Memory, Reminiscence and Writing*, seu erudito livro sobre reminiscência e escrita, pertence a um núcleo semântico associado sempre com o pensamento como atividade, como prática. *Imprimir*, para os antigos filósofos e poetas, era uma maneira de não esquecer, uma atividade. A memória está com frequência associada à escrita ou à iconografia, a tudo o que torna possível a conversação, para ser recuperado em outro momento. A *tabula rasa* era isso, precisamente, uma tabuleta de cera, na qual se podia imprimir e, é claro, apagar. Palés, antes de morrer, quer *imprimir* seu desejo salvador. Seu desejo não é a cultura como algo abstrato, mas sim a cultura que lhe permite manifestar a memória do prazer e do corpo.

Ele também se propunha, de forma sutil e velada, *imprimir* sua consciência reflexiva e autônoma, angustiada, diante do insidioso mundo em que lhe coube viver: o mundo do "progresso" tecnológico e industrial do pós-guerra. Nos últimos anos de sua vida, na década de 1950, longe já da poesia política de *Tuntún de pasa y grifería*,** volta ao seu modo predileto, alegorizando mundos frustrados. A vanguarda futurista e construtivista — seus velhos

* "Um mar oco, sem peixes,/ água vazia e negra/ sem veia de fulgor que a penetre/ nem pegada de brisa que a mova."
** Ver o capítulo 1.

amigos — estava no centro, no poder, e na Compañía de Fomento Industrial. Exaltavam a máquina, a publicidade comercial, e manifestavam sua fascinação com a utopia industrial. Ele mesmo, é claro, havia defendido e exaltado os projetos das vanguardas. Mas agora a utopia tecnológica impunha sua hegemonia, novos pontos de referência, e uma reorganização da própria vida cultural porto-riquenha e de suas práticas sociais. A modernização era um imperativo que tendia a ver seus críticos como "anacrônicos", fora da "realidade". Palés lê essa "modernidade" como um pesadelo, um mundo corroído por uma grande angústia: *fondo inmóvil de sombra/ límite gris de piedra* [fundo imóvel de sombra/ limite cinza de pedra]. Era uma solidão incomunicável, diante de um mundo perverso e complexo. Palés se reconhece em sua marginalidade.

Como Tomás Blanco,* e assim como Margot Arce de Vázquez, leitora de ambos, Palés retomava o velho papel romântico do "artista", sacralizando de novo a poesia e o amor. Freud, em seus ensaios sobre *Moisés e o monoteísmo*, citava Schiller para falar da condição necessária da recordação: *o que viverá imortalmente no poema deve perecer nesta vida*. Em meio a tanto "progresso" e deslocamento, Palés volta à *repetição* dos lugares poéticos. Dentro e através das formas poéticas, redescobria a sua verdade. As transformações do país ameaçavam destruir todos os lugares da memória. Diante dessa ruptura da continuidade da fala comunitária — a memória rota —, Palés reinscreveu as verdades do corpo nos velhos códigos da poesia. Reivindicou, de modo conservador, o lugar da arte na cultura. Sua eleição pressupunha a reabilitação de um modo de vida e de memória, e uma nova espiritualização das relações humanas.

O passado e o presente coexistem na literatura. Como tinha postulado Bergson, há "regiões" do passado que coexistem em nós. O arcaico podia ser renovado, como nos velhos boleros. E

* Ver o capítulo 2.

Palés, na era industrial, traslada o sentido da *fábrica* ao corpo: *Miro esa dulce fábrica rendida* [Olho essa doce fábrica rendida] que *manufactura la caricia aérea* [manufatura a carícia aérea]. A única liberação possível estava nessa *fábrica* poética que ele resgatou e acentuou, oferecendo outra visão paradigmática do significado da vida e da morte. A "fábrica" da poesia lhe garantia os fios de continuidade entre tanta dispersão e surgia como sagrada fonte inspiradora que tornava possível uma vez mais a autonomia da literatura frente aos projetos culturais e políticos da modernização triunfante. A literatura, escreveu Ricardo Piglia, "é uma forma privada da utopia" que permite negar a realidade. E aí está, rigorosamente gravada e exposta como texto em "El llamado".

Devemos a Margot Arce de Vázquez o que podemos hoje refletir sobre o lugar da arte e sobre a memória rota, sobre Palés e sua reativação da tradição literária. Diante da memória rota, ambos praticaram a arte da memória. Ela, sem renunciar a seus pressupostos, nos estimulou a reconstruir livremente aquelas tradições. Quero *gravar* aqui seu nome.

2.

César Andreu Iglesias (1915-76) teve a valentia de assumir o conflitivo da memória. Soube reconhecer que não era possível avançar na busca de novas respostas se não se construísse outra memória. É óbvio que nos separam muitas coisas desde que Andreu Iglesias escreveu seus principais textos. No entanto, as perguntas que propôs subsistem, e a honestidade moral e intelectual que guiou sua prática política são hoje mais pertinentes do que nunca. Quero *gravar* aqui seu nome.

Muito antes do desmoronamento sem precedentes dos governos socialistas na Europa oriental e da espetacular queda das estátuas na União Soviética, Andreu Iglesias publicou — em 1956 — o romance *Los derrotados*. A derrota dos nacionalistas *albizuistas** provia os fatos que configuram a trama narrativa. Alguns a leram, escandalizados, como um ataque aos militantes nacionalistas. Mas César Andreu era demasiado lúcido para negar ou silenciar os debates sobre o ocorrido. Tampouco quis evitar o enfrentamento com a dissolução dos comunistas porto-riquenhos, em cujo partido ele mesmo havia se formado intelectual e politicamente. Com seus ensaios de romance dos anos 1950 e 1960, preparava-se para o que logo seria sua excelente contribuição para a recuperação dos lugares da memória porto-riquenha: as *Memorias de Bernardo Vega*, texto que ele organizou e reescreveu nos anos 1970. E se preparava, ademais, com as armas da polêmica e da sátira, para seu grande panfleto *Luis Muñoz Marín: Un hombre acorralado por la historia* [um homem encurralado pela história], que teve um impacto extraordinário quando publicado nos inícios dos anos 1960, em sua coluna do jornal *El Imparcial*.

Andreu Iglesias tinha escrito *Los derrotados* em seu refúgio nas Indieras de Maricao,** onde se instalou enquanto se prolongava nos tribunais o processo contra os comunistas porto-riquenhos. Aquele retiro era real e simbólico: era impossível retornar aos portos de partida. Georg H. Fromm, na biografia intelectual e política que publicou pouco depois da morte do escritor, *César Andreu Iglesias: Aproximación a su vida y obra* (1977), contou sobre esse difícil período. O problema que se apresentava era como

* Relativo a Pedro Albizu Campos, o grande líder nacionalista porto-riquenho. A narrativa de César Andreu Iglesias que vem a seguir retoma detalhes da história dos embates pela autonomia política em Porto Rico, no contexto da Guerra Fria. Mais referências podem ser encontradas no capítulo 1.

** Localidade a oeste da ilha, próxima à sua cordilheira central.

escrever ao mesmo tempo sobre o país e sobre a oposição à qual pertencia, e escrever de uma espécie de exílio interior imposto pelo macarthismo. O país, nos anos 1950, estava amordaçado; o desenvolvimentismo populista exigia a disciplina social. A oposição se encontrava entre a perplexidade e o sobressalto. Era um clima autoritário.

Los derrotados é um texto que nasceu na derrota, convertendo-a em referência ineludível. Propunha uma interpretação do fracasso político dos socialistas e nacionalistas. A práxis intelectual de César Andreu nos mostra que o que parecia o fim da utopia não levava necessariamente ao silêncio. Ao contrário: o fracasso gerava uma nova poética que apelava à memória compartida, uma história ainda próxima e muito dolorosa, de ilusões, cárcere, interrogatórios e dúvidas existenciais dos militantes.

Em todo enfrentamento crítico com o próprio passado pulsa implícita a esperança de um novo começo. O gênero "romance político" serviu a César Andreu para ficcionalizar o debate, e lhe oferecia uma abertura para a dissidência intelectual. A discussão que se propunha no interior da ficção era a rigor sobre a função e a ética das vanguardas políticas. Mas ao mesmo tempo se abria ao debate sobre os tropeços, os equívocos e as paixões que humanizam os militantes. Um dos personagens expressa ao final do texto a visão dialética e esperançosa do processo: "A história é uma sucessão de vitórias e derrotas [...] nunca é derrota completa a que nos ajuda a descobrir o caminho a seguir".

As continuidades, no entanto, eram difíceis no Porto Rico do pós-guerra. Depois da Segunda Guerra, o centro de gravidade do poder político se via radicado no triunfante Partido Popular e seu Estado Livre Associado.* Muitos associavam os nacionalistas com o fascismo e o franquismo, com seus sonhos imperiais e sua

* Ver, também aqui, o capítulo 1.

capacidade ilimitada para a destruição e o genocídio. O estalinismo lograva identificar socialismo e autoritarismo. Por outro lado, o macarthismo e os famosos tribunais de atividades antinorte-americanas estenderam, em nome da democracia, todo o seu poder em Porto Rico contra socialistas e independentistas. A repressão alcançou inclusive os militantes do Partido Independentista, apesar do seu esforço por inserir-se na luta parlamentar e civil. A nova militarização que supunha a Guerra da Coreia reforçou os vínculos entre o Estado e as Forças Armadas, e teve um peso fundamental na cultura política porto-riquenha. A dispersão da emigração maciça ia transformando com rapidez as redes políticas e sindicais e a noção mesma de um "centro". Os setores mais radicalmente contestatórios ficavam encurralados ou estigmatizados. Enquanto isso, a grande maioria dos porto-riquenhos sentia que tinha sido incorporada como cidadãos politicamente efetivos e que as reformas educativas e sociais eram conquistas reais.

Esse contexto exigia uma recolocação de distintos grupos no campo cultural e intelectual. Exigia, ademais, a construção de outra memória. Andreu Iglesias não era um intelectual academizado, não era um "profissional", nem havia pertencido à boêmia literária. Era um intelectual de partido, tradição difícil de entender hoje, quando é impossível formar-se intelectualmente nos partidos porto-riquenhos. Mas tinha ficado sem partido. Que fez então? Ajudou a fundar o Movimiento Pro Independencia, o jornal *Claridad*, e seguiu em frente com o trabalho sindical, que nunca abandonou. No clima renovador dos anos 1960 encontrou novos interlocutores e colaboradores. O lugar da tradição de "esquerda" mudou de forma considerável na vida porto-riquenha durante esse período, em grande medida devido ao impulso utópico e às expectativas criadas pela Revolução Cubana. Andreu Iglesias e seus textos passaram a circuitos de maior visibilidade pública.

Nessa luta, sua contribuição teórica às novas definições do marxismo porto-riquenho foi tão importante quanto sua crítica à revolução entendida como razão anônima, abstrata e universal. Se algo se destaca na prática de Andreu Iglesias — independentemente de seus erros, contradições e acertos — é a constante capacidade crítica e sua manifesta desconfiança diante do culto à personalidade e diante daqueles que se acreditam portadores absolutos da verdade revolucionária. Nos anos 1950 defendera o direito à crítica interna: "A crítica não pode florescer num ambiente de proceridade infalível, puritanismo político ou messianismo patriótico". Mas a crítica nunca solapou sua fidelidade às tradições que o tinham formado, apesar de suas exigências de reconsideração política e teórica. Assim, por exemplo, quando morreu Albizu Campos, escreveu: "Albizu foi a consciência de Porto Rico [...] denunciou quando havia que denunciar, acusou quando havia que acusar, e esteve sempre disposto a arrostar as consequências". Mas ao mesmo tempo Andreu Iglesias se distanciava da concepção religiosa da luta política que marcou a tradição independentista e que em muitas ocasiões levou à estetização da violência: "A luta de independência, para triunfar, há de ser o ponto em que converge uma diversidade de interesses. Por isso, não bastam a pura coragem e o puro sacrifício".

Essa mesma consciência democrática o levou, em 1970, a romper com o Movimiento Pro Independencia (MPI), e com o Partido Independentista Puertorriqueño (PIP) em 1973. Uma vez mais se viu sem partido, ainda que não sem tradição. Quando se convenceu de que havia uma nova crise na luta política, dedicou suas energias a uma obra esplêndida, as *Memorias de Bernardo Vega*, livro-chave da moderna cultura porto-riquenha.* Rompeu

* Referência às memórias do ativista político Bernardo Vega (1885-1965), que viveu como emigrado em Nova York. Para mais detalhes, ver o capítulo 1.

com a *memória rota*, com o silêncio sobre a emigração e a história dos trabalhadores porto-riquenhos. Pôs todo o seu talento e seu saber histórico a serviço da forma das *Memorias*, à recuperação consciente de seu território mais vital e mais crítico, e à reflexão sobre a noção mesma de *território* cultural e político. Nesse livro também está, como subtexto, o relato das paixões que animaram a vida de Andreu Iglesias, e sua honestidade moral e intelectual. Por fim pôde construir-nos uma larga tradição.

3.

Para o olhar imperial, tão profundamente arraigado na imaginação liberal intelectual norte-americana, a história dos colonizados mal existe. Ou existe apenas nas sombras de margens apagadiças, como as comunidades porto-riquenhas que levam a vida nas cidades norte-americanas. De uma posição de supremacia cultural, própria de todo *orientalismo*, o Outro é o exótico, o estranho ou ameaçador que perde ou altera sua significação conforme seja necessário, e que só de modo passageiro perturba o curso dos acontecimentos. É o antigo arquétipo de Próspero e Caliban. O poder normativo do conhecimento é inseparável das relações de poder.

No saber institucionalizado nas universidades dos Estados Unidos, o lugar de Porto Rico é muito incerto. Como não é nem "latino-americano" nem "norte-americano", termina por borrar-se. Muitos não veem aí nem sujeito histórico nem fins. A história porto-riquenha é um relato que não conta, e que, por isso, não se conta. Não está nem antes nem depois, está fora, sem complexidade, sem heterogeneidades internas, sem tensões políticas e afetivas. É o puro não ser.

A exclusão tem sido a norma. O porto-riquenho é uma eterna fronteira ignorada e desprezada, ou um espaço neutro tratado com desconfiança. As categorias nacionais e culturais dominantes nos Estados Unidos e na América Latina e a situação colonial porto-riquenha levam com frequência a negar a memória histórica, ou a situá-la num "fora" desdenhoso ou paternalista, e quase sempre enigmático. É uma memória muitas vezes negada, e rota. Nesse sentido se repete uma experiência profundamente americana e colonial, o que Serge Gruzinski, ao estudar o impacto da conquista espanhola do México, chamou de *memória mutilada*: um passado que se deseja reprimir, e que levou à destruição dos templos, da continuidade.

Para alguns "experts" latino-americanistas, é perfeitamente aceitável não saber nada dos códigos da cultura porto-riquenha e suas formas de vida. A rejeição do porto-riquenho por alguns setores latino-americanos adota uma grande variedade de formas, sobretudo nos centros metropolitanos, quando essas elites fazem um esforço enorme por marcar sua diferença. De fato, ela serve para demarcar fronteiras e espaços. Não é raro em Nova York que os profissionais espanhóis, cubanos, colombianos ou argentinos proclamem numa reunião que eles são *latino-americanos*, não porto-riquenhos. A diferença ilumina, aclara: necessita-se que os "outros" sirvam de suporte para a identidade respeitável, ao mesmo tempo que se confessam medos e repulsões. Apresenta-se como o transporte diante do opaco, a tese que cria a antítese.

Esses preconceitos classistas e culturais são compartilhados por setores da própria elite porto-riquenha que sustentam uma concepção monolítica e vertical do nacionalismo "cultural". Reproduzem com frequência essa recusa, essas dicotomias e exclusões. Creem-se depositários da "verdadeira" identidade nacional e consideram intolerável a complexidade dos misturados ou "assimilados", um atentado contra a pureza do ser.

Antes era a estranheza diante do "*jíbaro*"* ou a alteridade do mundo afro-porto-riquenho. Agora há exemplos de uma obviedade escandalosa, como o preconceito contra os dominicanos. Assim, a reação visceral dos que se creem autorizados a repudiar os porto-riquenhos que migraram levou há pouco à extraordinária situação de que se fale na ilha de planos de criação de um Estado e de modificações possíveis da cidadania, embora excluindo de maneira escrupulosa os próprios porto-riquenhos que a situação colonial dispersou. A alteridade — e a intolerância — começa em casa, profundamente condicionada pela ideologia colonial. É a linguagem do poder — internalizado na colônia — disposto a uma espécie de higiene social.

É muito fácil cair, em nome da identidade "nacional", no mesmo essencialismo e orientalismo do olhar imperial. Partha Chatterjee, em seu ensaio sobre o pensamento nacionalista no contexto colonial, postulou-o com lucidez. O discurso nacionalista nega a superioridade cultural do poder imperial, mas com frequência se apropria da pretensa racionalidade ocidental e a converte em discurso de poder. O pensamento essencialista, excludente, perdura. Os juízes seguem sendo os juízes, implacáveis.

Como repensar hoje essas construções interpretativas que levam a uma memória mutilada? É possível reescrever a história contra esses saberes? Com uma força de fecundidade extraordinária, Edward W. Said mostrou em seu livro *Orientalismo* o caráter político do conhecimento e de toda uma tradição intelectual. Suas perspectivas teóricas — apoiadas em Foucault e em Raymond Williams e em suas releituras de intelectuais como Fanon, e, sobretudo, em sua própria experiência como intelectual palestino e um longo exílio — estão cheias de uma rica sensibilidade

* Camponês, muitas vezes idealizado pela cultura oficial e oficialista porto-riquenha. Ver capítulo 1.

e de um espírito emancipador que nos permitiriam repensar os aspectos centrais da dominação colonial, e da longa tradição de questionamento desse saber. Aprender da lição que nos oferece seu pensamento significa a possibilidade de repropor os grandes problemas do imperialismo e do nacionalismo.

Para Said, o imperialismo moderno se apresentou sempre como um fato intelectual e moralmente legítimo. O "Ocidente" aparece como o sujeito da racionalidade. A essencialização do "Oriente" era necessária para reafirmar a identidade e a superioridade do "Ocidente". O Oriente — como o mundo dos "índios" americanos, ou as culturas africanas — aparece, com todas as gradações intermediárias, sob a figura do bárbaro, do primitivo, do exótico, ou de um mundo em decadência. Quando Said descreve o discurso *orientalista*, refere-se a um consenso, a um sistema de representações, "verdades" sociais ou biológicas que têm sua própria história e que determinam o modo em que se pode falar de seu objeto. Responde à necessidade de enquadrar, de classificar, e ao mesmo tempo desencadeia e determina toda uma linguagem sobre seu objeto que vai da simpatia à repulsão. O que a atitude orientalista no século XIX tentou foi, escreve Said, "descrever o Oriente como estrangeiro e, ao mesmo tempo, incorporá-lo esquematicamente a um palco teatral cuja audiência, administrador e atores são *para* a Europa, e só para ela".

O *orientalismo* é um saber, sem dúvida, com uma grande consistência discursiva e uma tradição intelectual que cobre vários campos e a cada momento gera textos novos. Mas é um saber estreitamente aparentado às formas mais refinadas de dominação colonial, e que percorre todas as redes em que se forma a dominação. Said descreve a genealogia desse saber e traça um horizonte teórico para seu estudo. Ao mesmo tempo, ressalta que a memória histórica imperial e colonial é um sistema de práticas e instituições que criam suas próprias definições para enquadrar a alteridade. Por outro lado, seu respaldo entusiasta à equipe indiana dos Subaltern Studies (Ranajit Guha, Shahid Amin, Partha Chatterjee e outros), um grupo de historiadores que se propuseram a romper com a historiografia imperial e com sua mimese na historiografia nacionalista, mostra que Said mantém sua fé na possibilidade de recuperar outra memória pós-orientalista. Ele crê, para dizê-lo com palavras do Fanon das últimas páginas de *Os condenados da terra*, que é possível uma recuperação crítica da universalidade: "A construção nacional acompanha-se necessariamente da descoberta e da promoção de valores universalizantes". É uma maneira de romper com a perversidade da experiência colonial e com a mutilação da memória.

4.

Pode uma tradição intelectual — e sua memória — ser imprevistamente *ocupada*, invadida militarmente? Como se rompe a memória quando se coloniza uma tradição, quando se a devora?

Nestes anos miseráveis, de luxuosas celebrações e grandes espetáculos, de furor de prêmios, de sombrias montagens e encobrimentos publicitários, de ferozes censuras impostas pelo marketing, de razão desmemoriada e de esvaziamento intelectual do debate público porto-riquenho, os textos e as práticas de Luis Palés Matos, Margot Arce de Vázquez, César Andreu Iglesias, Bernardo Vega e Edward Said podem nos ajudar a refletir sobre essas perguntas. Eles encarnam a cultura como crítica e como debate. Podem ser colonizados em nome da cultura?

Todos eles — a lista, claro, é incompleta — constituem uma tradição moral, intelectual e estética que nos pertence. Podemos nos reconhecer nela como sujeitos, sentirmo-nos seus contemporâneos e seus cúmplices. É legítimo pensá-los como uma comunidade simbólica, e problematicamente utópica. Suas visões representam um conjunto de ilusões e de expectativas que nos permitem fixar nosso lugar no mundo, e fixar, *gravar*, uma larga tradição crítica. Sobretudo, uma tradição de distância frente ao poder imperial e seus muitos legitimadores porto-riquenhos, que no nosso caso têm sido "autonomistas" ou "anexionistas".

Nem Palés Matos nem César Andreu detinham o monopólio do discurso crítico. Haveria que resistir à tendência a emprestar "unidade" a todas as suas histórias. Mas o fato de não acreditarmos em histórias unitárias e totalizantes — hoje em crise ou sob merecida suspeita — não quer dizer que aceitemos o desaparecimento de todo sentido, ou da busca do sentido. Mesmo os relatos fragmentários, aludindo ou fazendo referência, pressupõem relatos unitários. Ou só há despedaçamento, dispersão?

Urge pensar no preço ético que teríamos que pagar se abandonássemos essa tradição, seduzidos pelo novo "grande relato" que defende que as sociedades carecem de sujeito ou de fins. É um tempo em que o espetáculo "cultural" marginaliza de maneira indefectível a cultura como crítica, e é necessário recuperar a memória de certas tradições e refletir sobre a forma como se constroem. As tradições intelectuais modernas não são lisas e homogêneas, como se nem uma onda sequer rasgasse sua superfície. Podemos aceitá-las de maneira fragmentária ou completa — apropriando-as — para falar a partir delas. Servem como horizonte interpretativo, uma abertura para o mundo.

Mas as tradições, mesmo as mais críticas, de fato podem ser anexadas e pervertidas, colonizadas, o que não necessariamente equivale a que sejam relegadas ou menosprezadas. As conquistas vêm mescladas com as misérias. Juan José Saer, o escritor argentino, nos recordava pouco tempo atrás que há tradições eletivas e outras obrigatórias. Um escritor, dizia, não pode ignorar as obrigatórias, ainda que seja para atacá-las. Num de seus ensaios, lamenta a apropriação da figura de Borges e suas opiniões políticas sobre o poder e a cultura oficial na Argentina, e escreve: "Como em sua realidade textual a obra de Borges recusa dogmatismo semelhante, pode-se considerá-la como uma obra ocupada no sentido militar do termo". O nome de Borges podia ser — e foi — usado, anexado, deixando de lado a poderosa interrogação crítica de seus textos.

Em Porto Rico, a crescente contradição entre a "afirmação" da "cultura" e o abandono da luta pela autonomia política real de uma comunidade colonizada é, a meu ver, uma maneira de colonizar uma tradição que deu sentido às formas mais variadas da cultura. Em outras palavras: invocar continuamente a "afirmação" da cultura, mas silenciando a grande tradição de luta pela constituição de um Estado e por uma cidadania porto-riquenhos, solapa o postulado da cultura como crítica. Equivale, em termos metafóricos, a uma perversa ocupação que se impõe com brutalidade no cotidiano. Algo morre, devorado pelo silêncio.

Palés Matos, por exemplo, instalou-se na instituição da boêmia. A partir dela fez sua grande obra literária, articulando de maneira poética a consciência da crise da cultura moderna, o que Max Weber chamou "desencantamento do mundo" e Freud analisou em *O mal-estar na civilização*. Seus últimos poemas se produzem frente ao embate arrebatador da coerção uniformizadora do "progresso" populista e frente ao abstrato entusiasmo pela Razão tecnológica que se apresentava como uma intransigente moral universal. Longe das honras da cultura oficial, Palés Matos "torrou" seu talento, esforçando-se para que seus textos não fossem facilmente anexados pelo triunfalismo político dos anos 1950, nem pelos ideólogos que queriam converter todos os intelectuais em funcionários obedientes e sem imaginação. No espaço público se glorificava o advento de uma transparência: o progresso. Mas, como poeta, Palés havia descoberto a política, e a contemplava com desconfiança, quando não com aversão. Deu-se ao prazer de primeiro violar o plácido sossego provinciano e logo resistir à tumultuosa corrida da "modernização", privilegiando o lúdico e o onírico diante do dogma de uma racionalidade total da história da arregimentação dos desejos. Ajudou-nos a ler Darío e Baudelaire, Fernando Ortiz e Gilberto Freyre, e a recuperar o campo do imaginário.

Margot Arce de Vázquez e César Andreu Iglesias, ela a partir de um espaço acadêmico, ele a partir da tradição do intelectual de partido e de seu trabalho teórico e sua ação política, realizaram uma obra crítica que era a um só tempo de integração e de ruptura. Ambos profetizaram o beco sem saída colonial em que haveria de se transformar o Estado Livre Associado, e mantiveram a crítica interna entre os separatistas. Resistiram à enorme sedução ideológica que exercia o Estado Livre Associado, combatendo as insuficiências da democracia representativa no contexto colonial e as ideias de progresso e liberdade impostas pelo modelo tecnológico de desenvolvimento. Sua recusa das máscaras sedutoras se deve ao poder da crítica. Adversários frontais de qualquer sistema de coação da liberdade, estiveram dispostos a aceitar a condição marginal do crítico e a assimetria básica do enfrentamento. Assumiram essa sequência de estranheza ou condescendência, de zombaria ou hostilidade que nossa sociedade repressora reserva para seus críticos radicais. Como Said e Bernardo Vega, nos ajudaram a ler Hostos, Martí e Mariátegui e, sem propô-lo de forma direta, toda a tradição anticapitalista que vai de Lukács e Benjamin a Gramsci e Bloch. É uma tradição que não apenas enfrenta os desígnios do Estado imperial como estimula os debates internos, reabrindo um novo terreno de reflexão e todo um jogo de alianças e de filiações. O presente modifica nossa visão do passado.

A energia crítica da negação pode ser fundadora de outra memória: com Margot Arce e César Andreu — tão distintos entre si e nos conteúdos de suas utopias — podíamos valorizar a distância crítica, intensificar a reserva e a oposição como condições e práticas intelectuais. Com Said podemos repensar como o olhar imperial penetra até os mais recônditos interstícios da vida colonial. Bernardo Vega construiu — desenhado sobre um fundo de esperança — o arquivo da diáspora e dos deslocamentos porto-riquenhos, e nos ensinou a assumir a dupla tradição, do dentro e do fora, que marca nossa vida no último século. Todos eles excedem seu contexto.

No entanto, quando a memória é *ocupada*, essa riqueza de pensamento fica reduzida a uma reiterada "afirmação" da cultura nacional e os textos passam à grande quietude das bibliotecas. De maneira conveniente, silencia-se a distância que todos eles marcaram perante o poder e a tradição dos chamados "autonomistas", frente ao Estado Livre Associado e suas alianças militares e imperiais, e, sobretudo, diante de suas oportunistas definições e redefinições da cultura. Esta se converte no que Castoriadis chamou de "duplicidade institucionalizada" da sociedade. Diz-se uma coisa e se faz outra, mas elabora-se um discurso coerente e pretensamente racional.

A ação da memória pode enlaçar essas figuras unidas por sua qualidade crítica. Ainda que seja incorreto supor uma afinidade inequívoca entre suas posições, elas nos ajudam a pensar nosso presente e a nos inserirmos na ordem simbólica que nos organiza. A memória pode conferir forma a uma tradição, evitando que se desgaste e morra — que seja colonizada — na triste e ruidosa confusão da política porto-riquenha. A memória livre é essa fidelidade à crítica que emerge de modo tão inexorável de suas vozes, e que estabelece a distância entre o que olha e o que é olhado, sem que essa tensão seja resolvida. Ao mesmo tempo, nos converte em observadores contaminados pelo observado, observadores que olham e no mesmo instante se sentem vistos e perscrutados.

"As armas e as letras caminham juntas": Cultura e imperialismo na América Latina e no Caribe

Entrevista com Arcadio Díaz-Quiñones, por Matheus Gato de Jesus e Fábio Nogueira de Oliveira.

Entrevistador: Em sua obra, em particular em *Sobre los principios* (2006), você assinala a importância das guerras de independência nacional para as diferentes configurações do universo intelectual latino-americano e caribenho. A frase "As armas e as letras caminham juntas" persegue o leitor. Que significados tem ela?

Arcadio Díaz-Quiñones: Eu poderia dizer também o contrário: que as armas e as letras caminham juntas e, às vezes, em direções opostas. No livro, interessou-me como, durante as guerras de independência, definem-se termos importantes como *hispano*, *latino-americano*, *venezolano*, *criollo*, *mexicano*. Há uma luta pela identificação diante do espanhol imperial. É um momento em que as letras lutam junto às armas. São elas que nomeiam, e a política muitas vezes é a possibilidade de nomear. Mas também me interessou o contrário, quando as letras vão contra as armas, e os escritores enfrentam definições dominantes. É a luta na própria linguagem: às vezes, sem armas, vão contra os que têm poder, isto é, os que detêm as armas. O tópos é o das "armas e as letras", e serve para pensar outras guerras, como as revoluções. Nos casos da Revolução Mexicana e da Revolução Cubana, por exemplo, a imagem do guerrilheiro heroico, do cidadão-soldado, desempenha papel central. Estou certo de que é também o caso de muitos momentos da história brasileira, quando os letrados que pertencem às elites desenvolvem discursos de identidade. Assim, outros que não são da elite também têm que enfrentar esse poder, que tem a ver com a cultura e a guerra, militar ou simbólica. Muitas vezes, no caso da literatura e das artes visuais, estamos no terreno da guerra simbólica.

E: Nesse mesmo livro, há um ensaio sobre o tema do guerrilheiro heroico, o soldado que escreve e discursa, em que você se refere a José Martí e à configuração desse lugar de enunciação central na literatura latino-americana. Poderia comentar mais a esse respeito?

ADQ: O caso de Martí é complexo e fascinante, porque nele encontramos a aliança entre armas e letras, o distanciamento, a oposição e a guerra simbólica diante dos líderes militares. O ensaio tem por título "La guerra desde las nubes" [A guerra a partir das nuvens], frase que Martí usa em seu ensaio sobre Ulysses Grant, e que é portanto sobre a Guerra Civil Norte-Americana. Ele faz algo extraordinário, ao ler e pensar as armas e as letras não apenas a partir de Cuba, mas a partir dos Estados Unidos. É o que muitas vezes fazem os grandes poetas e escritores: distanciam-se daquilo em que estão pensando. Na Guerra Civil Norte-Americana, Martí busca a aliança legítima entre armas e letras, porque se trata de uma guerra, como ele a entende, para salvar a nação e abolir a escravidão. Aceita essa interpretação da guerra civil e celebra a figura de Grant como general, embora depois faça eco às críticas a ele como presidente. Celebra Lincoln como presidente, mas é crítico de Grant, embora o celebre como general. É de uma complexidade extraordinária. Ao mesmo tempo, Martí constrói os fundamentos de uma nova história cubana para a guerra — "uma guerra breve, mas necessária" —, tratando também das divisões raciais e sociais cubanas, da guerra e da unidade.

Outro caso extraordinário foi o de Arturo Alfonso Schomburg (1874-1938), um dos intelectuais negros mais importantes da história dos Estados Unidos, que vem de Porto Rico e atuou, com Martí e outros, na luta contra o Império Espanhol ao final do século XIX. Mais tarde ele se transforma num intelectual afro-americano e constrói um arquivo: é o que faz como historiador amador, e logo sua coleção adquire tremenda importância, constituindo hoje um dos galhos da Biblioteca Pública de Nova York. Sua ambição foi reunir a história do mundo afro na América. Quando chegou a Nova York, Schomburg passou a fazer parte da "seção Porto Rico" do Partido Revolucionário Cubano, e ali entra em contato com cubanos da elite e de tradição trabalhadora. Há um grupo de cubanos negros em Nova York, alguns deles associados aos *tabaqueros* — os trabalhadores do tabaco —, que estão na base com Martí, alguns deles vinculados também à maçonaria negra. A Schomburg Collection vincula-se portanto à Guerra Hispano-Americana, de 1898, que é na verdade uma guerra hispano-cubano-norte-americana. Hoje se vê Schomburg como parte da diáspora afro-caribenha, que teve um papel importante em Nova York, inclusive no Harlem Renaissance. Trata-se de um letrado afro-caribenho que agora é também parte integral da tradição afro-americana.

E: Você citou um cubano e um porto-riquenho. Ao longo de nossas conversas, tem dito: "Sempre que falo de Porto Rico, quero também dizer Cuba; e quando afirmo Cuba, falo sobre Porto Rico". Esse procedimento narrativo é interessante porque aproxima duas realidades tradicionalmente percebidas como diferentes. Como essas ilhas se traduzem enquanto metáforas das relações entre cultura e imperialismo no Caribe?

ADQ: Sempre penso que é bom mudar de ilha para pensar alguns problemas. Digo-o metaforicamente, mas é necessário tomar distância. Algumas vezes estudei textos, autores e situações cubanas porque era também uma maneira de pensar em Porto Rico, ou na República Dominicana, ou na condição insular. É bom também mudar de época, voltando ao século XIX para falar do momento atual. Cuba e Porto Rico são diferentes, mas, ao mesmo tempo, têm um passado comum: colônias espanholas, relação problemática com os Estados Unidos, escravidão, açúcar, café, tabaco, migrações. Há processos sociais e culturais comparáveis. Mas "comparável" não significa idêntico. Gosto da frase de um crítico formalista russo que dizia: "Interessa-me a dessemelhança do semelhante". Mas não posso sempre falar de Cuba quando falo de Porto Rico. Havana foi uma cidade moderna importante no século XIX, pela produção açucareira e pela escravidão após a Revolução Haitiana. Mas a comparação é necessária, e eu poderia incluir outras ilhas, porque quando falo de migração penso no que está acontecendo também na Jamaica ou na Martinica. O Estado Livre Associado de Porto Rico pode, até certo ponto, comparar-se aos departamentos ultramarinos de Martinica e Guadalupe e sua relação com a França. Ou então falo da Jamaica, ou do Haiti, e penso na sua presença em Londres ou em Nova York: sua migração e sobretudo suas diásporas podem ser pensadas juntas, o que não acontece no marco da historiografia "nacional".

E: Falando em diferenças e semelhanças, há um capítulo interessante em *Sobre los principios* para se pensar a realidade brasileira, quando você relaciona a transculturação em Fernando Ortiz à transmigração das almas em Allan Kardec. É interessante porque o Brasil se apresenta — ou se apresentava — como país da mestiçagem, mas poderia se apresentar também como país do espiritismo, já que essa doutrina tem larga presença na vida social brasileira. Você poderia falar sobre esse tráfico de ideias entre tradições tão distintas?

ADQ: Gostaria de conhecer melhor as tradições intelectuais brasileiras e as tradições espíritas, mas também suas práticas. É difícil falar de um único espiritismo; precisamos falar de vários, pelo que li a respeito, no Brasil e também no Caribe. Espiritismo de elite, espiritismos de outras classes sociais e suas práticas e maneiras de entender a ideia da transmigração e da reencarnação. Fernando Ortiz publicou textos importantes que tinham sido ignorados pela crítica. O termo "transculturação" tem muito prestígio: assim como "mestiçagem", ele foi usado e abusado, numa perspectiva antropológica para uns e política para outros. Mas quase ninguém tinha prestado atenção aos textos sobre espiritismo de Ortiz. O kardecismo foi importante entre intelectuais e também entre setores populares. A ideia da transmigração foi, para Ortiz, um antecedente da transculturação. A transmigração das almas permite a transformação e o alcance de uma espécie de comunidade ideal, com o aperfeiçoamento dos espíritos. Não sei se é possível comparar com a ideia de mestiçagem no Brasil. Da forma como Ortiz a elabora, a transmigração das almas, em sociedades escravistas, enseja relações entre escravos e senhores. Não é uma categoria que se possa necessariamente usar para a abolição das classes sociais. Na transmigração, e talvez na transculturação, há espíritos que ainda estão em aperfeiçoamento.

Nenhuma das duas ideias, necessariamente, pode ser entendida em termos políticos como um processo democratizante. É diferente falar de reconhecimento das culturas afro-caribenhas, como faz Ortiz, e falar da hierarquia racial, intelectual e social dessas sociedades. Tendo a pensar que Ortiz tem um projeto nacional moderno, republicano, em que os espíritos que já alcançaram um nível alto, ou seja, aqueles que no espiritismo se chamam "adiantados" — outra forma de dizer "a elite" —, devem ser dirigentes.

E: Voltando à figura do guerrilheiro heroico e do soldado que escreve e discursa, haveria outros exemplos para se pensar na relação entre cultura e política na América Latina?

ADQ: Pode-se pensar no próprio Bolívar, que organiza a guerra e, ao mesmo tempo, está escrevendo textos fundamentais, como a "Carta de Jamaica". É um letrado e ao mesmo tempo um guerreiro. Sobre o guerrilheiro heroico, penso no ensaio maravilhoso de Ricardo Piglia sobre Che Guevara em *O último leitor*, em que ele faz uma leitura do Che como leitor e escritor. Na guerra, o Che sempre lê e escreve. Poucos meses antes de sua morte, o guerrilheiro está ali, imerso: é um letrado, produzindo textos e diários.

E: Você mencionou os momentos em que os nomes podem flutuar, quando ainda não estão estabelecidos. A Revolução Cubana parece ser um desses momentos em que se retira do lugar-comum a nomeação da realidade. Poderíamos perguntar, com Piglia, o que significa a leitura nesse momento em que as definições ainda não estão acabadas?

ADQ: É uma excelente pergunta sobre os momentos históricos definidores, quando um grupo ou um escritor nomeiam. Nomeando seu adversário, nomeiam sua utopia e caracterizam-se a si mesmos. Não é casual que, em seus primeiros anos, a Revolução Cubana tenha produzido importantes pronunciamentos sobre o que é uma revolução — tal e como eles a entendiam, bastante heterodoxa no princípio —, mas também sobre o que é a nação cubana. É interessante que em países como os caribenhos e como o Brasil, onde a escravidão foi central para a constituição da sociedade moderna, uns tenham nome e sobrenome e outros não, muitas vezes. Como disse o escritor cubano Manuel Moreno Fraginals, a primeira coisa que o escravo perde é o nome. Tampouco é casual que nos Estados Unidos um grupo tenha se autodenominado Black Panthers, com uma imagem também guerreira. E que no mundo latino, logo em seguida, tenha surgido outro grupo, sobretudo porto-riquenho, que se chamou Young Lords. Os Young Lords e os Black Panthers são exemplos de uma conjunção entre armas e letras, quando os guerrilheiros nomeiam-se a si mesmos, para então intervir na vida pública. Nos anos 1960 e 1970, eles realizam uma série de iniciativas surpreendentes, em Chicago e Nova York. São homens e mulheres jovens que recuperam uma história esquecida, marginalizada pelo macarthismo, pelo imperialismo e pelas elites porto-riquenhas. Inspiram-se na figura de Pedro Albizu Campos (1891-1965), o grande líder nacionalista que estivera preso por mais de 25 anos; recuperam a figura de Ramón Emeterio Betances (1827-98); reativam uma tradição que tinha sido marginalizada pelo Estado Livre Associado, e mais ainda nos Estados Unidos. Elaboram uma iconografia, voltam a ler textos, fazem um trabalho de recuperação intelectual e política de uma história de que precisam naquele instante. Interessam-me esses momentos em que há a recuperação ativa da história por grupos que precisam dela para intervir, que precisam de referências que lhes foram negadas e que se tentou apagar.

E: A tradução e a apropriação simbólica que os Young Lords fizeram dos Black Panthers nos anos 1960 levam a uma questão central do ensaio "A memória rota": como se transmite uma memória e uma tradição intelectual subordinadas?

ADQ: Interessou-me, em "A memória rota", o que acontece a partir das margens com o sentido da história. No livro em que originalmente apareceu o ensaio, eu tomava como exemplo o poeta Luis Palés Matos, que escreveu *Tuntún de pasa y grifería*, uma provocação muito forte porque celebrava a cultura e a linguagem afro-porto-riquenhas. Utilizei também o exemplo do intelectual comunista porto-riquenho César Andreu Iglesias, que igualmente se ocupou em recuperar a história dos trabalhadores porto-riquenhos e de sua militância, de suas instituições e de sua leitura — porque liam e escreviam nos seus jornais, desde o início do século. A memória de uma classe e de suas intervenções na vida: é o que propus em meu livro. Mas há muitos outros exemplos disso nos anos 1960 e 1970. Trata-se do começo do movimento feminista e do movimento gay, nos Estados Unidos, em meio à Guerra do Vietnã, na qual também participaram porto-riquenhos, porque havia recrutamento militar. No caso de Porto Rico, a história que poderíamos chamar "oficial" era feita de silêncios e censura. Havia imagens tranquilizadoras da aliança com os Estados Unidos. Por exemplo, imagens da guerra de 1898, quando os Estados Unidos tomaram a ilha, como uma espécie de bênção para os porto-riquenhos, de grande momento de modernização. Havia poucas imagens da vida porto-riquenha; o que havia eram silêncios e vazios, preenchidos por um discurso político. O projeto era criar bons cidadãos dos Estados Unidos, enquanto se privilegiava uma visão benigna da conquista e da colonização espanholas. Não por coincidência, uma das principais avenidas de San Juan era chamada, e ainda é, avenida Ponce de León, que foi o conquistador da ilha de Porto Rico. Tampouco é casual que uma das novas zonas de San Juan tenha sido chamada Roosevelt. Havia, nas ruas ou nos nomes, imagens que privilegiavam ora o antigo Império Espanhol, ora a relação com os Estados Unidos. Passei pelo sistema escolar porto-riquenho e a verdade é que não sabia de nada. É notável a ausência de visão histórica do lugar que se ocupa no mundo. Talvez esse vazio é que tenha permitido aos grupos de artistas e poetas — aos grupos de esquerda, sobretudo — elaborar imagens alternativas e construir outro marco.

E: Nesse sentido, uma tradição marginal seria transmitida como uma forma particular de ler esses silêncios e vazios da história tradicionalmente narrada?

ADQ: As tradições marginais podem ser reativadas, enfrentando o silêncio. O passado está presente, pesa sobre nós, embora muitas vezes de formas incompreensíveis. As tradições marginais precisam de uma articulação que nem sempre é a dos acadêmicos, ou dos historiadores profissionais. Por exemplo, na ilha, ou entre os emigrados porto-riquenhos em Chicago e Nova York, a música pode ser o grande conector. Estudiosos como Juan Flores, Ruth Glasser, Raquel Z. Rivera e Ángel Quintero Rivera estudaram a origem de muitos gêneros musicais, mas sobretudo o encontro de músicos e músicas caribenhas em uma cidade como Nova York; o encontro com a música afro-americana; as primeiras gravações de discos porto-riquenhos, feitas nas cidades norte-americanas; as casas discográficas, de onde, muitas vezes pela primeira vez, a música voltava à ilha em discos, e as pessoas podiam escutar e dançar. Há também uma tradição de artistas porto-riquenhos que fizeram gravuras, cartazes e serigrafias, cultivando uma memória histórica e imagens onde elas não existiam, porque estavam esquecidas e, sobretudo, reprimidas, excluídas da história mais ou menos oficial porto-riquenha. Os grandes mestres Lorenzo Homar (1913-2004) e Rafael Tufiño (1922-2008) e seus muitos discípulos — Antonio Martorell, José Rosa, Consuelo Gotay e Luis Alonso, entre outros — fizeram um trabalho extraordinário entre as décadas de 1950 e 1980. Construíram toda uma memória visual, em estreita relação com os poetas. Falamos de uma memória das margens, ou de uma cultura subalterna, mas trata-se de práticas muito específicas e de uma complexa trama de alianças e conflitos. Quando se fala de uma memória a partir das margens, parece que ela se limita a intervenções políticas diretas, discursivas. Mas não. O caso de Homar é interessante, pois sua trajetória ilustra a complexidade porto-riquenha no século XX. Ele se cria na ilha, vai muito jovem para Nova York e lá, já na década de 1930, começa a formar-se como artista. É muito marcado pela experiência da cidade, seus museus, artistas, e até pela experiência visual do *subway*. Mas também pela Guerra Civil Espanhola e as culturas de esquerda. Como porto-riquenho, ele também esteve no Pacífico durante a Segunda Guerra Mundial. Homar faz uma viagem invertida, pois volta a Porto Rico na década de 1950, quando milhares de porto-riquenhos emigravam para Nova York. Em Porto Rico, trabalha como artista na política educativa do Estado Livre Associado. Mas aí se reúne um grupo muito criativo, em que estão Irene Delano, José Antonio Torres Martinó, Rafael Tufiño e o próprio Lorenzo Homar. Os dois últimos são os mestres que, de dentro das instituições educativas do Estado, elaboram pouco a pouco uma memória visual inédita das figuras históricas importantes e também da cultura popular. Uma das primeiras obras de Homar, quando volta a Porto Rico com Tufiño, é um portfólio de gravuras da *plena*. A *plena* é um gênero musical popular afro-porto-riquenho absolutamente central. Os dois produzem o que é hoje um clássico da arte porto-riquenha.

Assim os artistas identificam aquilo que poderíamos chamar, com Gramsci, de "nacional-popular".

E: Você fala de Nova York como uma capital cultural para o Caribe e a América Latina. Poderia desenvolver mais esse aspecto, presente em quase todos os seus livros?

ADQ: Nova York é central e isso muitas vezes é esquecido. Desde o século XIX até os dias de hoje — da mesma maneira que Walter Benjamin escreveu sobre Paris —, para muitos caribenhos Nova York era a capital do século XIX: a cidade capitalista, que mantinha vínculos com o mundo açucareiro muito antes da guerra civil. Os laços entre Nova York, o Caribe e a América Latina são comerciais, porque Nova York era um porto fundamental, porque havia refinarias de açúcar e porque era um centro financeiro e bancário. Ao contrário do Brasil, onde muitos intelectuais viam Paris como centro, para outras zonas da América, por razões políticas, imperiais e por razões de migração e de diásporas, Nova York foi o centro. E o foi por razões também do mundo escravista. Isso explica que muitos cubanos da elite tenham se estabelecido na cidade ou mandado seus filhos estudar lá. No século XIX, o mundo hispânico em Nova York é sobretudo cubano. No final do século, chegam muitos *tabaqueros* cubanos, porto-riquenhos e espanhóis: o tabaco tinha também um papel importante na cidade. E aí é que estão Schomburg e Martí. E por que Martí se estabelece em Nova York em 1880? Trata-se de um jovem anti-imperialista, filho de imigrantes espanhóis, que fora deportado da Espanha, vivera na América, passara pelo México, pela Venezuela e pela Guatemala para enfim estabelecer-se em Nova York. Por quê? Porque, como demonstraram Lisandro Pérez e Rafael Rojas, há uma comunidade cubana e há possibilidades de trabalho — jornais em espanhol, traduções —, assim como grupos políticos organizados. Martí ganhava a vida ("Tenho o pão ganho, faça-se o verso", escreveu) como jornalista e tradutor. Para quem escrevia? Publicava uma coluna em *La Nación*, de Buenos Aires, e também em jornais mexicanos. Nova York era tão central que os jornais mais importantes tinham interesse em ter ali um correspondente — e encontraram Martí, um escritor genial também como cronista, e cujo trabalho jornalístico, aliás, foi estudado de maneira brilhante por Susana Rotker e Julio Ramos.

E: Você disse há pouco que "o passado pesa sobre nós". No livro *La memoria rota*, há um ensaio intitulado "La vida inclemente", que é também autobiográfico, no qual você se define como um dos beneficiários da agressiva modernização de Porto Rico na década de 1950, quando "a necessidade e a liberdade pareciam convergir". Além disso, segundo afirmou, "a palavra 'comunismo' nos produzia calafrios e o nome de Albizu Campos era tabu [...]. Cuba, como a República Dominicana, era uma ditadura sangrenta e primitiva". E mais adiante, no mesmo ensaio, se lê: "Tínhamos que ser bons cidadãos norte-americanos". Como avalia o impacto desses anos de formação no seu próprio percurso intelectual?

ADQ: Já foi dito que, no espaço da crítica, tudo o que fazemos é, em certa medida, autobiográfico. De uma maneira indireta e oblíqua, isso é verdade. Mesmo que não estejamos falando em primeira pessoa, nem tampouco de nossa vida pessoal, há sempre um elemento autobiográfico. No caso de "A memória rota", tentei refletir sobre a tensão e a diferença entre memória e história. Minha família era do mundo camponês, de pequenas propriedades em que se cultivava legumes e havia alguma criação — gente que sentia muito orgulho por não ter caído no mundo açucareiro, evitando o trabalho como peão das grandes fazendas. Um universo de autonomia relativa, mas real, frente ao Estado. O ensaio é uma homenagem não tão secreta a essa família cujo mundo desapareceu. Era um mundo coerente, de que ainda me lembro quando recordo minha infância. Esse mundo desapareceu porque grande parte de minha família emigrou para Nova York, no imediato pós-guerra. Meus pais foram dos poucos familiares que ficaram em Porto Rico e por isso me criei no país. Mas quase todos os tios e tias emigraram. A diáspora é um processo social e cultural dramático, instaurando um mundo de cultura rural no meio de uma cidade como Nova York, coisa que hoje ocorre com mexicanos, guatemaltecos e outros que vêm direto de um mundo camponês. A análise dessas relações é importante. No ensaio, eu me referia ao fato de que, para muita gente de minha geração, a memória porto-riquenha continha tantos silêncios e negações — precisamente nos nossos anos formativos, quando éramos estudantes na escola secundária e na universidade — que os fatos mais importantes e, talvez, os mais decisivos — a resistência ao império, a migração maciça, a longa duração da Guerra da Coreia e o recrutamento de porto-riquenhos para as guerras imperiais norte-americanas — eram silenciados. Havia também silêncio sobre o passado escravista e suas consequências para a configuração dos preconceitos raciais e das hierarquias sociais. Trata-se de um silêncio sobre zonas amplas da história. Tal silêncio tem a ver, em parte, com os preconceitos de classe, mas também com o populismo porto-riquenho, sob o governador Muñoz Marín, que culmina com o Estado Livre Associado, a Guerra Fria e o macarthismo. Vendo retrospectivamente, ocorreram dois processos simultâneos. Um é o êxodo da população para Nova York depois da guerra, dirigido pelo Estado; o outro é o projeto de industrialização, ou seja, o abandono do campo. O mundo rural passa a debilitar-se, e as cidades começam a encher. A literatura (Julia de Burgos, José Luis González, Pedro Juan Soto, René Marqués, Luis Rafael Sánchez, Pedro Pietri e outros) acompanha esse processo, assim como os artistas gráficos. A palavra "progresso" é central, como o foi em diversos outros países. Mas gosto de citar o título de James Baldwin *The Price of the Ticket*, ou seja, o preço do bilhete foi muito alto. Contudo, não se pode negar que o populismo porto-riquenho obteve conquistas reais para a vida porto-riquenha; por exemplo, a ampliação da educação primária pública e secundária, da qual fui beneficiário, e a abertura da universidade pública, muito importante para setores sociais que, até esses anos, estiveram excluídos. Fui o primeiro de minha família, numerosíssima, a entrar na universidade. São realidades, não abstrações. Acho que haveria muito a dizer sobre os populismos se for feito um balanço equânime. Mas o certo é que o populismo porto-riquenho jamais pôde eludir o terrível marco colonial, que o moldou de uma forma às vezes muito triste, porque teve que pactuar com a ocupação militar e as guerras imperiais. Na imprensa desse período, há fotos de Muñoz Marín com os soldados que voltavam da Coreia, celebrando os veteranos. Os porto-riquenhos da migração — e chegaria a nossa vez, porque toda a família migrava — não eram sequer um tema na universidade em que estudei. Tudo o que acontecia a meu redor e que me dizia respeito, ou que era muito próximo de mim e de minha família, não era assunto de discussão e reflexão, exceto por alguns estudos especializados. O escritor José Luis González, a quem tanto devo, escreveu um conto que considero absolutamente essencial, porque condensa o problema: chama-se "Una caja de plomo que no se podía abrir". É um conto maravilhoso, e só os grandes escritores podem fazer isso: criar uma imagem tão poderosa que, já no título, nos permite refletir. A caixa de chumbo que não podia ser aberta eram os caixões nos quais chegavam os mortos na Coreia; caixões que não podiam ser abertos, porque estavam lacrados, e nem sequer sabíamos o que havia neles. Uma das primeiras experiências de morte que tive na família foi a de um primo, de quem eu gostava muito. Eu tinha nove ou dez anos quando chegou a notícia da sua morte na Coreia. Pouco depois, chegou um caixão de chumbo que não podia ser aberto, assim como no conto. O chumbo é uma referência à guerra, mas também à opacidade: como abrir aquela caixa? Isto é, como elaborar outros relatos sobre a história, sobre a memória da comunidade? Como entrar nessa caixa misteriosa, vigiada pelos militares? No conto, os militares vêm entregar o cadáver. Na imagem está cifrada toda a história contemporânea que me coube, assim como o projeto de recuperação crítica dessa história e dessa memória dos anos em que alguém se forma. Para mim, são os anos do populismo *muñozista*, de Muñoz Marín. Foi isso que me levou a pensar no que era excluído: muitos intelectuais, tradições poéticas nacionalistas ou socialistas, reprimidas com dureza durante o macarthismo. Havia também figuras que não conhecíamos, como Eugenio María de Hostos, Betances, Luisa Capetillo, Julia de Burgos — que tinham vivido quase toda a vida no exílio — ou o próprio José Luis González, que líamos, embora sem saber bem por que havia estado no México e por que tinha renunciado à cidadania norte-americana. Ele mesmo era uma caixa de chumbo que era preciso abrir.

E: Seu primeiro livro, *Conversación con José Luis González* (1976), marca publicamente sua ruptura com o programa político do Estado Livre Associado de Porto Rico. Você poderia traçar um perfil desse escritor e descrever as afinidades eletivas que o levaram a produzir um livro com ele?

ADQ: Ainda há muito por pesquisar e dizer sobre José Luis González. Ele foi um excelente narrador porto-riquenho, muito precoce. É um escritor também muito caribenho, de mãe dominicana e pai porto-riquenho, que conheceu intimamente ambas as ilhas. Ele e a mãe voltaram a Porto Rico durante o exílio da ditadura de Rafael Trujillo (1930-61). José Luis estudou lá e, depois, em Nova York, na New School for Social Research. Teve uma breve experiência como soldado norte-americano no final da Segunda Guerra Mundial, como muitos artistas e escritores porto-riquenhos, e militou, muito jovem, no Partido Comunista Porto-Riquenho. Foi perseguido, como tantos outros porto-riquenhos, pelo macarthismo. Também nisso Porto Rico é especial, porque seu Partido Comunista, fundado na década de 1930, pertencia à órbita do Partido Comunista norte-americano; assim, José Luis González estava muito atento aos intelectuais do partido, entre eles escritores afro-americanos como Langston Hughes e Richard Wright. Em 1952, decide ir ao México, em meio ao apogeu do Estado Livre Associado e da Guerra da Coreia. E se estabelece por lá, em fuga, porque provavelmente teria ido parar na prisão se tivesse ficado em Porto Rico. São anos de perseguição intensa, nos Estados Unidos e em Porto Rico, dos comunistas e dos nacionalistas porto-riquenhos. O México, que o recebeu com a esposa, Eva Benesova Hartova, que ele tinha conhecido em Praga, foi o único país onde os dois puderam entrar. Ele então fez algo excepcional entre os porto-riquenhos: renunciou à cidadania norte-americana. Com isso, não pôde voltar a Porto Rico por quase vinte anos. É muito dramática sua situação: um escritor conhecido, mas desaparecido do horizonte porto-riquenho. No México, estudou e foi professor na Universidade Nacional, além de editor de textos literários porto-riquenhos; também ganhava a vida como tradutor — quase sempre do inglês, pois conhecia muito bem a literatura norte-americana —, trabalho em que se destacam as obras ligadas à política, graças ao seu conhecimento dos marxismos europeu e norte-americano. Lembro que na década de 1970 ele fez a revisão da tradução para o espanhol dos *Cadernos do cárcere*, de Gramsci; e traduziu ainda a biografia de Trótski de autoria de Isaac Deutscher; são livros importantíssimos para repensar o legado marxista naqueles anos. Quando pôde voltar a Porto Rico, por volta de 1973, época em que o conheci pessoalmente, ele já era um escritor estabelecido no México. Era um tempo de grande efervescência, por causa da Guerra do Vietnã e do movimento dos direitos civis nos Estados Unidos. Eu tinha acabado de voltar a Porto Rico e para mim foi um encontro decisivo. Ficamos amigos, e depois tive o privilégio de ver aceita a minha proposta de uma conversa com ele, que a princípio seria muito breve, mas que foi crescendo e é hoje este livro, *Conversación con José Luis González*. Para minha surpresa, foi um livro muito lido, marcando o regresso de José Luis González a Porto Rico como intelectual público. Não mais o contista excelente apenas, mas o intelectual público, admirado pelas indagações produtivas de seus ensaios, nos quais afirmava a centralidade da literatura para o debate sobre a cultura e a política. Ele se alia, por um lado, aos jovens escritores porto-riquenhos e, por outro, polemiza com a tradição nacionalista e com alguns setores socialistas locais. São anos de grande debate sobre a Revolução Cubana, e em Porto Rico havia muitos críticos, assim como defensores, sobretudo por causa da aliança com a União Soviética.

E: José Luis González afirma que a "independência de Porto Rico é inevitável. Inevitável, além disso, a curto prazo". Consideradas as várias décadas de agressiva presença colonial dos Estados Unidos na ilha, essa frase descreve as utopias de uma época. Seria possível demarcar o meio intelectual porto-riquenho dos anos 1970 a partir dessa frase?

ADQ: Lida hoje, no ano de 2013, essa frase me comove muito, porque expressa o desejo profundo de José Luis González e de muitos de nós, oriundos de uma cultura de esquerda. A cultura de esquerda porto-riquenha, como toda cultura de esquerda, aliás, era muito heterogênea: incluía independentistas, nacionalistas, socialistas, partidários e críticos da Revolução Cubana. Mas foram anos terríveis, porque já havia começado o período das cruéis ditaduras latino-americanas. Foi uma experiência traumática para a esquerda, porque são sucessivas derrotas. Para nós, que não estávamos de acordo com a luta armada, foram anos de muita tensão. José Luis González manteve — e me comove por isso — sua utopia da independência de Porto Rico. Embora ele tivesse respeito pela figura do líder nacionalista Albizu Campos, nunca compartilhou, com o *albizuismo*, as posições de uma política de sacrifícios, ou uma concepção religiosa da política. Mas ele acreditava na independência, porque a experiência colonial introduzia deformações e desigualdades. E a ilha estava cheia de bases militares. Ele acreditava na possibilidade de acordos de independência e autonomia política real, com novas alianças. Era seu desejo e sua crença, num desses momentos em que a política é questão de convicção e fé. Trata-se do que Albert Hirschman chamava "*a bias for hope*", a esperança de que as coisas mudem para melhor sem a mediação da guerra. No entanto, o populismo *muñozista* tinha esgotado as possibilidades de uma vida mais digna. E a palavra "dignidade" é importante; quero recuperá-la, porque ela não é apenas um conceito, é também uma maneira de estar no mundo. É necessário levar a sério essa expressão de José Luis González. Ele talvez tenha se enganado, mas com muita dignidade. E a vida política porto-riquenha, da década de 1980 até hoje, tem sido decepcionante, dominada por uma classe política pouco democrática, em alguns casos inclusive em estreita aliança com setores da ultradireita norte-americana. Mas também mantenho "*a bias for hope*". Se é certo que muitos compartilhavam o desejo de José Luis González, havia setores que não estavam de acordo e que desejavam uma solução para o problema colonial que não fosse a criação de um Estado independente; que já viam a sociedade porto-riquenha integrada demais ao mundo político norte-americano e não achavam que isso fosse necessariamente negativo. São setores que também se deve levar em consideração: setores críticos, minoritários, mas não independentistas.

E: Falando em *albizuismo*: sobre as tradições independentistas no Caribe e as tradições de esquerda na América Latina, você tem chamado a atenção para o que denomina "concepção religiosa da ação política", uma disposição para o sacrifício acima de qualquer *Realpolitik*. Os nomes de revolucionários como José Martí, em Cuba, Albizu Campos, em Porto Rico, e mesmo o guerrilheiro Carlos Marighela, no Brasil, seriam exemplos eloquentes. Quais são as bases históricas, o legado e os limites dessa tradição?

ADQ: Para mim, essa é uma zona bastante opaca, difícil de pensar e entender. Sinto-me muito distante da ideia do sacrifício e da política como morte — o culto da morte como arma política. Mas procuro entender algo que me é distante em termos espirituais e políticos. No caso de Martí, por exemplo, há a vontade do sacrifício. Quando retorna a Cuba, em 1895, ele tem consciência de que caminha em direção à morte, como um *fatum*. Ia em direção à morte, como bem viu a filósofa espanhola María Zambrano ao ler seus diários. Ele não tinha se formado como soldado. Em seus poemas, o culto ao sacrifício e o quase culto à necessidade de imolar-se pela nação são claros. Em algumas de suas cartas nota-se a consciência profética de que não chegará a ver a terra prometida. Isso é muito claro, como seria para Luther King, por exemplo. Sinto enorme respeito por Albizu Campos e pelos nacionalistas porto-riquenhos, que estiveram dispostos a um sacrifício tão grande: prisão prolongada e, no caso dos nacionalistas, o ataque ao Congresso norte-americano em 1954, que era um ato suicida. Aí chegamos a algo que está no centro do debate contemporâneo: o suicida, muitas vezes chamado "terrorista". Há uma dimensão religiosa da ação política, porque há crença numa transcendência espiritual. Numa figura tão secular como Che Guevara, por exemplo, há também a vontade do sacrifício. São políticas que enfrentam o momento de decisão ética: decidir se vale a pena morrer e matar por uma causa. É com a disposição de morte que tenho problemas, pessoal e politicamente. Tenho pensado muito na condenação, no mundo atual, e nos Estados Unidos em particular, aos chamados jihadistas e fundamentalistas. Mas, ao mesmo tempo, não se condena a guerra imperial nos Estados Unidos, país que pode perfeitamente condenar os suicidas que levam bombas e morrem, mas, ao mesmo tempo, é um Estado que usa os *drones*. Não se trata de uma política religiosa, mas de um Estado que pratica o terror, como ocorreu com as ditaduras militares, em que o Estado monopolizava toda a violência e levava a cabo, de maneira sistemática, a tortura e o horror. É algo bastante diferente da concepção sacrificial e religiosa da política, daquele que resiste e ataca o poder, pensando que pode, de algum modo, transcender espiritualmente, com a ação violenta baseada em crenças religiosas.

E: Uma alternativa a essa concepção religiosa da política seria o que você chama de "*brega*"? O termo parece acarretar uma diferença entre o que se diz e o que se faz. Como esse jogo de dissimulação, esse hiato entre intenção e gesto, que você identifica sobretudo nas classes populares, inscreve-se no espaço político?

ADQ: A *brega*, para dizê-lo de forma sintética, refere-se à luta, mas não à guerra. O quase enfrentamento, a dissimulação, a negociação, aquilo que em inglês se chama *agency* — a "agência" —, mas não a guerra frontal. Qualquer palavra em português que possa ser utilizada como equivalente não deve significar guerra aberta, porque a *brega* é o contrário da guerra frontal. No entanto, ela não é apenas estratégia, mas sim uma luta que deve permitir que se mantenha a dignidade: diante do Estado, da sociedade, da comunidade, dignidade do indivíduo e também do grupo. Perdida a dignidade, a *brega* fracassou. Comecei a pensar na *brega*, em primeiro lugar, pela frequência da palavra, usada por escritores e políticos, mas também na oralidade cotidiana dos porto-riquenhos; além disso, para pensar com Gramsci, queria saber como são as intervenções políticas na vida cotidiana das classes subalternas. O conceito chamou minha atenção como possibilidade de entrar de outra maneira no debate cultural e político — penso agora que sob a influência de Albert Hirschman, em seu livrinho *Getting Ahead Collectively* [Tendo êxito coletivamente]. Ele também marca minhas reflexões sobre a *brega*, ou seja, a pergunta sobre uma política possível para as classes subalternas diante de poderes autoritários. No campo latino-americano, há exemplos semelhantes em todas as sociedades, porque se trata de uma postura de setores que não querem ou não podem enfrentar o poder estabelecido, mas querem reclamar, negociar, obter alguns benefícios, preferindo a preservação. A *brega* me interessa porque ela defende a vida, não é um culto à morte. Não é visão épica ou heroica. Para mim, é outra maneira de enfrentar uma cultura contestatória de esquerda, porque me vejo como pertencente a uma cultura de esquerda, mas não uma cultura que fomente ou celebre a luta armada. Na *brega* há um substrato que se opõe à ideia de que a luta armada e a morte sejam a única alternativa.

E: Você cita Albert Hirschman. Qual é a influência dele em sua obra?

ADQ: Lembro-me de forma muito grata de sua amizade, generosidade, e da presença inspiradora de sua esposa, Sarah, para Alma (minha esposa) e para mim. Albert Hirschman foi, para muitos de nós em Princeton e na América Latina, um intelectual exemplar. Não porque estivéssemos necessariamente de acordo com sua perspectiva, mas porque era um interlocutor extraordinário, um ensaísta que combinava a narração com a reflexão, dotado de uma capacidade de escuta e uma curiosidade genuína pelo mundo latino-americano. Era um homem reservado, mas generoso, e quando o conheci estava interessado nos movimentos de base, os *grassroots movements*, e em como as pessoas resistiam à política neoliberal e como sobreviviam, inclusive em países que sofreram ditaduras horríveis. Interessavam-lhe as pequenas empresas, os negócios, o que as pessoas faziam na vida cotidiana para romper com os terríveis determinismos econômicos. Muito jovem ele já tinha visto todos os horrores do século XX: o antissemitismo, a Guerra Civil Espanhola, o fascismo, o nazismo e a Segunda Guerra Mundial. Foi também vítima do macarthismo nos Estados Unidos, como todos os intelectuais que tiveram alguma relação com grupos socialistas ou com a guerra civil na Espanha. Na biografia *Worldly Philosopher: The Odyssey of Albert O. Hirschman*, do historiador Jeremy Adelman, há um capítulo que trata do surpreendente dossiê do FBI sobre Hirschman. Essa pessoa que viveu de perto o horror na Europa e a perseguição nos Estados Unidos acaba descobrindo a América Latina, vai à Colômbia e começa a construir um percurso intelectual inusitado: do norte para o sul. Fiquei muito impressionado ao conhecê-lo quando cheguei a Princeton, como professor visitante, no final da década de 1970. Eu havia lido *As paixões e os interesses*, uma obra maravilhosa de história intelectual e das origens do capitalismo. Eram os anos das ditaduras na Argentina e no Chile, e também os primeiros anos da presidência de Ronald Reagan e do neoliberalismo triunfante. Tempo em que Hirschman reafirmava e repensava muitas de suas posturas. Seu conceito de democracia não era abstrato, mas vinculado precisamente à intervenção do indivíduo na sociedade, ao reconhecimento, por parte dos seres humanos, de suas relações e necessidades recíprocas. Outros livros dele me influenciaram muito, sobretudo na década de 1990, quando publicou *Autossubversão*, em que retomava um ensaio seu bastante conhecido, *Saída, voz e lealdade*, mas o fazia dessa vez pensando na queda do Muro de Berlim, e sobretudo na "voz": quando as pessoas saem de sua comunidade, o que acontece com a voz daqueles que ficam para trás? Isso tem muito a ver com o exílio e a diáspora. Em que medida há uma relação entre saída e voz: perde-se a voz, resta algo dela? Isso me interessou muito, tanto quanto a palavra "lealdade". Ele usa esse conceito muito útil para pensar as relações sociais e políticas. De que se trata quando falamos da lealdade, e não apenas em seu sentido individual, mas na lealdade a nossas comunidades, a nossas convicções, àquilo que veneramos? Como estudioso da literatura, sempre me interessaram as vozes, mas, no caso de Hirschman, a voz no campo político. Em Princeton, ele também foi um latino-americanista. Sempre admirei como ele vinha escutar os escritores e os jovens professores, com grande e generosa curiosidade. Seu compromisso com o Programa de Estudos Latino-Americanos, que eu então dirigia, era profundo.

E: O desconforto com o que você nomeia "zona opaca da ética religiosa do sacrifício", ou ainda a "política como morte", permite mencionar outra referência importante em seus ensaios: Edward Said. Em percursos históricos distintos, mas conectados, ambos tiveram que pensar sobre os mesmos problemas. Qual é a influência desse pensador em suas reflexões sobre o mundo colonial?

ADQ: Edward Said é uma referência para mim. Tive, além disso, o privilégio de conhecê-lo pessoalmente. Said foi um intelectual público em situação muito complicada, porque não é fácil ser um intelectual palestino nos Estados Unidos, por causa da influência que tem o Estado de Israel na vida política norte-americana e também na vida acadêmica. Sempre admirei a capacidade de Said de ser um intelectual crítico falando do interior da academia norte-americana (ele era professor em Columbia e estudioso da literatura), com uma grande capacidade de risco, não apenas pessoal, mas intelectual, como em seu ensaio sobre o orientalismo e, depois, entre outros livros, em *Cultura e imperialismo* e em *Beginnings*, este último sobre as tradições e os começos. Ele esteve sempre indignado com os crimes contra os palestinos e a desapropriação em massa. Vivia com nostalgia, mas conseguiu converter a nostalgia em motor para sua vida intelectual e literária. Said sempre procurou soluções políticas, não bélicas. Ainda que tenha defendido o direito dos palestinos à resistência, teve um papel conciliador, até onde pôde; um papel nada fácil. Aí estão seus livros e ensaios, em que ganha sentido o termo "pós-colonial". Embora ele não conhecesse intimamente o mundo latino-americano, teve grande curiosidade em saber o que acontecia, a situação e os problemas políticos, tudo nutrido por sua solidariedade anti-imperialista. É importante que eu me refira mais detidamente a *Beginnings*, porque essa é uma categoria central para seu autor, assim como foi para mim. É por isso que meu último livro tem o título *Sobre los principios*. Trata-se também de uma homenagem a Said. Os princípios, efetivamente, estão vinculados à vida e não à morte; à possibilidade de vida nova e à possibilidade — ambos citamos o conceito de Hannah Arendt — de "natalidade". Ou seja, assim como os projetos políticos têm a ver, por vezes, com a possibilidade de nascer de novo e de poder agir no espaço público, eles estão ligados à possibilidade de tomar a palavra. *Beginnings* também se relaciona com a construção de um passado e de uma vida intelectual. Não se trata das origens míticas, mas sim do passado de que todos precisamos para agir e intervir. Tenho também interesse pela paixão política de Said: como ele foi capaz de captar a intensidade do que significam os *beginnings*; e como foi capaz de captar a importância que pode ter para o escritor e para o intelectual construir para si mesmo seus *beginnings*, inserindo-se numa tradição. Borges dizia algo parecido, em seu famoso texto sobre Kafka e seus precursores. Em meus livros, Said ocupa um lugar central porque serviu para pensar o mundo caribenho, os *beginnings* e os *new beginnings* dos intelectuais no exílio e na diáspora. Seus ensaios sobre Fanon, Auerbach e outros, assim como suas reflexões sobre Gramsci — e a concepção do intelectual orgânico —, foram decisivos e estimulantes. Gostaria de destacar que se trata de alguém que intervém politicamente partindo de sua prática específica de historiador cultural, crítico literário e crítico de música. Suas reflexões sobre a cultura e o imperialismo permanecem fundamentais. Para ele, os elementos da cultura literária e das tradições intelectuais acabam se conectando, apesar da dominação imperial. Essa é a leitura que ele fazia de C. L. R. James, que escrevia sobre os "jacobinos negros", e de Fanon, que escreveu sobre a cultura francesa e sobre si mesmo.

E: Said utilizou a palavra "orientalismo" para falar de um determinado modo de pensar as relações entre cultura e imperialismo no Oriente Médio. Você tem utilizado a palavra "hispanismo" em sentido parecido. Poderia esclarecer o que significa "hispanismo" na sua obra?

ADQ: Ambas as expressões, orientalismo e hispanismo, estão ligadas ao presente, levantando questões sobre as tradições intelectuais no marco imperial. Ainda faltam estudos para pensar em profundidade o hispanismo e suas expressões críticas e políticas. O hispanismo me interessou porque fui formado por uma disciplina acadêmica que se chamava "estudos hispânicos", na Universidade de Porto Rico, num momento em que tinham papel fundamental os republicanos espanhóis refugiados, alguns dos quais foram meus admirados mestres. Mas também porque, nos Estados Unidos, sou professor de *Spanish and Portuguese* e de *Latin American literature*, e isso me coloca numa tradição acadêmica hispanista. Como o orientalismo, o hispanismo tem dimensões políticas. Foi isso que eu quis fazer quando me aproximei das posições intelectuais de Said em seus notáveis livros *Beginnings*, e *Cultura e imperialismo*. O hispanismo é uma disciplina acadêmica de tradição muito longa e complexa, que estuda os países de língua espanhola, no marco da tradição imperial, desde a monarquia espanhola e os descobrimentos até nossos dias. Portanto, a Espanha sempre — ou quase sempre — foi o centro irradiador dessa cultura hispânica. Há aí conflitos culturais óbvios, como com a França e, mais recentemente, com os Estados Unidos, ou ainda com o Império Britânico. Mas há também algo muito interessante, porque, como tradição intelectual, o hispanismo precisa contar com as antigas colônias — algo que Gayatri Spivak estudou no caso do mundo britânico: o peso da Índia para a *Englishness* é parecido com o que chamamos de "hispanidade". As colônias têm que ser incorporadas, embora a Espanha seja mantida como centro. Estudo isso no ensaio "Hispanismo e guerra". Para ser breve, eu diria que é importante que a primeira "história" da poesia hispano-americana tenha sido escrita por um eminente intelectual espanhol, Menéndez Pelayo, justamente no final do século XIX e começo do século XX, quando a Espanha perdia definitivamente seu império. O fato de que ele pudesse escrever essa obra é significativo porque a Espanha tratava de recuperar o centro em termos simbólicos, após tê-lo perdido em termos políticos. Interessa-me ainda o fato de que, nas universidades norte-americanas, o hispanismo tenha tido uma vida longa e, muitas vezes, o preço pago por essa longevidade foi que o mundo hispano-americano ficava num nível subalterno, secundário, diante daquilo que era considerado a verdadeira cultura, representada, digamos, por Cervantes. Adoro Cervantes, é claro, mas tenho um posicionamento crítico em relação a essa tradição. O hispanismo tradicional, que foi uma fonte de grande poder institucional — em Princeton, por exemplo —, muitas vezes se esqueceu do Caribe, sendo incapaz de vê-lo como centro de uma cultura. Ou então tardou muito a fazê-lo, em parte porque o Caribe é, até hoje, uma zona plurilíngue, onde os impérios seguem lutando — o inglês, o espanhol, o francês, as línguas *criollas*. Senti necessidade de estudar mais a fundo o problema complexo de uma tradição literária e intelectual que é também uma tradição política. Isso tem a ver com os nomes, as palavras a utilizar. Hispânico? Latino? Por que o Brasil fica de fora do hispanismo, em muitos casos? Como fazer referência às nacionalidades? São importantes os nomes e as tradições nacionais? Para Menéndez Pelayo, elas são importantes, desde que fiquem subordinadas ao enorme edifício que ele construiu, em dois tomos, chamado *Historia de la poesía hispano-americana*. Para concluir, esse mundo hispano-americano se esforçou por incorporar o universo indígena, mas excluiu o mundo afro. Isso é inaceitável e, hoje em dia, muito criticado. Há muitos, como eu, que tentaram romper esse monopólio da cultura.

E: Nesse sentido, o mundo afro-caribenho é — tal é a metáfora que você utiliza — uma espécie de "inimigo íntimo" do hispanismo?

ADQ: Sim, o mundo afro-caribenho é o inimigo íntimo que está presente de todos os lados, e ausente do discurso — muitas vezes ausente como "cultura". Aí se revela uma forte guerra simbólica. Talvez se trate de outro capítulo das "armas e letras", porque desenvolvo a ideia de que a Espanha, depois de 1898 — com o fim da Guerra Hispano-Americana e o triunfo dos Estados Unidos —, pretende recuperar seu lugar proeminente na cultura hispano-americana, mediante a escrita da história. Como diz Foucault, as guerras se transformam muitas vezes em batalhas no interior da escrita da história; a história é uma forma de guerra também. Creio que se pode entender o hispanismo como uma forma de controle cultural. A ideia do "inimigo íntimo" me serviu porque alguns intelectuais, como o porto-riquenho Antonio Pedreira, ou o dominicano Pedro Henríquez Ureña — eminente defensor do que é americano, extraordinário pensador que construiu uma história da cultura na América Latina —, veem o mundo afro-americano e o mundo haitiano com o mesmo temor e a mesma suspeita com que os viu Menéndez Pelayo. É algo que, felizmente, tem mudado muito desde a época de Pedreira e Henríquez Ureña, pois vários intelectuais caribenhos enfrentaram a tradição hispanista.

E: Em "A memória rota", você afirma que, "no saber institucionalizado nas universidades dos Estados Unidos, o lugar de Porto Rico é muito incerto. Como não é nem 'latino-americano' nem 'norte-americano', termina por borrar-se. Muitos não veem aí nem sujeito histórico nem fins". Como professor porto-riquenho, após trinta anos de carreira docente em Princeton, quais são as vantagens e as desvantagens epistemológicas desse não lugar?

ADQ: Custa-me responder a essa pergunta. Princeton, como Porto Rico, é para mim um lugar de amizades e afetos muito intensos, e de um longo diálogo com colegas, alunas e alunos que me inspiraram e me ensinaram muito. Aqui me emociona recordar Karl D. Uitti, professor de literatura medieval francesa, mestre e amigo de muitos anos, que tinha grande amor por tudo o que era porto-riquenho. Lembro ainda, com grande admiração e ao mesmo tempo com nostalgia, a presença de Sylvia Molloy, de Rolena Adorno e de David Carrasco, assim como de Hilda Sabato, Josep Maria Fradera, Lucía Melgar, Rafael Rojas e Michael Wood. Recordo com gratidão Victor Brombert e François Rigolot. Os anos de Princeton são também os de minha longa amizade com o escritor Ricardo Piglia, com quem tive o privilégio e o grande prazer de conversar e compartilhar ao longo de mais de 25 anos. Mas, voltando à pergunta, eu diria que, por certo, se ganha e se perde com o não lugar. Refiro-me ao fato de que, nas universidades de elite dos Estados Unidos, como Princeton, a questão colonial muitas vezes não se apresenta, e nem sequer se fala sobre ela. O caso porto-riquenho seria um bom exemplo. Muita gente não sabe se os porto-riquenhos somos cidadãos ou não, ou se nos naturalizamos ou não; há um desconhecimento histórico e social surpreendente, tendo em vista a longa conexão política com os Estados Unidos e o fato de que desde 1917 os porto-riquenhos somos cidadãos norte-americanos. Isso tem a ver com o que eu dizia antes sobre a perspectiva imperial que exclui e inclui ao mesmo tempo. Não se fala muito das colônias: acredito que também não se fala das Filipinas ou da República Dominicana. Ao contrário, há muito interesse em Cuba, que é respeitada precisamente por ser um país com o qual houve tantos conflitos políticos. O não lugar é uma categoria que também está no hispanismo: o hispanismo tem lugares e não lugares. Princeton foi uma universidade particularmente conservadora, que demorou muito em reconhecer o mundo latino-americano como objeto de estudo — e não apenas Porto Rico. Entretanto, agora há muito respeito intelectual pelo mundo argentino, mexicano, e agora também pelo Brasil. Mas há muito menos interesse por lugares pequenos ou não lugares, como Porto Rico. Apesar disso, acredito firmemente — e aí começam as vantagens — que a partir desses lugares, que não cabem em categorias estabelecidas como "nação" e "sociedade moderna", é possível às vezes ver o mundo. Um historiador de que gosto muito, o haitiano Michel-Rolph Trouillot, dizia: para entender a Revolução Francesa, seria melhor vê-la do Haiti, porque do Haiti se veem muitas coisas que não se enxergam da França. Penso que ver o mundo política, literária e culturalmente de um lugar como Porto Rico pode ser produtivo e complexo, precisamente por ser um lugar colonial e pequeno, que está no cruzamento de um mundo global — foi o que aconteceu, por exemplo, nas Filipinas, como demonstra o historiador Serge Gruzinski. Assim, custa-me responder, porque é promissor prestar atenção a esse não lugar e, ao mesmo tempo, é lamentável que, por razões políticas, essa mesma sociedade tenha se convertido num não lugar. Para os Estados Unidos e suas instituições educacionais foi muito difícil prestar atenção a suas colônias e estudá-las a fundo. Estudá-las com cuidado exigiria falar do problema de uma "república imperial". Mas essa é uma categoria que pouca gente por aqui usa, porque não se quer aceitar que a república norte-americana é também um império. Ao mesmo tempo, isso tem a ver especificamente com Princeton, na medida em que, durante muito tempo, ela foi uma universidade eurocêntrica, que dava pouca atenção a zonas inteiras do mundo americano, e ainda menos a suas colônias. Há exceções, como Stanley Stein, James Irby e Albert Hirschman, que são importantes não apenas para o Caribe, mas também, curiosamente, para o Brasil. Stein, além de ser um grande amigo até hoje, conhece muito do Caribe. Hirschman estava interessado no mundo americano e, da mesma forma como pensava que o Brasil devia receber mais atenção em Princeton, defendia também que o Caribe recebesse mais cuidado, inclusive para entender melhor a própria sociedade norte-americana. Não se tratava de caridade nem de justiça, mas de reconhecimento da importância intelectual e política desses estudos, e do muito que se pode aprender com o mundo colonial.

Notas

INTRODUÇÃO — A ARTE DE FURTAR-SE [pp. 20-34]

1. Penso no ensaio "La riesgosa navegación del escritor exiliado", de Ángel Rama, em que "a apregoada unidade da América Latina" não é mais que "um chicotinho retórico dos intelectuais [usado] desde as origens independentes, [e que] esconde uma multiplicidade de culturas tão variada como as europeias". Para Rama, como para Díaz-Quiñones, o que está em jogo é a "carga emocional das palavras" utilizadas em contextos de exílio e deslocamento. Cf. Ángel Rama, *La riesgosa navegación del escritor exiliado* (Montevidéu: Arca, 1995, pp. 235-50).

2. Há aqui um paralelo possível com o estudo de José Miguel Wisnik, que revisita o ensaísmo brasileiro da década de 1930 e constrói um tríptico, em que o otimismo exacerbado de Gilberto Freyre se contrapõe ao pessimimo da matriz materialista de Caio Prado Jr., para encontrar, na ambiguidade de Sérgio Buarque de Holanda em relação ao legado colonial ibérico, um meio-termo, capaz de iluminar o potencial de uma cultura política em que, paradoxalmente, o tratamento elíptico dos problemas pode ser extremamente eficiente, ou — por vezes — tragicamente ineficaz. Cf. José Miguel Wisnik, *Veneno remédio: O futebol e o Brasil* (São Paulo: Companhia das Letras, 2008, pp. 404-30).

3. As sugestões vêm, curiosamente, dos campos da história, da música e da crítica: Serge Gruzinski insistiu comigo na importância da metáfora da navega-

ção, José Miguel Wisnik se ateve com entusiasmo à "arte de furtar-se", enquanto Chico Buarque sugeriu a comparação com o boxe.

4. Se o "latino-americano" pode ou não incluir o Brasil e o que se pode comparar entre os mundos de fala espanhola e portuguesa são discussões que este livro ajuda a situar. Nesse sentido, vale a pena notar que a terminologia contemporânea carrega o peso do passado colonial, que pode ser flagrado na própria divisão dos campos a partir de línguas e regiões disputadas secularmente pelos impérios, aí incluído, é claro, o poder imperial e bélico dos Estados Unidos a partir das últimas décadas do século XIX. Como exemplos da utilização do termo "transculturação" em obras que marcaram época na crítica latino-americanista, ver: Ángel Rama, *Transculturación narrativa en América Latina* (México, DF: Siglo Veintiuno, 1982); Mary Louise Pratt, *Imperial Eyes: Travel Writing and Transculturation* (Londres: Routledge, 1992) [Ed. bras.: *Os olhos do império: Relatos de viagem e transculturação*. Bauru: Edusc, 1999.] Para um panorama do conceito na obra de Rama, com suas implicações para a relação deste com Antonio Candido e Darcy Ribeiro, ver: Roseli Barros Cunha, *Transculturação narrativa: Seu percurso na obra crítica de Ángel Rama* (São Paulo: Humanitas, 2007). Para uma antologia de Rama em português, ver: Flávio Aguiar; Sandra Guardini Vasconcelos (Orgs.), *Ángel Rama: Literatura e cultura na América Latina*, trad. de Raquel la Corte dos Santos e Elza Gasparotto (São Paulo: Edusp, 2001).

5. Fernando Ortiz, *Contrapunteo cubano del tabaco y el azúcar*. Org. de Enrico Mario Santí. Madri: Cátedra, 2002, pp. 254-60.

6. Bronislaw Malinowski, "Introducción". In: Fernando Ortiz, *Contrapunteo cubano del tabaco y el azúcar*, op. cit., pp. 123-33.

7. Fernando Ortiz, *Contrapunteo cubano del tabaco y el azúcar*, op. cit., p. 258.

8. Na notação patronímica em espanhol, o sobrenome paterno vem antes do materno.

9. Ver referências bibliográficas na seção "Este livro".

10. Alfredo Bosi, *O ser e o tempo da poesia*. São Paulo: Cultrix, 1993, p. 192.

2. HISPANISMO E GUERRA [pp. 108-87]

1. Os últimos tempos foram particularmente frutíferos nesse tipo de análise. Adiante me referirei, entre outros, aos trabalhos incluídos nas seguintes obras: Richard L. Kagan (Org.), *Spain in America: The Origins of Hispanism in the United States* (Urbana: The University of Illinois Press, 2002); Sylvia Molloy e Robert McKee Irwin (Orgs.), *Hispanisms and Homosexualities* (Durham: Duke University Press, 1998); Consuelo Naranjo, María Dolores Luque e Miguel Án-

gel Puig-Samper (Orgs.), *Los lazos de la cultura: El Centro de Estudios Históricos y la Universidad de Puerto Rico, 1916-1939* (Madri: Centro de Investigaciones Históricas de la Universidad de Puerto Rico & Instituto de Historia, 2002); Mabel Moraña (Org.), *Ideologies of Hispanism* (Nashville: Vanderbilt University Press, 2005). Para essa história, segue sendo indispensável o amplo e documentado livro de Fredrick B. Pike *Hispanismo, 1989-1936: Spanish Conservative and Liberals and their Relations with Spanish America* (Notre Dame: University of Notre Dame Press, 1971). É muito valioso o trabalho de Aimer Granados, que estuda as transformações do *hispanoamericanismo* em *Debates sobre España: El hispanoamericanismo en México a fines del siglo XIX* (México, DF: El Colegio de México y la Universidad Autónoma Metropolitana, 2005).

2. José Martí, *Nuestra América*. Org. de Hugo Achugar. Introd. de Juan Marinello. Cronologia de Cintio Vitier. Caracas: Biblioteca Ayacucho, 1977, p. 30.

3. Raymond Williams, "El futuro de los estudios culturales". In: Id., *La política del modernismo: Contra los nuevos reformistas*. Trad. de Horacio Pons. Buenos Aires: Manantial, 1997, pp. 187-99.

4. Walter Benjamin, *Selected Writings*. Trad. de Edmund Jephcott. Cambridge: Harvard University Press, 1996, v. 1: *One Way Street*, pp. 444-87.

5. Trata-se do resultado da revisão e recomposição de sua famosa *Antología de poetas hispano-americanos*, encomendada a propósito da celebração do quarto centenário do descobrimento da América, e publicada em quatro tomos, entre 1893 e 1895.

6. Ainda que acrescente: "Em contradição com o papel que em má hora assumiu de detrator sistemático da Espanha". Marcelino Menéndez Pelayo, *Historia de la poesía hispano-americana, tomos I & II*. In: Id., *Obras completas, tomos 27 & 28*. Org. de Enrique Sánchez Reyes. Santander: Aldus, 1948, t. II, pp. 383 e 385. A *América poética* foi publicada em Valparaíso, no Chile. Ver o artigo "América poética", de Clara Rey de Guido, no *Diccionario enciclopédico de las letras de América Latina* (Caracas: Biblioteca Ayacucho, 1995). Em 1886, Gutiérrez publicou dois tomos de *Poesía americana*. Foi celebrado por Rodó em *El mirador de Próspero* (1913). Menéndez Pelayo reconhece sua importância: "Como coletor, prestou o grande serviço da *América poética*, compilação demasiado volumosa para o que a poesia americana era em 1846; ainda assim não igualada depois por nenhuma outra", *Historia*, t. II, pp. 383-4. Também o menciona nas "Advertencias generales", p. 13.

7. Américo Castro, "El movimiento científico en la España actual". *Hispania*, v. III, n. 4, p. 188, out. 1920. Tratarei depois com mais detalhe das intervenções de Castro nesses anos.

8. Cito de sua resenha da nova edição de 1948, incluída em *España en América*. Cf. Federico de Onís, *España en América: Estudios, ensayos y discursos*

sobre temas españoles e hispanoamericanos (Río Piedras: Editorial Universitaria, 1955, p. 575). Onís acrescenta: "A maior parte das histórias posteriores gerais ou nacionais da literatura hispano-americana estão baseadas nessa obra de Menéndez Pelayo, repetem seu conteúdo, aceitam seus juízos estéticos e amiúde seguem seu sistema de estudar a literatura por nações".

9. Ver José-Carlos Mainer, "Un capítulo regeneracionista: El hispanoamericanismo (1892-1923)", em *La doma de la quimera* (Bellaterra: Universitat Autònoma de Barcelona, 1988, pp. 86-134). Mainer destaca a *Revista Crítica de Historia y Literatura Españolas, Portuguesas e Hispanoamericanas*, fundada em 1895 por Altamira, em que foram publicados Menéndez Pelayo, Unamuno, Menéndez Pidal e outros. As mudanças na tradição mexicana foram estudadas por Aimer Granados em *Debates sobre España: El hispanoamericanismo en México a fines del siglo XIX*, op. cit.

10. Trata-se de uma das *keywords* estudadas por Raymond Williams, que rastreia seu uso em inglês, o qual remete, assim como em castelhano [e em português], a um processo de transmissão, mas também de respeito. Ver Raymond Williams, *Keywords: A Vocabulary of Culture and Society* (Nova York: Oxford University Press, 1976).

11. Para um começo de resposta a essa pergunta, é esclarecedor comprovar a aparição do termo nos dicionários, que datam significativamente do século XIX. "Hispano-americano": trata-se de um adjetivo e um substantivo, ou é apenas um adjetivo? A primeira referência parece ser de 1846, no *Diccionario Salvá*: "'Hispano-americano': diz-se de todo o que tenha relação com os países da América em que se fala o espanhol, por serem ou terem sido colônias da Espanha". Em 1895, figura como "hispano-americano" no *Diccionario enciclopédico de la lengua castellana*, de Elías Zerolo. Ali se reproduz a definição de 1846. A autoridade citada é Andrés Bello. Mas não é até a edição de 1914 que ingressa no *Diccionario de la Real Academia Española*, e nesse momento se define como "pertencente a espanhóis e americanos, ou composto de elementos próprios de ambos os países". Na edição de 1925, no *Diccionario de la Real Academia Española* se recolhe uma segunda acepção, que se deve ter muito em conta: "Diz-se mais comumente das nações da América em que se fala o espanhol, e dos indivíduos de raça branca nascidos ou naturalizados delas". Agradeço essas referências a meu colega Paul Firbas. Neste capítulo veremos outros termos como "espanhóis-americanos" ou "americano-espanhóis", que têm uma larga presença no discurso político do século XIX.

12. Bernard Cohn sublinhou a importância de apropriações comparáveis em seus ensaios sobre a constituição do poder britânico em torno de diversos saberes na Índia. Ver Cohn, "The Command of Language and the Language of Command", em *Colonialism and Its Forms of Knowledge: The British in India* (Princeton: Princeton University Press, 1996, pp. 16-56). Para a política espa-

nhola, é útil a compilação de Francisco de Solano *Documentos sobre política lingüística en Hispanoamérica (1492-1800)* (Madri: Consejo Superior de Investigaciones Científicas, 1991). Por outra parte, entre os historiadores que estudaram a tradição anti-imperialista espanhola, ver Anthony Pagden, *Señores de todo el mundo: Ideologías del imperio en España, Inglaterra y Francia* (Barcelona: Península, 1997).

13. *Historia*, t. I, p. 288. Para uma síntese do uso e das leituras que se fizeram de Las Casas, ver Rolena Adorno, *The Intellectual Life of Bartolomé de las Casas* (New Orleans: The Graduate School of Tulane University, 1991).

14. *Historia*, t. I, p. 10. Para um resumo da controvérsia em torno dos "índios" e seus direitos no século XVI, ver Rolena Adorno, "Los debates sobre la naturaleza del indio en el siglo XVI: Textos y contextos" (*Revista de Estudios Hispánicos*, n. 19, pp. 47-66, 1992). Gonzalo Aguirre Beltrán iniciou os estudos modernos do mundo afro-mexicano com seu livro *La población negra en México: Estudio etnohistórico*, de 1946. Cf. Beltrán, *Obra antropológica XI: Obra polémica* (México, DF: Universidad Veracruzana; Instituto Nacional Indigenista; Fondo de Cultura Económica, 1992).

15. Josep M. Fradera, *Colonias para después de un imperio*. Barcelona: Bellaterra, 2005, pp. 98-9. Fradera faz uma minuciosa análise dos fatores políticos e econômicos que transformaram tanto as últimas colônias como a metrópole depois das independências.

16. Por exemplo, em 1882 o cubano José Ignacio de Armas, em *Orígenes del lenguaje criollo*, afirmava que o inglês era "o idioma estrangeiro que mais contribuiu para enriquecer o caudal próprio da linguagem crioula". Citado por Marial Iglesias Utset, *Las metáforas del cambio en la vida cotidiana: Cuba 1898-1902* (Havana: Unión, 2003, p. 109).

17. Também contra, é claro, a tradição e os projetos republicanos. Para a história dessa cultura política, ver José-Carlos Mainer, *La doma de la quimera*, op. cit., e José A. Piqueras e Manuel Chust (Orgs.), *El republicanismo en España* (Madri: Siglo XXI, 1996). Cf. também Juan Pan-Montojo (Org.), *Más se perdió en Cuba: España, 1898 y la crisis de fin de siglo* (Madri: Alianza, 1998). É muito útil a antologia *Pensamiento político en la España contemporánea:1800-1950* (Barcelona: Teide, 1992), organizada por Joan Antón e Miguel Caminal.

18. Um exemplo notável é o do intelectual cubano Fernando Ortiz, que em 1911 publicou um livro sumamente crítico ao discurso hispanista, *La reconquista de América: Reflexiones sobre el panhispanismo* (Paris: Paul Ollendorff, 1911). Ele declarou sua oposição à "re-hispanização" e se perguntava se existia uma "raça" espanhola.

19. Balfour acrescenta: "A perda do continente não foi vista pelas elites espanholas como o fim do império. Pelo contrário, apenas se considerou como

um revés momentâneo". *El fin del imperio español*, trad. de Antonio Desmonts (Barcelona: Crítica, 1997, pp. 11-2).

20. Lembra-o Pedro Henríquez Ureña em 1941, no contexto de outra guerra: "O primeiro pan-americanista não é Blaine, não é nenhum estadista norte-americano; é Bolívar, que concebe o Congresso do Panamá. E, ao longo do século XIX, pode-se encontrar nos latino-americanos — por exemplo, em poetas como Andrade, que escreviam odes políticas — a ideia de uma unidade da América [...] a partir do momento em que Blaine imagina a primeira Conferência Pan-Americana, Washington está no centro dessa ideia, e então a América Latina começa a entusiasmar-se menos por ela". Cf. Pedro Henríquez Ureña, "Debates sobre temas sociológicos: ¿Tienen las Américas una historia común?" (*Sur*, X, pp. 87-8, nov. 1941).

John King comenta brevemente esse debate, no qual a posição americanista de Henríquez Ureña era minoritária. Ver King, *A Study of the Argentine Literary Journal and Its Role in the Development of a Culture, 1931-1970* (Cambridge: Cambridge University Press, 1986, p. 109). Para os debates em torno das Conferências Pan-Americanas e os interesses de Washington, ver também Luis C. Alen Lascano, *Yrigoyen, Sandino y el panamericanismo* (Buenos Aires: Centro Editor de América Latina, 1986).

21. Não estudo aqui o *latino-americanismo* acadêmico e diplomático, que compete com o *hispanismo* e tem por sua vez uma complexa genealogia. Javier Garciadiego estuda o *latino-americanismo* e sua relação com a academia norte-americana que surge da Revolução Mexicana em seu excelente livro *Rudos contra científicos: La Universidad Nacional durante la Revolución Mexicana* (México, DF: El Colegio de México, Centro de Estudios Históricos, 1996). São especialmente esclarecedores para compreender a visão de Justo Sierra, José Vasconcelos e Manuel Ugarte os ensaios em Aimer Granados e Carlos Marichal (Orgs.), *Construcción de las identidades latinoamericanas: Ensayos de historia intelectual, siglos XIX y XX* (México, DF: El Colegio de México, 2004). Para a constituição de um *latino-americanismo* posterior, são indispensáveis: Juan Carlos Quintero Herencia, *Fulguración del espacio: Letras e imaginario institucional de la Revolución Cubana, 1960-1971* (Rosário: Beatriz Viterbo, 2002); e Claudia Gilman, *Entre la pluma y el fusil: Debates y dilemas del escritor revolucionario en América Latina* (Buenos Aires: Siglo XXI Argentina, 2003).

22. José Carlos Chiaramonte, "Formas de identidad en el Río de la Plata luego de 1810". *Boletín del Instituto de Historia Argentina y Americana*, Buenos Aires, n. 1, 3ª série, p. 86, 1989. Ver também, do mesmo autor, "Ciudadanía, soberanía y representación en la génesis del Estado argentino (*c*. 1810-1912)", em Hilda Sabato (Org.), *Ciudadanía política y formación de las naciones: Perspectivas históricas de América Latina* (México, DF: Fondo de Cultura Económica;

El Colegio de México, 1999, pp. 94-116). Chiaramonte volta ao tema em seu ensaio "Modificaciones del pacto imperial", no qual adverte sobre os perigos de "pôr a nação nos inícios do processo" e de "interpretar teleologicamente tudo que ocorreu no século XVIII americano como prenúncio dos conflitos da Independência e o surgimento das novas nações". Cf. Chiaramonte, "Modificaciones del pacto imperial", em Antonio Annino e François Xavier Guerra (Orgs.), *Inventando la nación: Iberoamérica. Siglo XIX* (México, DF: Fondo de Cultura Económica, 2003, p. 85). Outro exemplo de finais do século XIX: *El Americano* foi um semanário publicado em Paris entre 1872 e 1874, pelo jornalista e diplomata argentino Héctor Florencio Varela (1832-91), com o propósito de difundir na Europa a cultura e as letras da América hispânica e de ampliar as relações com os republicanos espanhóis. Desde seus primeiros números, o semanário foi defensor entusiasta dos independentistas cubanos, então em plena guerra.

23. Cf. Roger Chartier, *Escribir las prácticas: Foucault, De Certeau, Marin*, trad. de Horacio Pons (Buenos Aires: Manantial, 1996, p. 32).

24. Cf. Arturo Ardao, *Génesis de la idea y el nombre de América Latina* (Caracas: Centro de Estudios Latinoamericanos Rómulo Gallegos, 1980, pp. 70-2). Ver também Martin Stabb, *In Quest of Identity: Patterns in the Spanish American Essay of Ideas, 1890-1960* (Chapel Hill: University of North Carolina Press, 1967).

25. Ver Carlos Rama, *Historia de las relaciones culturales entre España y la América Latina, siglo XIX* (México, DF: Fondo de Cultura Económica, 1982). Rama destaca a importância dos "transplantados" latino-americanos à Espanha, e sua função de mediadores. Menciona, entre outros, o uruguaio Alejandro Magariños Cervantes, o venezuelano Rafael María Beralt e o mexicano Francisco Antonio de Icaza (pp. 258-72). Ver também o penetrante estudo de Tulio Halperín Donghi sobre as relações entre a Espanha e a América Latina depois da independência: "España e Hispanoamérica: miradas a través del Atlántico", em *El espejo de la historia: Problemas argentinos y perspectivas latinoamericanas* (Buenos Aires: Sudamericana, 1987, pp. 67-110).

26. Said trata do tema das alianças intelectuais, sobretudo no capítulo III de *Cultura e imperialismo*, particularmente as seções intituladas "Yeats y la descolonización" e "Aparición y profundización de la oposición". Cf. Edward Said, *Cultura e imperialismo*, trad. de Nora Catelli (Barcelona: Anagrama, 1996, pp. 342-405).

27. Michel de Certeau, *La toma de la palabra y otros escritos políticos*. México, DF: Universidad Iberoamericana, 1995, p. 45.

28. Como voltou a perguntar-se James Clifford em seu livro *Routes: Travel and Translation in the Late Twentieth Century* (Cambridge; Harvard University Press, 1997).

29. Luis Morote, *La moral de la derrota*. Madri: Establecimiento Tipográfico de G. Juste, 1900.

30. Cf. Lily Litvak, "Latinos y anglosajones: Una polémica de la España de fin de siglo", em *España 1900: Modernismo, anarquismo y fin de siglo* (Barcelona: Anthropos, 1990, pp. 155-200).

31. Sebastián Balfour sustenta que a guerra em Cuba contava com um amplo respaldo devido ao fervor nacionalista despertado pela intervenção dos Estados Unidos, mas que "a guerra não teve uma popularidade universal, ao contrário da imagem que deu a maioria dos jornais". Ver seu livro *El fin del imperio español*, op. cit., p. 105. Sobre a reação de políticos e intelectuais espanhóis ao "desastre", ver o capítulo 3, "Spain Responds to the Disaster", de Fredrick B. Pike, *Hispanismo, 1898-1936*, op. cit., pp. 48-72. Em seu livro *Historia del periodismo en España: El siglo XX — 1898-1936* (Madri: Alianza Universidad, 1996), María Cruz Seoane e María Dolores Sáiz confirmam o patriotismo dos principais jornais, mas destacam também a diversidade da imprensa, na qual se encontravam carlistas, republicanos, anarquistas e catalanistas, entre outros.

32. Ángel Ganivet, *Idearium español: El porvenir de España*. Madri: Espasa Calpe, 1981, p. 148.

33. Américo Castro, *Sobre el nombre y el quién de los españoles*. Madri: Taurus, 1973, pp. 384-5. Ver, ademais, Eduardo Subirats, "España 1898: Decadencia y modernidad", em *El Caribe entre imperios, Op. Cit.: Revista del Centro de Investigaciones Históricas de la Universidad de Puerto Rico*, org. de Arcadio Díaz-Quiñones, Río Piedras, n. 9, pp. 325-45, 1997. Ver também a resposta crítica de James Fernández, em *El Caribe entre imperios*, ibidem, pp. 325-49. O contexto dos intelectuais foi abordado por numerosos trabalhos, entre os quais cabe destacar: José-Carlos Mainer, "Un capítulo regeneracionista: el hispanoamericanismo (1892-1923)", op. cit.; Javier Figuero e Carlos Santa Cecilia, *La España del desastre* (Barcelona: Plaza & Janés, 1997), que oferece um apanhado da imprensa espanhola; Inman Fox, *La invención de España: Nacionalismo liberal e identidad nacional* (Madri: Cátedra, 1997); José Luis Bernal Muñoz, *La generación española de 1898: ¿Invento o realidad?* (Valencia: Pre-Textos, 1996). São úteis as seguintes obras: Octavio Ruiz-Manjón e Alicia Langa (Orgs.), *Los significados del 98: La sociedad española en la génesis del siglo XX* (Madri: Universidad Complutense de Madrid; Fundación ICO; Biblioteca Nueva, 1999); Juan Pablo Fusi e A. Niño, *Vísperas del 98: Orígenes y antecedentes de la crisis del 98* (Madri: Biblioteca Nueva, 1997). É valiosa a análise de Sebastián Balfour no seu livro referido acima. Para uma síntese crítica, ver Manuel Espadas Burgos, "Las lecturas históricas del 98", em Consuelo Naranjo, Miguel A. Puig-Samper e Luis Miguel García Mora (Orgs.), *La nación soñada: Cuba, Puerto Rico y Filipinas ante el 98: Actas del Congreso Internacional celebrado en Aranjuez del 24 al 28 de abril de 1995* (Madri: Doce Calles, 1996, pp. 697-712).

34. Em "La crisis actual del patriotismo español", citado por Joan Ramon Resina em "*Por su propio bien*: La identidad española y su Gran Inquisidor, Miguel de Unamuno", em José Del Valle e Luis Gabriel-Stheeman (Orgs.), *La batalla del idioma: La identidad hispánica ante la lengua* (Madri: Iberoamericana & Vervuert, 2004, p. 166). Aí Resina estuda as posições autoritárias de Unamuno no que se refere ao catalão, ao galego e ao basco, assim como sua exaltação do castelhano como língua imperial. Para as políticas linguísticas espanholas, é de grande utilidade o livro organizado por José del Valle e Luis Gabriel-Stheeman *La batalla del idioma: La intelectualidad hispánica ante la lengua*, op. cit. Ver, de ambos os autores, o primeiro capítulo, "Nacionalismo, hispanismo y cultura monoglósica", pp. 15-33.

35. É a pergunta que formulam Nora Catelli e Marieta Gargatagli em seu excelente livro sobre a tradução na Espanha e América, quando consideram a decisão de implantar o castelhano como língua única em 1768 mediante a Real Cédula de Carlos III. Ver Nora Catelli e Marieta Gargatagli, *El tabaco que fumaba Plinio. Escenas de la tradición en España y América: Relatos, leyes y reflexiones sobre los otros* (Barcelona: Ediciones del Serbal, 1998, pp. 288-90).

36. Para a difusão da obra de Menéndez Pelayo, ver John Englekirk, "La *Antología de poetas hispanoamericanos* y el hispanismo norteamericano" (*Arbor: Revista General de Investigación y Cultura*, n. 34, pp. 486-502, jul./ago. 1956). Ver também Anna Wayne Ashhurst, *La literatura hispanoamericana en la crítica española* (Madri: Gredos, 1980), especialmente o capítulo sobre Menéndez Pelayo, pp. 170-224.

37. Remeto a Eduardo Subirats, *El continente vacío: La conquista del Nuevo Mundo y la conciencia moderna* (Madri: Anaya & Mario Muchnik, 1994, pp. 320-2).

38. Para o lugar do *hispano-americano* na França, é indispensável Sylvia Molloy, *La Diffusion de la littérature hispano-américaine en France au XX*e *siècle* (Paris: Presses Universitaires de France, 1972). Ver também o notável ensaio de síntese de Esther Aillón Soria, "La política cultural de Francia en la génesis y difusión del concepto *L'Amérique Latine*, 1860-1930", em Aimer Granados e Carlos Marichal (Orgs.), *Construcción de las identidades latinoamericanas: Ensayos de historia intelectual, siglos XIX y XX* (México, DF: El Colegio de México, 2004, pp. 71-105).

39. Em sua *Historia de los heterodoxos españoles*, Menéndez Pelayo concluía: "Espanha, evangelizadora da metade do orbe; Espanha, martelo de hereges, luz de Trento, espada de Roma, berço de Santo Inácio — essa é nossa grandeza e nossa unidade; não temos outra". Citado em David A. Brading, *Orbe indiano: De la monarquía católica a la república criolla, 1492-1867*, trad. de Juan José Utrilla (México, DF: Fondo de Cultura Económica, 1991, p. 592). O contex-

to e a produção "nacionalizadora" da história e da literatura espanholas no século XIX foram estudados por Carolyn Boyd, em seu documentado livro *Historia Patria: Politics, History and National Identity in Spain, 1875-1975* (Princeton: Princeton University Press, 1997); e também por Carlos Reyero, *Imagen histórica de España (1850-1900)* (Madri: Espasa Calpe, 1987). Para os antecedentes do cânone "hispano" e o aparato educativo dessa "invenção", cf. Miguel Ramos Corrada, *La formación del concepto de historia de la literatura nacional española* (Oviedo: Departamento de Filología Española, 2000).

40. Ainda está por estudar-se minuciosamente com que materiais trabalhou Menéndez Pelayo, e de que maneira tratou a documentação recolhida. A correspondência publicada em *Menéndez Pelayo y la hispanidad* inclui cartas do venezuelano Miguel Sánchez Pesquera, radicado em Porto Rico, dos porto-riquenhos Lola Rodríguez de Tió, Manuel Fernández Juncos e José de Diego; do jovem Pedro Henríquez Ureña; de Manuel Serafín Pichardo, Manuel Sanguily e José de Armas y Cárdenas, todos cubanos. Quase todas as cartas se referem à *Antología* que Menéndez Pelayo preparava ou à sua publicação. Um dos casos mais marcantes é o de Pedro Henríquez Ureña. Cf. Enrique Sánchez Reyes, (Org.), *Menéndez Pelayo y la hispanidad: Epistolario* (Santander: Junta Central de Centenario de Menéndez Pelayo, 1955).

41. *Historia*, t. I, p. 4.

42. Em Michel Foucault, *Defender la sociedad: Curso en el Collège de France (1975-1976)*, trad. de Horacio Pons (Buenos Aires: Fondo de Cultura Económica, 2001, p. 128). Aí ele se refere à história monárquica francesa até finais do século XVII.

43. *Historia*, t. I, p. 4.

44. Ibid., pp. 5-7. Na Espanha, a Comissão do Quarto Centenário se constituiu por Real Decreto em 1888. A bibliografia sobre os centenários e seu contexto político imperial é abundante. Há muitas referências à celebração do Quarto Centenário em Nova York e em Chicago e no livro *The Conquest of Paradise: Christopher Columbus and Columbian Legacy*, de Kirkpatrick Sale (Nova York: Knopf, 1990). Sobre a Espanha, ver Olga Abad Castillo, *El IV Centenario del Descubrimiento de América a través de la prensa sevillana* (Sevilha: Universidad de Sevilla, 1989).

45. Roger Chartier, *El orden de los libros: Lectores, autores, bibliotecas en Europa entre los siglos XIV y XVIII*. Barcelona: Gedisa, 1996, p. 20.

46. Homi Bhabha, *El lugar de la cultura*. Trad. de César Aira. Buenos Aires: Manantial, 2002, p. 131.

47. *Historia*, t. I, p. 15. Remeto aqui ao excelente e detalhado estudo *The Book of the Incipit: Beginnings in the Fourteenth Century*, de D. Vance Smith (Minneapolis: University of Minnesota Press, 2001).

48. *Historia*, t. II, p. 63.

49. Ibid., p. 409.

50. Ver a fascinante síntese que faz Enrique Florescano em *La bandera mexicana: Breve historia de su formación y simbolismo* (México, DF: Fondo de Cultura Económica, 1998). Escreve Florescano: "O mais significativo desse processo de afirmação e substituição de emblemas é que, ao fim e ao cabo, o escudo indígena se torna uma insígnia não somente de *criollos* e indígenas, mas também das autoridades e instituições vice-reinais" (p. 63).

51. *Historia*, t. II, p. 301.

52. Ibid., p. 314 e ss.

53. Bhabha cita Fanon: "É uma contínua agonia, mais que uma total desaparição da cultura preexistente", em *El lugar de la cultura*, op. cit., p. 143.

54. *Historia*, t. II, p. 157.

55. Cito da *Historia*, t. I, pp. 450 e 468.

56. *Historia*, t. II, p. 75.

57. Ibid.

58. Ibid., p. 77.

59. Cito da *Historia*, t. I, pp. 443, 450 e 468. Para as pugnas entre as elites *criollas* de Cartagena, e para a importante participação de negros e mulatos, das quais Menéndez Pelayo nada menciona, ver o fascinante livro de Alfonso Múnera *El fracaso de la nación: Región, clase y raza en el Caribe colombiano (1717-1810)* (Bogotá: Banco de la República, 1998). Entre 1814 e 1815, Cartagena, cheia de corsários franceses, ingleses e caribenhos, e também refúgio de Bolívar, era o único ponto no Caribe em aberta rebelião contra o domínio espanhol, até que foi sitiada e derrotada pelo general espanhol Pablo Morillos em dezembro de 1815. Menéndez Pelayo chamava Morillos de "pacificador" (*Historia*, t. I, p. 441).

60. *Historia*, t. I, p. 210.

61. Ibid., pp. 210-1. Para um panorama mais complexo, e para a história da censura na colônia açucareira, é fundamental *El libro en Cuba: Siglos XVIII y XIX*, de Ambrosio Fornet (Havana: Editorial de Letras Cubanas, 1994). Fornet oferece o quadro mais completo das tipografias, os impressores e os avatares da produção editorial cubana no século XIX. Ver ademais o denso *Nacionalismo y literatura: Constitución e institucionalización de la "República de las letras" cubanas*, de Irma Lloréns (Pot de Boira de Lérida: Edicions de la Universitat de Lleida, 1998).

62. *Historia*, t. I, pp. 225 e 228. Ver pp. 225-44. Não é o único caso, no entanto. Sobre Sarmiento, que ele considera "originalíssimo e excêntrico", escreve: "Em 1841 não era mais que um jornalista meio louco, que fazia contínuo e faustoso alarde da mais crassa ignorância, e que, tendo declarado guerra de morte ao nome espanhol, comprazia-se em estropiar nossa língua com toda sorte de

barbarismos, enfeando-a ademais com uma ortografia de sua própria invenção" (*Historia*, t. II, p. 288). Em contraste, para Martí, Heredia encarnava a "vida atormentada e épica". Em 1888, ele exaltou Heredia, o grande poeta exilado, como o "primeiro poeta da América". Cf. José Martí, *Obras completas* (Havana: Editorial de las Ciencias Sociales, 1975, t. 5, pp. 133 e 136). Antes dissera, referindo-se a suas odes: "Heredia tem um único semelhante na literatura, que é Bolívar".

63. No caso cubano, por exemplo, a condessa de Merlin, que mereceu a atenção crítica de Sylvia Molloy em *At Face Value: Autobiographical Writing in Spanish America* (Cambridge: Cambridge University Press, 1991). Cf. também Adriana Méndez Rodenas, *Gender and Nationalism in Colonial Cuba: The Travels of Santa Cruz y Montalvo, Condesa de Merlin* (Nashville: Vanderbilt University Press, 1998).

64. Cito de Ambrosio Fornet, *El libro en Cuba*, op. cit., p. 160. Ver especialmente o capítulo intitulado "Radiografía editorial de la colonia", pp. 73-172. Ver também o capítulo 3 do livro de Irma Lloréns, referido antes: "Os letrados liberais do século XIX pretendem fundar um campo intelectual alternativo que lhes permita competir pelo poder cultural, transformar as relações de poder da sociedade cubana e combater os excessos do regime militar" (*Nacionalismo y literatura*, op. cit., p. 113). Para os princípios do século XIX e as redes de poder cubano e suas instituições, ver o documentado livro *Cuba, la isla de los ensayos: Cultura y sociedad (1790-1815)*, de María Dolores González-Ripoll Navarro (Madri: Consejo Superior de Investigaciones Científicas, 1999).

65. É a tese que defendeu com paixão o historiador cubano Raúl Cepero Bonilla, em *Azúcar y abolición* (Havana: Editorial de Ciencias Sociales, 1971, p. 23).

66. *Historia*, t. I, p. 258. Ver pp. 252-9. Plácido foi detido e preso em 1844, e fuzilado no mesmo ano. Durante muito tempo, os críticos cubanos tiveram uma atitude ambivalente diante de sua figura. Ver, por exemplo, Salvador Bueno (Org.), *Acerca de Plácido* (Havana: Editorial de Letras Cubanas, 1985). Ver também Jorge Castellanos, *Plácido, poeta social y político* (Miami: Universal, 1984). O estudo mais completo sobre a Conspiração da Escada e seu contexto é *Sugar Is Made with Blood: The Conspiracy of La Escalera and the Conflict Between Empires Over Slavery in Cuba*, de Robert Paquette (Middletown: Wesleyan University Press, 1988). As investigações em torno da "conspiração" permitem supor que um dos propósitos da repressão foi o extermínio de uma nova classe de "letrados", em sua maioria libertos, que não faziam parte da elite.

67. O mundo afro é o fantasma que ameaça o discurso romântico da nação, e por isso mesmo permite uma leitura crítica, como conclui Ranjana Khanna em *Dark Continents: Psychoanalysis and Colonialism* (Durham: Duke University Press, 2003, pp. 271-2). De outra parte, e de uma perspectiva históri-

co-social, ver o já citado *Azúcar y abolición*, de Raúl Cepero Bonilla, e também Consuelo Naranjo e Armando García, *Racismo e inmigración en Cuba en el siglo XIX* (Madri: Doce Calles, 1996). Para a repercussão dos conflitos raciais durante as guerras de independência em Cuba, ver Ada Ferrer, *Insurgent Cuba: Race, Nation, and Revolution, 1868-1898* (Chapel Hill: The University of North Carolina Press, 1999). Ver também o notável ensaio de síntese de Esther Aillón Soria "La política cultural de Francia en la génesis y difusión del concepto *L'Amérique Latine*, 1860-1930", op. cit.

68. *Historia*, t. i, p. 287.

69. Ibid., p. 301. Por trás de suas palavras está a larga tradição do temor da Revolução Haitiana. Suas repercussões no Caribe, nos Estados Unidos e na Europa podem ser vistas em David P. Geggus (Org.), *The Impact of the Haitian Revolution in the Atlantic World* (Columbia: University of South Carolina, 2001), especialmente os trabalhos de Juan R. González Mendoza, "Puerto Rico's Creole Patriots and the Slave Trade after the Haitian Revolution"; de Laurent Dubois, "The Promise of Revolution: Saint Domingue and the Struggle for Autonomy in Guadeloupe, 1797-1802"; e de Matt D. Childs, "A Black French General Arrived to Conquer the Island: Images of the Haitian Revolution in Cuba's 1812 Aponte Rebellion".

70. *Historia*, t. i, p. 303. Não está nunca distante o mito dos *caribes/caníbales*, muito vivo nos relatos de Colombo. Ver Marina Warner, *Managing Monsters: Six Myths of Our Time* (Londres: Vintage, 1994).

71. Ver o seu sugestivo ensaio "Hacia una identidad racial alternativa en la sociedad dominicana", em *El Caribe entre imperios, Op. Cit.: Revista del Centro de Investigaciones Históricas de la Universidad de Puerto Rico*, op. cit., pp. 235--51. Cito da p. 238. Torres Saillant comenta que durante a ditadura de Trujillo se impôs o termo *indio*, inclusive na cédula de identidade (p. 250). Ainda em 1983, o letrado racista e trujillista Joaquín Balaguer reimprimia um livro de 1947 em que lamentava a "africanização" do povo dominicano. Ver seu livro *La isla al revés: Haití y el destino dominicano* (Santo Domingo: Fundación José Antonio Caro, 1983). Em 1947, sob Trujillo, o título era *La realidad dominicana: Semblanza de un país y un régimen*. Néstor E. Rodríguez estuda a continuidade do discurso anti-haitiano em *La isla y su envés: Representaciones de lo nacional en el ensayo dominicano contemporáneo* (San Juan: Instituto de Cultura Puertorriqueña, 2003).

Sobre a persistência do discurso racista, ver Teun Van Dijk, *Dominación étinica y racismo discursivo en España y América Latina* (Barcelona: Gedisa, 2003).

72. Sobre esse tema, ver *Foundations of Despotism: Peasants, the Trujillo Regime, and Modernity in Dominican History*, investigação muito rica de Richard Lee Turits (Stanford: Stanford University Press, 2003), e um resumo nas

pp. 47-51. Também os livros *La dominación haitiana, 1822-1844*, de Frank Moya Pons (Santiago de los Caballeros: Universidad Católica Madre y Maestra, 1978), e, de Franklin Franco Pichardo, *Historia del pueblo dominicano* (Santo Domingo: Sociedad Editorial Dominicana, 1993) e *Sobre racismo y antihaitianismo (y otros ensayos)* (Santo Domingo: Impresora Vidal, 1997). Ver, também, de Emilio Rodríguez Demorizi, *Invasiones haitianas de 1801, 1805 y 1822* (Ciudad Trujillo: Ediciones del Caribe, 1955).

73. O tema é complexo. Homi Bhabha retoma os problemas da "totalidade" e dos estereótipos raciais do discurso colonial num denso trabalho em que lê criticamente Said a partir das colocações de Fanon, Freud e Lacan. Em "La otra pregunta: El esteriotipo, la discriminación y el discurso del colonialismo", Bhabha observa: "O discurso colonial produz o colonizado como uma realidade social que é a um só tempo um 'outro' e no entanto inteiramente reconhecível e visível" (*El lugar de la cultura*, op. cit., p. 96).

74. *Historia*, t. I, pp. 308-9.

75. Em Max Henríquez Ureña, *Panorama histórico de la literatura dominicana* (Santo Domingo: Editorial Librería Dominicana, 1965, t. 1, p. 88).

76. Ibid., p. 148. Segundo o historiador Franklin Pichardo, "a integração da antiga colônia espanhola à República do Haiti se efetuou sem um único disparo, pois contou com o apoio da maioria de seus povoadores, salvo a pequena aristocracia colonial branca e certos sacerdotes influentes para quem foi um golpe duro" (*Historia del pueblo dominicano*, op. cit., p. 181). Para uma explicação do apoio à invasão por parte dos camponeses, ver Frank Moya Pons, *The Dominican Republic*, op. cit., pp. 117-64; e Richard Turits, *Foundations of Despotism*, op. cit., especialmente o capítulo "Freedom in *el Monte*", pp. 25-51.

77. Ver o texto em Orlando Inoa (Org.), *Pedro Henríquez Ureña en Santo Domingo* (Santo Domingo: Comisión Permanente de la Feria del Libro, 2002, pp. 305-6).

78. Ver Cristóbal Robles Muñoz, *Paz en Santo Domingo (1854-1865): El fracaso de su anexión a España* (Madri: Consejo Superior de Investigaciones Científicas, 1987).

79. *Historia*, t. II, p. 195. Não entro aqui na história do termo *criollo*, mas, como nota José Antonio Mazzotti, a palavra foi usada já na segunda metade do século XVI com um caráter insultante: denominava os escravos africanos nascidos fora da África. Entretanto, mais tarde os *criollos* "encontraram diversas formas de negociar com o poder ultramarino, tratando de acomodar-se dentro do sistema burocrático e da organização eclesiástica através de alianças com os peninsulares, mas na maioria dos casos reforçando seus próprios direitos". Cf. José Antonio Mazzotti (Org.), *Agencias criollas: La ambigüedad "colonial" en las letras hispanoamericanas* (Pittsburgh: Biblioteca de América, 2000, p. 11).

80. David Brading, *Los orígenes del nacionalismo mexicano*. Trad. de Soledad Loaeza Grave. México, DF: Era, 1988, p. 15.

81. É indispensável o estudo *Modernidad e independencias: Ensayos sobre las revoluciones hispánicas* (Madri: Mapfre, 1992), de François-Xavier Guerra. Nele, se oferecem numerosos exemplos do papel da imprensa, das escolas e do papel da alfabetização e do mundo impresso na difusão e apropriação de uma nova cultura política, sobretudo no México.

82. Texto incluído em José Luis Romero e Luis Alberto Romero (Orgs.), *Pensamiento político de la emancipación* (Caracas: Biblioteca Ayacucho, 1977, t. I, p. 5).

83. No seu erudito livro, Kohn distingue o nacionalismo moderno da grande tradição universalista do Império Romano ou do cristianismo, e da amálgama de Estado e Igreja na Espanha. É significativo que o próprio Kohn estivesse trabalhando em seu livro durante a Segunda Guerra Mundial, quando já se encontrava também no exílio, nos Estados Unidos. Cf. Hans Kohn, *Historia del nacionalismo*, trad. de Samuel Cosío Villegas (México, DF: Fondo de Cultura Económica, 1984).

84. Em *Pensamiento político de la emancipación*, op. cit., t. I, p. 11.

85. A história do texto é complexa. Viscardo o escreveu em francês em 1792, *Lettre aux Espagnols Américains*, mas só foi publicado em 1799, depois de sua morte, quando seus papéis foram entregues a Miranda. A "carta" foi traduzida para o espanhol e publicada pela primeira vez em Londres, em 1801. Essa segunda edição se difundiu muito rápido. O manuscrito autógrafo em francês foi descoberto em 1983 na Sociedad Histórica de Nueva York. Ver os estudos e as edições de Merle E. Simmons (Org.), *Los escritos de Juan Pablo Viscardo y Guzmán, precursor de la independencia hispanoamericana* (Caracas: Universidad Católica Andrés Bello, 1983). Ver também a excelente introdução de David Brading, em Juan Pablo Viscardo y Guzmán, *Carta dirigida a los españoles americanos*, org. de David Brading (México, DF: Fondo de Cultura Económica, 2004).

86. Cito da edição fac-similar em Juan Pablo Viscardo y Guzmán, *Obra completa*, org. de Merle E. Simmons, trad. de Ana María Julliand (Lima: Biblioteca Clásicos del Perú, 1988, pp. 273-4).

87. Ibid., pp. 275-6.

88. Cf. Carmen Bernand e Serge Gruzinski, *Historia del Nuevo Mundo. Tomo II, Los mestizajes, 1550-1640*, trad. de María Antonia Neira Bigorra (México, DF: Fondo de Cultura Económica, 1999, p. 333).

89. Cito de sua introdução à *Carta*, op. cit., p. 38. Em outro estudo, Brading contrasta o lugar dos *criollos* na "Carta" com a *Historia antigua de México*, publicada em italiano pelo jesuíta mexicano Francisco Javier Clavijero, que assumiu o papel de advogado do índio e resgatou o passado asteca da obscuridade.

Ver seu *Los orígenes del nacionalismo mexicano*, op. cit., pp. 37-42, e também *Orbe indiano*, op. cit., pp. 576-7. Merle Simmons, tendo em conta outros textos de Viscardo, conclui: "Ainda que menos numerosos que os índios e mestiços, gente que ele qualifica como grupos estimáveis, os *criollos* se destacam destes por serem, de todas as classes sociais, a mais talentosa, mais enérgica e mais admirada" (*Los escritos de Juan Pablo Viscardo*, op. cit., p. 127).

90. Ver, por exemplo, a "Acta de París", de 1797, na qual pede a intervenção da Grã-Bretanha, da mesma maneira que França e Espanha "reconheceram a independência dos anglo-americanos, cuja opressão certamente não era comparável à dos hispano-americanos". Cf. Francisco de Miranda, *América espera*, org. de J. L. Salcedo-Bastardo, trad. de Gustavo Díaz Solís, Michel R. Monner e Gilberto Merchán (Caracas: Biblioteca Ayacucho, 1982, p. 195).

91. Explica-o Partha Chatterjee: é um discurso de autonomia e, simultaneamente, de subordinação. Propõe medir-se com a cultura dominante, isto é, com a cultura imperial, ao mesmo tempo que deve questioná-la, mas preservando a validez do paradigma e sua modernidade. Cf. Chatterjee, *Nationalist Thought in the Colonial World: A Derivative Discourse?* (Londres: United Nations University, 1986).

92. Por outro lado, alguns historiadores têm questionado a generalização do paradigma da "era da Revolução", aduzindo que termina por impor o modelo europeu ou norte-americano à experiência latino-americana, na qual nem sempre está clara a ruptura com o "antigo regime". Ver Eric Van Young, "Was There an Age of Revolution in Spanish America?", em Víctor Uribe-Uran (Org.), *State and Society in Spanish America during the Age of Revolution* (Wilmington: SR Books, 2001, pp. 219-46).

93. Michel Foucault, *Defender la sociedad*, op. cit., p. 162.

94. Em *Pensamiento político de la emancipación*, op. cit., t. I, pp. 138-9.

95. Ver o capítulo "Venezuela, la revolución violenta" em John Lynch, *Las revoluciones hispanoamericanas, 1808-1826*, trad. de Javier Alfaya e Barbara McShane (Barcelona: Ariel, 1976, pp. 213-54).

96. Esse texto tem sido frequentemente antologizado. Utilizo o texto que aparece em *Pensamiento político de la emancipación*, op. cit., t. II, pp. 83-99. Citarei sempre dessa edição.

97. Sigo aqui o estimulante trabalho de Jean Starobinski *1789: Los emblemas de la razón*, trad. de José Luis Checa Cremades (Madri: Taurus, 1988).

98. Eduardo Subirats, *El continente vacío: La conquista del Nuevo Mundo y la conciencia moderna*, op. cit., pp. 465-7.

99. Em *Pensamiento político de la emancipación*, op. cit., t. I, pp. 138-9.

100. Ibid., p. 89. Como assinalou Susana Rotker, Simón Rodríguez, o mestre de Bolívar, concordava com essa proposta; queria "colonizar" a América com

seus próprios habitantes mediante a educação. Cf. Rotker, "Simón Rodríguez: Tradición y revolución", em Beatriz González Stephan et al. (Orgs.), *Esplendores y miserias del siglo XIX: Cultura y sociedad en América Latina* (Caracas: Monte Ávila, 1995, pp. 174-6).

101. Não é, portanto, exata a descrição que faz Henríquez Ureña em *Las corrientes*: "Ao empregar a primeira pessoa do plural, pensava em toda a América hispânica". Cf. Pedro Henríquez Ureña, *Las corrientes literarias en la América hispánica*, trad. de Joaquín Diez-Canedo [de *Literary Currents in Hispanic America*] (México, DF: Fondo de Cultura Económica, 1949, p. 45).

102. Ver sua reprimenda de 1868 em *El proceso abolicionista en Puerto Rico: Documentos para su estudio*, t. II, *Proceso y efectos de la abolición: 1866-1896* (San Juan: Centro de Investigaciones Históricas, Universidad de Puerto Rico; Instituto de Cultura Puertorriqueña, 1978, pp. 185-9). Para uma biografia de Betances, ver Ada Suárez Díaz, *El Antillano: Biografía del dr. Ramón Emeterio Betances (1827-1898)* (San Juan: Centro de Estudios Avanzados de Puerto Rico y el Caribe, 2004).

103. Ver Maurizio Viroli, *Por amor a la patria: Un ensayo sobre el patriotismo y el nacionalismo*, trad. de Patrick Alfaya MacShane (Madri: Acento, 1997), especialmente o cap. 5, "La nacionalización del patriotismo", pp. 176-201.

104. Eugenio María de Hostos, *La peregrinación de Bayoán*. Río Piedras: Edil, 1970, p. 18.

105. Citado por José Luis González, *Literatura y sociedad en Puerto Rico: De los cronistas de Indias a la generación del 98* (México, DF: Fondo de Cultura Económica, 1976, p. 162). Para o contexto do Ateneo de Madri em que interveio Hostos, ver Francisco Villacorta Baños, *El Ateneo Científico, Literario y Artístico de Madrid, 1885-1912* (Madri: Consejo Superior de Investigaciones Científicas, Centro de Estudios Históricos, 1985). Com ênfase nas transformações da instituição, ver Tomás Mallo, "El Ateneo de Madrid ante el 98", em Consuelo Naranjo et al. (Orgs.), *La nación soñada: Cuba, Puerto Rico y Filipinas ante el 98*, op. cit., pp. 529-36.

106. Eugenio María de Hostos, "El problema de Cuba". In: Id., *América: La lucha por la libertad*. Org. de Manuel Maldonado Denis. México, DF: Siglo XXI, 1980, pp.152 e 154.

107. Em "Cuba y Puerto Rico", de 1872. Cf. ibid., p. 134.

108. Em meio à crescente e vasta bibliografia sobre Martí, já operando da nova metrópole, são indispensáveis os ensaios de Rafael Rojas em *José Martí: La invención de Cuba* (Madri: Colibrí, 2001) e os trabalhos de Julio Ramos. É muito útil, também, Oscar Montero, *José Martí: An Introduction* (Nova York: Palgrave Macmillan, 2004).

109. José Martí, *Nuestra América*, op. cit., pp. 19-26.

110. "Carta de Nueva York", de 16 de setembro de 1881, publicada em *La Opinión Nacional*, de Caracas, em *Obras completas*, op. cit., t. 14, pp. 100-1.

111. "Carta de Nueva York", de 1º de outubro de 1881, também em *La Opinión Nacional*, de Caracas, em ibid., pp. 121-2.

112. Cito do ensaio de Rafael Rojas "España en la Nueva Inglaterra", em *José Martí: La invención de Cuba*, op. cit., p. 52. Refere-se à crônica em que fala do centenário de Irving, datada de 1º de maio de 1883, publicada em *La Nación*, de Buenos Aires, e incluída no tomo 9 de suas *Obras completas*, op. cit., pp. 401-8.

113. José Martí, *Nuestra América*, op. cit., p. 30.

114. Antonio Cornejo Polar utilizou como incipit a frase de Martí, que expressava o "extenso sentimento de frustração" com as independências. Ver Antonio Cornejo Polar, "La literatura hispanoamericana del siglo XIX: Continuidad y ruptura (hipótesis a partir del caso andino)", em Beatriz González Stephan et al. (Orgs.), *Esplendores y miserias del siglo XIX: Cultura y sociedad en América Latina*, op. cit., p. 12. Como observou Guillermo Bonfil Batalla, em "Nuestro patrimonio cultural: un laberinto de significados", "o acesso à independência não mudou substancialmente a situação. Os grupos que ocuparam o poder após a saída dos espanhóis peninsulares participavam também da cultura *criolla* ocidental e herdaram os traços principais da mentalidade colonizadora de seus antepassados" (Enrique Florescano [Org.], *El patrimonio cultural de México*, México, DF: Fondo de Cultura Económica, 1993, p. 23).

115. Ver seu ensaio "El modernismo en la poesía cubana". Cf. Pedro Henríquez Ureña, *Obra crítica*, org. de Emma Susana Speratti Piñero (México, DF: Fondo de Cultura Económica, 1960, pp. 17-8).

116. Salvador Brau, *Ecos de la batalla*. Puerto Rico: Imprenta y Librería de José González Font, 1886, p. 8. Na passagem citada, Brau comentava uma frase do político espanhol Emilio Castelar, que se refere ao "espírito democrático" peninsular. É evidente que para Brau a colônia espanhola se faz anacrônica, ao compará-la com a modernidade que vislumbrava nos Estados Unidos. A "batalha", por outro lado, é o gênero da *polêmica*. Manuel Fernández Juncos, crítico contemporâneo de Brau, pôs em relevo em seu prólogo a *Ecos de la batalla* o talento polêmico e retórico de seu autor: "Nesse gênero, que se poderia chamar muito bem de *polêmica lírica*, Salvador Brau não tem rival no jornalismo porto-riquenho" (p. xiii). O pensamento e os *beginnings* de Brau se deram na *polêmica*, na grande tradição da literatura panfletária. Nessa tradição, como destaca Marc Angenot, com frequência se diz uma palavra impossível, sem estatuto, oposta à palavra institucional. Ver Angenot, *La Parole pamphlétaire: Contribution à la typologie des discours modernes* (Paris: Payot, 1982, p. 39 e ss).

117. Para o contexto da censura em Porto Rico, ver Gervasio L. García,

"Historiar bajo censura: La primera historia puertorriqueña", em Fray Íñigo Abbad y Lasierra, *Historia geográfica, civil y natural de la isla de San Juan Bautista de Puerto-Rico*, notas de José Julián Acosta [1866] (Madri: Doce Calles, 2002, pp. 9-31). Há ampla informação sobre o tema em Antonio Pedreira, *El periodismo en Puerto Rico: Bosquejo histórico desde su iniciación hasta 1930* (Havana: Ucar García, 1941). Sobre a censura católica sob o regime espanhol, ver Samuel Silva Gotay, *Catolicismo y política en Puerto Rico bajo España y Estados Unidos: Siglos XIX y XX* (San Juan: Editorial de la Universidad de Puerto Rico, 2005).

118. Salvador Brau, *Historia de Puerto Rico* [ed. fac-similar]. Río Piedras: Puerto Rico Editorial Coquí, 1966, p. 258.

119. Ainda que faça referência a um texto seu em uma nota. Ver a nota 2 na *Historia*, op. cit., t. I, p. 330. Para uma excelente reconsideração da tradição política autonomista num contexto amplo, ver Astrid Cubano Iguina, "El autonomismo en Puerto Rico, 1887-1898: Notas para la definición de un modelo de política radical", em Consuelo Naranjo et al. (Orgs.), *La nación soñada: Cuba, Puerto Rico y Filipinas ante el 98*, op. cit., pp. 405-15.

120. Salvador Brau, *Disquisiciones sociológicas y otros ensayos*. Río Piedras: Ediciones del Instituto de Literatura de la Universidad de Puerto Rico, 1956, p. 277.

121. Em sua *Historia de Puerto Rico*, op. cit., p. 305. Originalmente, foi publicada em Nova York em 1904 pela editora Appleton, a mesma que difundiu o conhecido *Diccionario* de Arturo Cuyás. A grande novidade do livro era que se tratava da primeira história de Porto Rico publicada com fins escolares por um porto-riquenho. Por outro lado, é curioso constatar que os principais leitores de Brau leram por alto sua problemática apropriação do regime militar norte-americano, ainda que tenham exaltado sua ética jornalística sob a colônia espanhola. A conscienciosa investigação de Antonio S. Pedreira sobre o jornalismo porto-riquenho no século XIX e sobre a censura oferece um contexto muito concreto para as ideias e práticas de Brau. Em seus ensaios *El año terrible del 87* e *Insularismo*, Pedreira condenou a repressão sofrida pelos liberais autonomistas durante a segunda metade do século XIX. Para o autor de *Insularismo* (1934), os textos de Brau adquirem lugar fundacional: permitem-lhe situar seu próprio discurso crítico em uma tradição. As *Disquisiciones* compiladas por Eugenio Fernández Méndez, e sua importante introdução, são igualmente indispensáveis. Com essa antologia, Fernández Méndez devolvia Brau por fim a seu justo lugar.

122. O historiador Jeremy Adelman assim o sintetiza: "Em lugar de definir-se em oposição à modernidade norte-americana (como fizeram alguns escritores protonacionalistas da América hispânica como Rodó ao abraçar o neo-hispanismo), os emigrados cubanos se consideravam parte de um projeto hemisférico". Jeremy Adelman, "Comentarios al ensayo de Louis A. Pérez". *El*

Caribe entre imperios, Op. Cit.: Revista del Centro de Investigaciones Históricas de la Universidad de Puerto Rico, op. cit., p. 196.

123. Cf. Rafael Rojas, *Isla sin fin: Contribución a la crítica del nacionalismo cubano* (Miami: Universal, 1998, p. 115).

124. Enrique José Varona, "El fracaso colonial de España". In: Id., *El imperialismo a la luz de la sociología*. Havana: Apra, 1933, p. 53. Para as repercussões do discurso civilizatório e o modelo norte-americano na jovem república cubana, ver o documentado livro de Louis A. Pérez *On Becoming Cuban: Identity, Nationality & Culture* (Chapel Hill: University of North Carolina Press, 1999, especialmente pp. 16-164). Ali ele sustenta que a emigração cubana para os Estados Unidos ao longo do século XIX foi o "crisol da nação". Ver também os agudos comentários de Jeremy Adelman ao ensaio de Pérez citado antes (Adelman, "Comentarios al ensayo de Louis A. Pérez", op. cit., pp. 185-98). Nesse contexto, é muito esclarecedor o livro de Daniel Headrick, no qual se sustenta que a ciência e a tecnologia proveram os meios para o novo imperialismo. Ver Headrick, *Los instrumentos del imperio: Tecnología e imperialismo europeo en el siglo XIX*, trad. de Javier García Sanz (Madri: Alianza, 1989).

125. Uma esclarecedora síntese do debate recente em torno de projetos latino-americanistas encontra-se em Román de la Campa, "Latinoamérica y sus nuevos cartógrafos: Discurso poscolonial, diásporas intelectuales, y enunciación fronteriza" (*Revista Iberoamericana*, v. LXII, n. 176-7, pp. 697-717, jul./dez. 1996). Enrico Mario Santí estabelece uma relação entre "latino-americanismo" e "orientalismo", e pensa suas implicações para o campo de estudos. "Quão conscientes estamos nós, os latino-americanos, nos Estados Unidos e na Europa, de nossa cumplicidade com o discurso que subjaz à nossa disciplina?", pergunta-se em Enrico Mario Santí, "Latinoamericanismo" (*Vuelta*, México, DF, n. 210, p. 64, maio 1994). Para o debate em torno do "latino", ver os lúcidos ensaios de Juan Flores em *From Bomba to Hip-Hop: Puerto Rican Culture and Latino Identity* (Nova York: Columbia University Press, 2000), especialmente "Pan-Latino/Trans-Latino", pp. 141-65, e "The Latino Imaginary" e "Latino Studies", pp. 191-218.

126. Menéndez Pelayo dedica um lugar especial ao dominicano Muñoz del Monte em sua *Historia*, t. I, pp. 305-7. Henríquez Ureña, em "Vida intelectual de Santo Domingo", incluído em *Horas de estudio*, também se refere a ele elogiosamente. Cf. Pedro Henríquez Ureña, *Obra crítica*, op. cit., pp. 135-8.

127. Em Artudo Ardao, *Génesis de la idea...*, op. cit., pp. 70-2. Ver também, para o período, o documentado livro de Martin Stabb *In Quest of Identity*, op. cit. Para o essencial a respeito das polêmicas sobre o *hispanismo* depois de 1898, ver os livros *Hispanismo, 1898-1936*, op. cit., de Frederick B. Pike, e *Historia de las relaciones culturales*, op. cit., de Carlos Rama. Rama destaca a importância dos "transplantados" latino-americanos para a Espanha, e sua função de me-

diadores em torno do "hispanismo". De fato, Menéndez Pelayo dá um espaço importante a Magariños e a Baralt em sua *Historia*.

128. Carlos Real de Azúa, "Ante el imperialismo, el colonialismo y el neocolonialismo". In: Leopoldo Zea (Org.), *América Latina en sus ideas*. México, DF: Siglo XXI; Unesco, 1986, p. 273. No mesmo livro, ver também Noel Salomon, "Cosmopolitismo e internacionalismo (desde 1880 hasta 1940)". Além disso, de Richard M. Morse, *El espejo de Próspero: Un estudio de la dialéctica del Nuevo Mundo*, trad. de Stella Mastrangelo (México, DF: Siglo XXI, 1982). Ver também Claudio Véliz, *La tradición centralista de América Latina*, trad. de María Isabel Carreras e Ignacio Hierro (Barcelona: Ariel, 1984). É esclarecedor o ensaio "The Case of the Speaking Statue: *Ariel* and the Magisterial Rhetoric of the Latin American Essay", de Roberto González Echeverría, em *The Voices of the Masters: Writing and Authority in Modern Latin American Literature* (Austin: University of Texas Press, 1985).

129. Ver Carlos Rama, *Historia de las relaciones culturales entre España y la América Latina*, op. cit., sobretudo pp. 161-98. Também Luis Sáinz de Medrano, "Un episodio de la *Autobiografía* de Rubén Darío: La conmemoración en España del IV Centenario del descubrimiento de América", em *XVII Congreso del Instituto Internacional de Literatura Hispanoamericana* (Madri: Ediciones Cultura Hispánica del Centro Iberoamericano de Cooperación, 1978, t. III, pp. 1489-98). Nele estão resumidas as informações sobre o Centenário publicadas em 1892 na revista *La Ilustración Española y Americana*, além de conter numerosos dados sobre congressos, exposições e festejos.

130. Rubén Darío, *La vida de Rubén Darío escrita por él mismo*. Barcelona: Maucci, 1915, p. 111.

131. Citado por Luis Sáinz de Medrano, "Un episodio...", op. cit., p. 1496. Darío acrescenta: "[...] mas desejaria para nossa literatura um renascimento que tivesse por base o classicismo puro e marmóreo, na forma, e com pensamentos novos". A revista o reconhecia numa nota como um escritor importante: "O sr. d. Rubén Darío, jovem de 26 anos não completos, que tem fé no porvir, muita constância no estudo e labor incansável, é chamado a ser um dos primeiros literatos hispano-americanos" (p. 1496).

132. Os ensaios de Real de Azúa seguem sendo esclarecedores para o estudo dos modernistas, para a genealogia das correntes "hispanistas" e suas práticas, assim como para o estudo do "cosmopolitismo". Ver Carlos Real de Azúa, "Modernismo e ideologías" (*Punto de Vista*, v. IX, n. 28, pp. i-xli, nov. 1986).

133. Rubén Darío, *Poesía*. Org. de Ernesto Mejía Sánchez. Introd. de Ángel Rama. Caracas: Biblioteca Ayacucho, 1977, p. 303. Sobre sua viagem à Espanha em 1892, ver: Francisco Contreras, *Rubén Darío: Su vida y su obra* (Barcelona: Agencia Mundial de Librería; Tipografía Cosmos, 1930, sobretudo pp. 63-

-72); Enrique Anderson Imbert, *La originalidad de Rubén Darío* (Buenos Aires: Centro Editor de América Latina, 1967, especialmente pp. 55-8); Charles D. Watland, "Los primeros encuentros entre Darío y los hombres del 98", em *Estudios sobre Rubén Darío* (México, DF: Fondo de Cultura Económica; Comunidad Latinoamericana de Escritores, 1968, pp. 354-63); e Ernesto Mejía Sánchez, "El nicaragüense Rubén Darío", em *Cuestiones rubendarianas* (Madri: Ediciones de la Revista de Occidente, 1970, pp. 9-31).

134. Ver *Epistolario de Valera y Menéndez Pelayo*, op. cit., p. 447. A carta é de 18 de setembro de 1892.

135. De fato, o modernismo gerou certo antiamericanismo, estudado por Donald F. Fogelquist em *Españoles de América y americanos de España* (Madri: Gredos, 1968).

136. Na edição da *Poesía*, de Rama e Mejía Sánchez, op. cit., pp. 308-9. Seria interessante comparar as intervenções de Darío na Espanha com sua atuação em Havana nesse mesmo ano, a caminho de Madri. São alianças de outro tipo. Ver Ángel Augier, *Cuba en Darío y Darío en Cuba* (Havana: Editorial Letras Cubanas, 1989).

137. Cito do inteligente ensaio de Oscar Montero "Modernismo y 'degeneración': *Los raros* de Darío" (*Revista Iberoamericana*, v. LXII, n. 176-7, p. 822, jul./dez. 1996). Como destaca Montero, Darío manejava astutamente a publicidade em Buenos Aires: "*Los raros* foi publicado com todo o aparato publicitário utilizado hoje em dia para lançar qualquer best-seller" (p. 823).

138. Rubén Darío, *España contemporánea*. Paris: Garnier, 1901, pp. 1-2. Nesse momento, poder-se-ia comparar com o que faz um escritor contemporâneo como V. S. Naipaul, que em seus romances, observa Bhabha, "dá as costas ao mundo híbrido colonial meio terminado, para fixar os olhos no domínio universal da literatura inglesa" (Homi Bhabha, "Signos tomados por prodigios: Cuestiones de ambivalencia y autoridad bajo un árbol en las afueras de Delhi, mayo de 1817", em *El lugar de la cultura*, op. cit., p. 136).

139. Ver o trabalho de Real de Azúa "Modernismo e ideologías", op. cit., p. xxiii.

140. Ver Carlos Rama, *Historia de las relaciones culturales entre España y la América Latina, siglo XIX*, op. cit.; e o excelente trabalho de Susana Zanetti, "Modernidad y religación: Una perspectiva continental (1880-1916)", em *América Latina: Palavra, literatura e cultura, v. 2, Emancipação do discurso*, org. de Ana Pizarro (São Paulo: Memorial da América Latina, 1994, pp. 489-534). Zanetti considera esse período "um verdadeiro momento de fundação da literatura hispano-americana" (p. 531).

141. Cintio Vitier (Org.), *La crítica literaria y estética en el siglo XIX cubano*. Havana: Biblioteca Nacional José Martí, 1974, t. III, p. 60. Trata-se do mais

amplo estudo que se fez do conjunto dessa importante tradição. Muito jovem, De Armas publicou trabalhos notáveis sobre o *Quijote* de Avellaneda e sobre *La Dorotea*, de Lope de Vega.

142. Citado por Vitier, ibid., p. 43. Vitier comenta: "A hispanofilia se revelava nele como uma forma de colonialismo cultural, como uma falta de fé nos valores autóctones que, por sua vez, o levava à aceitação da passagem imperialista do poder espanhol ao norte-americano" (p. 47). Cito de Sigmund Freud, "La novela familiar de los neuróticos" (1908), em *Obras completas, v. 9 (1906-1908)*, org. de James Strachey, trad. de José L. Etcheverry (Buenos Aires: Amorrortu, 1999, p. 220).

143. Em "Iberoamérica", recolhido em *El mirador de Próspero* (1913). Cito de José Enrique Rodó, *La América nuestra*, introd. de Arturo Ardao (Havana: Casa de las Américas, 1977, p. 127).

144. Cf. Rafael Rojas, "La frontera moral: Cuba, 1898. Los discursos en guerra", em Benigno A. Aguirre e Eduardo Espina (Orgs.), *Los últimos días del comienzo* (College Station: Texas A & M, 2000, p. 155).

145. Para a guerra colonial no Marrocos e a construção do "inimigo", ver: Sebastián Balfour, "El otro moro en la guerra colonial y la guerra civil", em José Antonio González (Org.), *Marroquíes en la Guerra Civil Española: Campos equívocos* (Barcelona: Anthropos, 2003, pp. 95-110); e María Rosa de Madariaga, "La guerra colonial llevada a España: Las tropas marroquíes en el ejército franquista", em José Antonio González (Org.), *Marroquíes en la Guerra Civil Española: Campos equívocos*, op. cit., pp. 58-94.

146. José Vasconcelos, *Indología: Una interpretación de la cultura ibero-americana*. Barcelona: Agencia Mundial de Librería, 1927, pp. 88-9. Também exalta a época colonial mexicana, em palavras muito parecidas às de Menéndez Pelayo: "Que outro povo da América pôde comparar-se, no século XVIII, com o México, que tinha as primeiras tipografias, as primeiras escolas, as primeiras bibliotecas, a melhor arquitetura e as melhores universidades do continente?" (p. 152).

147. Edward Said, *Cultura e imperialismo*, op. cit., p. 101.

148. Para o contexto político e as relações do Caribe e do México com os Estados Unidos no início do século XX, ver Leslie Bethell (Org.), *Historia de América Latina 9: México, América Central y el Caribe, c. 1870-1930*, trad. de Jordi Beltrán e María Escudero (Barcelona: Cambridge University Press; Editorial Crítica, 1992). Essa valiosa obra contém ensaios de Harry Hoetink, Ángel Quintero Rivera e Jean Meyer, entre outros. Oferece, ademais, uma bibliografia ampla e anotada.

149. Tomás Blanco, *El prejuicio racial en Puerto Rico*. Introd. de Arcadio Díaz-Quiñones. Río Piedras: Huracán, 1985.

150. Alejo Carpentier, "Un camino de medio siglo". In: Id., *Razón de ser*. Havana: Editorial Letras Cubanas, 1980, pp. 12-3. Em outro momento ele fala sobre o purismo valorizado pelos escritores cubanos em seus anos de juventude: "Perdurava em nós um espírito de gente colonizada diante da *Gramática* da Academia Espanhola e o prestígio linguístico de Madri [...] que a frase, a estrutura da frase, fosse correta, castelhana, fielmente castelhana; para dizê-lo todo, castiça. 'Nós também sabemos escrever o espanhol', parecíamos dizer aos críticos de Madri quando enviávamos um original para a imprensa [...]. Essa preocupação de pureza linguística era em nós, de certo modo, um sedimento de consciência colonizada". Ver "Problemática del tiempo y el idioma en la moderna novela latinoamericana", ibid., pp. 70-1.

151. Remeto ao trabalho "DisemiNación", de Bhabha, em *El lugar de la cultura*, op. cit., p. 199.

152. Antonio Pedreira, *Insularismo: Ensayos de interpretación puertorriqueña*. Madri: Tipografía Artística, 1934. *Insularismo* é um livro canônico da cultura porto-riquenha moderna. Para o marco do *hispanismo* de Pedreira e outros, é imprescindível o texto de Malena Rodríguez Castro "Asedios centenarios: La hispanofilia en la cultura puertorriqueña", em Enrique Vivoni e Silvia Álvarez Curbelo (Orgs.), *Hispanofilia: Arquitectura y vida en Puerto Rico, 1900-1950* (San Juan: Editorial de la Universidad de Puerto Rico, 1998, pp. 277-327).

153. Os sugestivos trabalhos "Un hombre (negro) del pueblo: José Celso Barbosa and the Puerto Rican 'Race' Toward Whiteness" (*Centro Journal of the Center for Puerto Rican Studies*, v. VIII, n. 1-2, pp. 8-29, 1996), de Miriam Jiménez Román, e "AfroPuertoRican Cultural Studies Beyond *cultura negroide* and *antillanismo*" (*Centro Journal of the Center for Puerto Rican Studies*, v. VIII, n. 1-2, pp. 56-77, 1996), de Juan Giusti Cordero, ambos muito atentos aos textos de Blanco, Pedreira e outros, propunham novamente a dificuldade e o silenciamento do afro-porto-riquenho. O importante ensaio "The Migrations of Arturo Schomburg: Being *Antillano*, Negro, and Puerto Rican in New York, 1891-1938" (*Journal of American Ethnic History*, v. 21, n. 1, pp. 3-49, 2001), de Jesse Hoffnung-Garskof, considera a necessidade de estudar mais a fundo as identificações de um intelectual "negro", que havia sido militante da seção Porto Rico do Partido Revolucionário Cubano em Nova York. Depois de 1898, nos mesmos anos de Pedreira na Universidade Columbia, Schomburg, bilíngue, transitou até uma identificação com o mundo afro-americano. Era um colecionador: seu arquivo fundou a famosa Schomburg Collection de Nova York. Para o contexto das comunidades cubanas, ver Gerald Poyo, *With All and for the Good of All: The Emergence of Popular Nationalism in the Cuban Communities of the United States, 1848-1898* (Durham: University of North Carolina Press, 1989).

154. O pano de fundo de Pedreira era o *hispanismo* acadêmico nos Estados Unidos. O caso porto-riquenho confirma sua importância e complexidade. Pedreira e Concha Meléndez estudaram na Universidade Columbia na década de 1920, sob Onís. Em 1927 foi fundado um departamento de "Estudos Hispânicos" na Universidade de Porto Rico. Sua criação se anunciou, em inglês, e como fruto da colaboração entre Columbia e o Centro de Estudos Históricos de Madri. No princípio, Pedreira era o único porto-riquenho. Laura Rivera Díaz e Juan G. Gelpí estudam essa "tríade" em "Las primeras dos décadas del Departamento de Estudios Hispánicos de la Universidad de Puerto Rico: Ensayo de historia intelectual", em Consuelo Naranjo, María Dolores Luque e Miguel Ángel Puig-Samper, *Los lazos de la cultura: El Centro de Estudios Históricos de Madrid y la Universidad de Puerto Rico, 1916-1939* (Madri: Centro de Investigaciones Históricas de la Universidad de Puerto Rico; Instituto de Historia Madrid, 2002, pp. 191-235). Tal obra oferece novos materiais de grande interesse. Para o contexto político, é muito útil o trabalho de María de los Ángeles Castro "Política y nación cultural: Puerto Rico 1898-1938", ibid., pp. 17-48.

155. Para a tradição nacionalista fundada no catolicismo, ver Luis Ángel Ferrao, *Pedro Albizu Campos y el nacionalismo puertorriqueño* (San Juan: Editorial Cultural, 1990). Ver também o documentado estudo de Samuel Silva Gotay *Catolicismo y política en Puerto Rico bajo España y Estados Unidos*, op. cit.

156. Antonio Pedreira, *Insularismo*, op. cit., pp. 218-9. É muito sugestivo o trabalho de Abdul R. JanMohamed em que distingue "intelectuais sincréticos" dos "especulares" de diversas fronteiras. Os primeiros, como seria o caso de Pedreira, se sentem acolhidos por ambas as culturas, e combinam sincreticamente distintos elementos. Enquanto isso, o intelectual "especular", como Said, não se sente de todo à vontade em lugar algum. Ver Abdul R. JanMohamed, "Worldliness-Without-World, Homelessness-As-Home: Toward a Definition of the Specular Border Intellectual", em *Edward Said, a Critical Reader*, org. de Michael Sprinker (Cambridge: Blackwell, 1992, pp. 96-120).

157. Utilizo "dupla lealdade" seguindo a descrição que faz Josep M. Fradera da Catalunha de meados do século XIX, numa etapa anterior ao nacionalismo de finais do século. Ver a interessante e aguda "introdução" à tradução castelhana, bem como o primeiro capítulo, de seu livro *Cultura nacional en una sociedad dividida: Cataluña, 1838-1868*, trad. de Carles Mercadal Vidal (Madri: Marcial Pons Historia, 2003).

158. No ensaio "En torno a Azorín", incluído no seu livro *En la orilla: Mi España*. Cito de Pedro Henríquez Ureña, *Obra crítica*, op. cit., pp. 226-7.

159. Michel Foucault, *Defender la sociedad*, op. cit., p. 192.

160. Pedro Henríquez Ureña, "Raza y cultura hispánica". In: Id., *Plenitud de América*. Org. de Javier Fernández. Buenos Aires: Peña del Giudice Editores, 1952, pp. 45-54.

161. César Vallejo, *Desde Europa: Crónicas y artículos, 1923-1938*. Org. de Jorge Puccinelli. Lima: Fuente de Cultura Peruana, 1987, p. 443. Ver Ricardo Pérez Monfort, *Hispanismo y Falange: Los sueños imperiales de la derecha española* (México, DF: Fondo de Cultura Económica, 1992).

162. Cito de seu prólogo à edição do *Teatro* de Ruiz de Alarcón, p. xl, publicado originalmente em 1918. Cf. Juan Ruiz de Alarcón, *Teatro*, org. de Alfonso Reyes (Madri: Espasa Calpe, 1953 [1918]).

163. Em seu importante ensaio "Significado y actualidad de *Virgin Spain*", sobre o livro de Waldo Frank, publicado nos *Cuadernos Americanos* em 1942. Alfonso Reyes, *Obras completas XI*. México: Fondo de Cultura Económica, 1960, p. 144. Para um estudo muito notável sobre Alfonso Reyes, pertinente também para o estudo de Henríquez Ureña, ver Robert T. Conn, *The Politics of Philology: Alfonso Reyes and the Invention of the Latin American Literary Tradition* (Lewisburg: Bucknell University Press, 2002).

164. Em "América y los *Cuadernos Americanos*", *Cuadernos Americanos*, n. 2, p. 9, 1942. Reyes publicou seu livro *Última Tule* em 1942, e nele volta a postular a "utopia" da América. Poderíamos comparar a fé renovada de Reyes e outros no "americanismo" com o que os continuadores chamam a volta ao "excepcionalismo" dos Estados Unidos uma vez concluída a Segunda Guerra Mundial e nos princípios da Guerra Fria. Desenvolve-o Daniel T. Rodgers em *Atlantic Crossings: Social Politics in a Progressive Age* (Cambridge, MA: Harvard University Press, 1998, especialmente pp. 502-8).

165. Por isso mesmo chama a atenção que não haja referência alguma ao trabalho *hispanista* de Alfonso Reyes ou de Pedro Henríquez Ureña, nem a seus múltiplos estudos sobre as tradições espanholas, na abrangente *The Cambridge History of Spanish Literature*, organizada por David T. Gies (Cambridge: Cambridge University Press, 2004).

166. Devo agradecer a José Ramón González García, da Universidade de Valladolid, por essa referência. O ensaio de Pérez de Ayala, de 1914, se encontra em Ramón Pérez de Ayala, *Tabla rasa* (Madri: Bullón, 1963, p. 63).

167. Luis Araquistáin, *La agonía antillana: El imperialismo yanqui en el Mar Caribe* (*Impresiones de un viaje a Puerto Rico, Santo Domingo, Haití y Cuba*). Madri: Espasa Calpe, 1928, pp. 7 e 11-12. No mesmo livro o autor defende acordos migratórios com os Estados Unidos que garantissem a presença espanhola em Porto Rico: "Um dos diques de maior resistência à norte-americanização de Porto Rico é a colônia espanhola [...]. Mas a colônia espanhola está fadada a desaparecer [...]. Haveria um remédio: que o Estado espanhol reclamasse dos Estados Unidos um regime especial para a emigração espanhola a Porto Rico" (pp. 88-9).

168. Ver *La lengua española, hoy* (Madri: Fundación Juan March, 1995). O livro contém trabalhos de Juan Lope Blanch e outros que condensam bem uma discussão de largo alcance sobre as instituições principais.

169. Vicente Salvá, *Nuevo diccionario de la lengua castellana.* Paris: Vicente Salvá, 1846.

170. James D. Fernández, "'Longfellow's Law': The Place of Latin America and Spain in U. S. Hispanism, *circa* 1915". In: Richard L. Kagan (Org.), *Spain in America: The Origins of Hispanism in the United States.* Urbana: The University of Illinois Press, 2002, pp. 122-41. Para uma excelente síntese da importância do *hispanismo* na literatura e na vigorosa tradição historiográfica nos Estados Unidos durante a segunda metade do século XIX, ver Rolena Adorno, "Comentarios al ensayo de Peter Hulme", em *El Caribe entre imperios, Op. Cit.: Revista del Centro de Investigaciones Históricas de la Universidad de Puerto Rico*, op. cit., pp. 109-27.

171. Sobre a obra de Washington Irving, é indispensável o ensaio de Rolena Adorno "Washington Irving's Romantic Hispanism and Its Columbian Legacies", em Richard L. Kagan (Org.), *Spain in America: The Origins of Hispanism in the United States*, op. cit., pp. 49-105. Adorno reconstrói a gênese do trabalho de Irving sobre Colombo, que teve grande acolhida nos Estados Unidos, destacando a tradição romântica de língua inglesa que o marca. Sustenta, ademais, que esse relato bastaria para dar-lhe um lugar especial como um dos fundadores do hispanismo norte-americano. Encontra-se mais sobre a imagem romântica e "orientalizante" da Espanha em *Washington Irving en Andalucía*, organizado por Antonio Garnica (Sevilha: Fundación José Manuel Lara, 2004). As interpretações dominantes nos Estados Unidos foram estudadas por Richard L. Kagan em "From Noah to Moses: The Genesis of Historical Scholarship on Spain in the United States", em *Spain in America*, op. cit., pp. 21-48. Kagan se atém firmemente ao "paradigma de Prescott", que concebia a Espanha como uma sociedade incapaz de modernizar-se. Conquanto destaque enfoques de diplomatas, intelectuais e historiadores, com suposições muito distintas, Kagan sustenta que a visão de Prescott foi a que chegou a impor-se. Coincidia com os interesses geopolíticos e econômicos norte-americanos e, ao mesmo tempo, permitia a mistificação romântica da Espanha.

172. José Del Valle, "Menéndez Pidal, la regeneración nacional y la utopía lingüística", em *La batalla del idioma: La intelectualidad hispánica ante la lengua*, op. cit., p. 111.

173. Américo Castro, *Sobre el nombre y el quién de los españoles.* Madri: Taurus, 1973, p. 163. A *History of Spanish Literature*, em três tomos, de Ticknor, foi publicada em 1849. O historiador Pascual Gayangos y Arce (1809-97) traduziu a obra, que foi publicada em espanhol em quatro tomos, entre 1851 e 1857. Cf. George Ticknor, *Historia de la literatura española*, 4 t., trad. de Pascual de Gayangos, com acréscimos e notas críticas de Gayangos e Enrique de Vedia (Madri: Rivadeneyra, 1851-1856). A esse respeito, é interessante a correspondência:

Clara Louisa Penney (Org.), *George Ticknor: Letters to Pascual de Gayangos from Originals in the Collection of the Hispanic Society of America* (Nova York: Hispanic Society of America, 1927).

174. Cito de seu "El estudio del español en los Estados Unidos", em Federico de Onís, *España en América: Estudios, ensayos y discursos sobre temas españoles e hispanoamericanos* (Río Piedras: Editorial Universitaria, 1955, pp. 685-7). "El estudio del español en los Estados Unidos" foi um discurso que Onís pronunciou na Universidade de Salamanca em 1920, em que reconhecia as tensões com os hispano-americanos, que eram discriminados na hora de contratar professores de língua: "Todos os dias encontramos andaluzes, catalães, centro-americanos ou filipinos, que se dizem de Castela e, em troca, homens cultos da Hispano-América a quem se nega a oportunidade de ensinar sua língua por acreditar-se que são inferiores a qualquer castelhano vulgar" (pp. 696-7).

175. Sobre o colecionismo de Huntington, sua decisiva primeira viagem ao México, suas viagens à Espanha, sua amizade com o pintor Sorolla e o papel que desempenhou a Hispanic Society of America, ver o documentado ensaio de Mitchell Codding "Archer Milton Huntington, Champion of Spain in the United States", em Richard L. Kagan (Org.), *Spain in America*, op. cit., pp. 142-70. Archer Milton era filho de uma família muito endinheirada; seu pai era Collis Potter Huntington, que construiu a Central Pacific Railroad. O volumoso e belo livro *The Hispanic Society: Tesoros* (Nova York: The Hispanic Society of America, 2000), organizado por Patrick Lenaghan, é a melhor introdução à biblioteca, às pinturas e a outras coleções. Contém trabalhos de Mitchell Codding, Jonathan Brown e María Luisa López Vidriero.

176. Para o contexto da Associação e sua revista *Hispania*, ver James D. Fernández, "Longfellow's Law: The Place of Latin America and Spain in U. S. Hispanism, *circa* 1915", op. cit. No seu estudo da política de *Hispania*, Fernández argumenta que o crescente interesse econômico na América Latina tornava muito popular o ensino do espanhol, ao mesmo tempo que a Espanha se consolidava claramente como o lugar privilegiado da "alta" cultura. Dentro do círculo preciso dessas convicções, surge e se desenvolve o trabalho de investigação de alguns estudiosos norte-americanos. Um exemplo importante é oferecido na mesma obra em que aparece o ensaio de Fernández, *Spain in America: The Origins of Hispanism in the United States*, organizada por Richard L. Kagan. Ali, Janice Mann estabelece o marco dos estudos pioneiros de Georgiana Goddard King (1871-1939) e A. Kingsley Porter (1883-1933) sobre "o caminho de Santiago" e a arte medieval espanhola, levados a cabo durante a segunda década do século XX. Cf. Richard L. Kagan (Org.), *Spain in America*, op. cit., pp. 171-92.

177. Ver seu artigo "Spanish as a Substitute for German for Training and Culture", comentado por Fernández (*Hispania*, v. I, n. 1, pp. 205-21, dez. 1918).

178. No ensaio "Hacia una amistad triangular: Las relaciones entre España, Estados Unidos y Puerto Rico", de Miguel Ángel Puig-Samper, Consuelo Naranjo e María Dolores Luque, em *Los lazos de la cultura*, op. cit., p. 131. Mainer lança luz sobre a ambígua colaboração de Posada y Altamira no projeto cultural anarquista e a leitura operária. Ver José-Carlos Mainer, *La doma de la quimera: Ensayos sobre nacionalismo y cultura en España* (Bellaterra: Universitat Autònoma de Barcelona, 1988, pp. 19-82).

179. Consuelo Naranjo et al. (Orgs.), *Los lazos de la cultura: El Centro de Estudios Históricos de Madrid y la Universidad de Puerto Rico, 1916-1939*, op. cit., p. 137.

180. No ensaio "Federico de Onís entre España y Estados Unidos (1920-1940)", de Matilde Albert Robatto, em *Los lazos de la cultura*, op. cit., p. 244.

181. *Revista de Avance*, v. I, n. 14, p. 54, 30 out. 1927.

182. Ver seu ensaio "La originalidad de la literatura hispanoamericana", incluído em *España en América*, op. cit., p. 115. Cito uma passagem: "Muitos dos maiores escritores norte-americanos de princípios do XIX, escreve Onís, foram hispanistas. Foram-no Washington Irving, Longfellow, Ticknor [...] era-o Prescott, era-o Lowell. Mas o interesse daqueles norte-americanos se dirigia à Espanha [...] quando cheguei aos Estados Unidos, conduzia-me o interesse pessoal de acercar-me dos países hispano-americanos. Apresentou-se então o contrassenso de que um espanhol — um europeu — trouxe aos norte-americanos a novidade do interesse pelos outros países da América: os países hispano-americanos". Trata-se de uma conferência proferida em Buenos Aires em 1949.

183. *España en América*, op. cit., p. 7.

184. Citado no ensaio "Relaciones culturales entre el Centro de Estudios Históricos de Madrid y la Universidad de Puerto Rico", de Naranjo e Puig-Samper, em *Los lazos de la cultura*, op. cit., p. 177. Ver, além disso, o importante ensaio "El movimiento científico en la España actual", de Américo Castro (*Hispania*, v. III, n. 4, pp. 185-202, out. 1920), em que este resume a importância da autoridade alcançada pela Junta para la Ampliación de Estudios (1907), e a obra de Menéndez Pidal e seus discípulos. Trata-se muito mais de um "relatório" dirigido à academia norte-americana, e de uma declaração de sua filiação à tradição liberal do "sacerdócio laico" de Francisco Giner de los Ríos (1843-95), "o qual perseguiu fins muito determinados quanto à reorganização da cultura nacional" (p. 187).

185. Tal desenvolvimento reflete plasticamente uma analogia entramada do processo e das partes envolvidas. Ver o excelente texto de María Luisa Moreno "El campus de la Universidad de Puerto Rico: Apropiación y amalgama formal en su arquitectura (1903-1940)", em Enrique Vivoni e Silvia Álvarez Curbelo (Orgs.), *Hispanofilia: Arquitectura y vida en Puerto Rico, 1900-1950* (San

Juan: Editorial de la Universidad de Puerto Rico, 1998, pp. 157-203). Moreno estuda os protagonistas, as fontes e as filiações arquitetônicas, e faz uma leitura das fachadas e dos problemas espaciais e construtivos. Entre 1937 e 1939 foi construída a torre que deu identidade ao campus de Río Piedras, desenhada pelo arquiteto William Schimmelpfennig, um amálgama do "olhar romântico e nostálgico da Espanha islâmica e renascentista [...]. Está presente Salamanca, e também o *memorial tower* com carrilhão da Ivy League; está presente o azulejo mourisco junto com a terracota vidrada de Nova York" (p. 187).

186. Américo Castro, *Sobre el nombre y el quién de los españoles*, op. cit., p. 46.

187. *España en su historia: Cristianos, moros y judíos* foi publicado precisamente pela editora Losada, em Buenos Aires, em 1948 (a citação é da p. 21). No prólogo o autor agradece a María Rosa Lida de Malkiel, Ana María Barrenechea e Frida Weber de Kurlat a ajuda na preparação do livro. Tem razão Eduardo Subirats quando observa, em *Después de la lluvia: Sobre la ambigua modernidad española* (Madri: Temas de Hoy, 1993, p. 188): "A obra de Castro deve ser contemplada sob o aspecto central de seu descobrimento de um diálogo entre as três culturas históricas espanholas, a judaica, a árabe e a cristã". Mas há que ressaltar que Castro somente via na América a projeção do mundo "espanhol".

188. Federico de Onís, *Antología de la poesía española e hispanoamericana (1882-1932)*. Nova York: Las Américas Publishing, 1961 [1934], pp. xxiii-xxiv.

189. Américo Castro, *De la edad conflictiva*. Madri: Taurus, 1961, p. 111.

190. Cito de seu artigo "Américo Castro: Los años de Princeton", em Vicente Lloréns, *Aspectos sociales de la literatura española* (Madri: Castalia, 1974, pp. 170 e 172).

191. Foi publicado primeiro na revista *Sur* em 1941, e logo mais incluído em seu livro *Otras inquisiciones*, em 1960. Ver a bibliografia em *Borges en Sur, 1931-1980*, org. de Sara Luisa del Carril e Mercedes Rubio de Socchi (Buenos Aires: Emecé, 1999). James Fernández trata do tema em "Las Américas de don Américo: Castro entre imperios", em Eduardo Subirats (Org.), *Américo Castro y la revisión de la memoria: El Islam en España* (Madri: Ediciones Libertarias, 2003, pp. 63-82). Fernández se refere ao contexto dos exilados da Guerra Civil, mas já vimos que por trás dos "alarmes" de Castro há uma longa história. Ver também Christopher Britt-Arredondo, *Quixotism: The Imaginative Denial of Spain's Loss of Empire* (Albany: State University of New York Press, 2005), tão sugestivo em tantos aspectos, sobretudo o "Supplement" e "Don Quixote in Exile and Spain's Ex-colonies", pp. 179-207. O autor se debruça sobre a trajetória de Castro, antes e depois da Guerra Civil, e comenta seu ensaio *La peculiaridad lingüística rioplatense*.

192. Jorge Luis Borges, *Obras completas*. Org. de Carlos V. Frías. Buenos Aires: Emecé, 1989, t. I, p. 271.

193. Américo Castro, *La realidad histórica de España*. 2. ed. México: Porrúa, 1962, p. 135. Acrescenta Castro, ainda: "Todos pertenciam à comunidade espanhola, porque certas pessoas de autoridade e prestígio — os reis de Castela, de Aragão e portanto da Espanha — haviam unido seus antepassados sob uma fé humano-divina, e os tinham lançado a altas empresas muito além das terras da metrópole" (pp. 135-6).

194. Cito da introdução à sua edição de *Poesía* (*1915-1956*), de Luis Palés Matos, org. de Federico de Onís (Río Piedras: Editorial Universitaria, 1957, p. 34).

195. Ibid., p. 35.

196. *Historia*, t. I, p. 325.

197. Ibid.

198. Alejandro Tapia y Rivera, *Biblioteca histórica de Puerto Rico*. 2. ed. San Juan: Instituto de Literatura, 1945, pp. 15 e 17.

199. Em seu ensaio "La cimarronería como herencia y utopía", ampliado e reelaborado em *Salsa, sabor y control: Sociología de la música tropical* (México, DF: Siglo XXI, 1999). José Juan Pérez Meléndez, num inteligente trabalho ainda inédito, trata não apenas dos silenciamentos, mas também de como a própria categoria *cimarrón* gerou diversas — e contraditórias — articulações da historiografia do século XX. José Juan Pérez Meléndez, *Naming the Maroon: A Problem in Caribbean Histories and Cultures*. Monografia de conclusão de curso, Departamento de História, Universidade de Princeton, 2005.

200. As zonas marginais do império exigem mais estudo, conquanto ofereçam toda espécie de dificuldades. Como observou Nicholas Thomas, as descrições específicas podem iluminar as formas diversas das práticas colonizadoras tanto como as anticolonialistas, que somente podem ser traçadas nas suas expressões particulares e concretas. Ver Nicholas Thomas, *Colonialism's Culture: Culture, Anthropology, Travel, Government* (Cambridge: Polity Press, 1994, pp. ix-x).

201. Remeto ao seu trabalho "DisemiNación", incluído em *El lugar de la cultura*, op. cit., p. 181.

202. Cita-o em *Historia*, t. I, p. 330. Menciona também que fora "continuada e anotada com sólida erudição em nossos dias por d. José Julián Acosta". Mas não diz que Acosta era um destacado abolicionista e que em suas "notas" formula suas críticas à escravidão e à censura colonial. As extensas "notas" de Acosta formam quase outro livro paralelo. Pode-se consultar a introdução de Gervasio L. García à nova edição da *Historia geográfica*: "Historiar bajo censura: La primera historia puertorriqueña", op. cit., pp. 9-31. "As 'Notas' de Acosta", escreve García, "constituem um ato paralelo que se justapõe ao principal e às vezes se desvia do modelo. Esse gesto editorial (em todo o sentido da palavra, pois

Acosta não apenas anotou a obra de Abbad como a imprimiu em sua própria prensa) mostrou uma das construções da memória e da identidade possíveis na sociedade colonial" (p. 9).

203. Cito da edição publicada por Doce Calles, que contém o estudo introdutório de García e as notas de Acosta. Cf. Fray Íñigo Abbad y Lasierra, *Historia geográfica, civil y natural de la isla de San Juan Bautista de Puerto-Rico*, op. cit., p. 493.

204. Ver sua introdução a *After Colonialism: Imperial Histories and Postcolonial Displacements* (Princeton: Princeton University Press, 1995, p. 3).

205. Fray Íñigo Abbad y Lasierra, *Historia geográfica, civil y natural de la isla de San Juan Bautista de Puerto-Rico*, op. cit., p. 503. É interessante constatar que para Paul Gilroy, empenhado na crítica às concepções estáticas e eurocêntricas da "cultura", o cronótopo do "barco" seja central para destacar a mobilidade e o intercâmbio de culturas. Ver Paul Gilroy, *The Black Atlantic: Modernity and Double Conscinousness* (Cambridge: Harvard University Press, 1994).

206. Fray Íñigo Abbad y Lasierra, *Historia geográfica, civil y natural de la isla de San Juan Bautista de Puerto-Rico*, op. cit., p. 318.

207. Para uma reflexão sobre a incorporação das práticas orais no campo letrado, é imprescindível a consulta a Antonio Cornejo Polar, *Escribir en el aire: Ensayo sobre la heterogeneidad socio-cultural en las literaturas andinas* (Lima: Editorial Horizonte, 1994). E também a David R. Olson e Nancy Torrance (Orgs.), *Cultura escrita y oralidad* (Barcelona: Gedisa, 1998). Ver além disso o ensaio "Buscando la consecuencia de la incorporación de la oralidad en los estudios literarios hispanoamericanos", de Ricardo J. Kaliman, em José Antonio Mazzotti e U. Juan Cevallos Aguilar (Orgs.), *Asedios a la heterogeneidad cultural*, op. cit., pp. 291-310.

208. São palavras de Dipesh Chakrabarty, ao colocar-se o problema dos limites do olhar externo: "Por que a história cultural se apodera de uma prática em particular — especialmente se é cruel ou violenta — e elabora muitos de seus próprios temas em torno dela? Essa é uma pergunta a que não se pode responder através das ciências sociais. Parece-me que é também dentro desse sentido literal que as práticas culturais possuem um lado *obscuro*. Não podemos penetrá-las com o olhar, não de todo". Dipesh Chakrabarty, "Modernity and the Past: A Critical Tribute to Ashis Nandy". In: Id., *Habitations of Modernity: Essays in the Wake of Subaltern Studies*. Chicago: The University of Chicago Press, 2002, pp. 45-6 (grifo meu).

209. Antonio Benítez Rojo, *La isla que se repite: El Caribe y la perspectiva posmoderna*. Hanôver: Ediciones del Norte, 1990, p. 241.

3. A GUERRA SIMBÓLICA: 1898 [pp. 188-203]

1. Os diários e seus correspondentes desempenharam um papel importante, e foi frequente a cumplicidade com os militares. Ver Charles H. Brown, *The Correspondents' War: Journalists in the Spanish-American War* (Nova York: Charles Scribner's Sons, 1967).

2. O historiador Gervasio L. García estudou o interesse norte-americano por Porto Rico em seu ensaio "*Strangers in Paradise?* Puerto Rico en la correspondencia de los cónsules norteamericanos (1869-1900)", em *El Caribe entre imperios* (*Coloquio de Princeton*), org. de Arcadio Díaz-Quiñones. Número especial de *Op. Cit.: Revista del Centro de Investigaciones Históricas* (Universidad de Puerto Rico, Río Piedras, n. 9, pp. 28-60, 1997).

3. Ver os livros *Cuba/España. España/Cuba: Historia común*, de Manuel Moreno Fraginals (Barcelona: Crítica, 1995), e *La guerra de Cuba (1895-1898)*, de Antonio Elorza e Elena Hernández Sandioca (Madri: Alianza, 1998).

4. Ver seu ensaio "La rendición de Santiago", em *Memoria del 98: De la guerra de Cuba a la Semana Trágica* (Madri: El País, 1997, pp. 133-7); e, no mesmo livro, de Agustín Sánchez Vidal, "Una nueva arma: El cine" (pp. 286-7). É indispensável o estudo de Charles Musser *The Emergence of Cinema: The American Screen to 1907*, v. 1 (Berkeley: University of California Press, 1990).

5. É de grande interesse o diário que Reid manteve como membro da delegação que negociou o tratado de paz em Paris. Ver *Making Peace with Spain: The Diary of Whitelaw Reid*, org. de H. Wayne Morgan (Austin: University of Texas Press, 1965).

6. Haveria que tomar em conta o clima imperial que predominava nas feiras e exposições. Ver Robert Rydell, *All the World's a Fair: Visions of Empire at American International Expositions 1876-1916* (Chicago: The University of Chicago Press, 1984).

7. Para o debate interno nos Estados Unidos, ver Robert Beisner, *Twelve against Empire* (Nova York: McGraw Hill, 1968), e E. Berkeley Thompkins, *Anti--Imperialism in the United States: The Great Debate, 1890-1920* (Filadélfia: University of Pennsylvania Press, 1970).

8. Ver *The History of Troop "A" New York Cavalry U. S. V. from May 2 to November 28, 1898 in the Spanish-American War*, org. de William C. Cammann e outros (Nova York: R. H. Russell, 1899).

9. Para uma história documentada do desenvolvimento do novo jornalismo de fim de século — especificamente durante a guerra de Cuba e das Filipinas —, ver, de Michael L. Carlebach, *American Photojournalism Comes of Age* (Washington: Smithsonian Institution Press, 1997).

10. Ver *Photojournalist: The Career of Jimmy Hare*, de Lewis L. Gould e Richard Greffe (Austin: University of Texas Press, 1977). Muito útil é também o catálogo de uma recente exposição de desenhos, aquarelas e cromolitografias produzidos durante a guerra: *"A Splendid Little War": The Spanish-American War, 1898. The Artists' Perspective*, de Peter Harrington e Frederic A. Sharf (Londres: Greenhill Books; Mechanicsburg: Stackpole, 1998).

11. O livro *The Romance of Reunion: Northerners and the South, 1865-1900*, de Nina Silber, propõe a guerra de Cuba como elemento central da reconciliação do Norte e do Sul. Dentre as inúmeras publicações fotográficas da Guerra Civil, ver a recente *The Photographic History of the Civil War*, org. de William C. Davis e Bell I. Wiley, 2 t. (Nova York: Black Dog & Leventhal Publishers, 1994).

12. Para dados biográficos e uma seleção das fotos de Doty, ver o excelente trabalho de Miguel A. Bretos "Imagining Cuba under the American Flag: Charles Edward Doty in Havana, 1899-1902" (*The Journal of Decorative and Propaganda Arts*, Miami, n. 22, pp. 82-103, 1996). A imagem do garrote aparece na p. 6 do caderno de imagens. As fotos são conservadas no National Anthropological Archives, Smithsonian Institution, Washington, DC.

13. Ver, de Lears, *Fables of Abundance: A Cultural History of Advertising in America* (Nova York: Basic Books, 1994).

14. Seu trabalho se intitula "The Undead: Photography in the Philippines under United States Rule, 1899-1920s". Foi lido no colóquio *1898: War, Literature and the Question of Pan-Americanism*, celebrado na Universidade de Princeton em março de 1998. Refiro-me ao texto então apresentado.

15. Ver o ensaio de Mitchell "The Photographic Essay: Four Case Studies", em *Picture Theory: Essays on Verbal and Visual Representation* (Chicago: The University of Chicago Press, 1994, pp. 281-322). Lanny Thompson publicou um ensaio em que examina uma das publicações: *Nuestra isla y su gente: La construcción del "otro" puertorriqueño en Our Islands and Their People* (Río Piedras: Centro de Investigaciones Sociales e Departamento de Historia de la Universidad de Puerto Rico, 1995).

16. Em seu ensaio sobre a fotografia, incluído no livro *The Mass Ornament: Weimar Essays*, trad. e org. de Thomas Y. Levin (Cambridge: Harvard University Press, 1995, pp. 47-63). Para um estudo amplo das relações entre imagem e história, ver Francis Haskell, *History and Its Images* (New Haven: Yale University Press, 1993).

17. Há informações e fotos de Dinwiddie no livro de Carlebach citado acima.

4. ESPIRITISMO E TRANSCULTURAÇÃO: FERNANDO ORTIZ E ALLAN KARDEC [pp. 204-25]

1. Para uma discussão detalhada e documentada da recepção de Ortiz e da genealogia da *transculturação*, ver o inteligente prólogo de Fernando Coronil à reimpressão da tradução inglesa do *Contrapunteo*. Cf. Fernando Coronil, "Introduction", em Fernando Ortiz, *Cuban Counterpoint: Tobacco and Sugar*, trad. de Harriet de Onís (Durham: Duke University Press, 1995, pp. ix-lvi). Uma inteligente reconsideração do uso do termo por Ángel Rama e outros, e sua ressemantização, encontra-se em Liliana Weinberg, "Ensayo y transculturación" (*Cuadernos Americanos* [Nueva época], v. 6, n. 96, pp. 31-47, nov./dez. 2002).

2. Para dados mais amplos, ver Araceli García-Carranza, Norma Suárez Suárez e Alberto Quesada Morales, *Cronología: Fernando Ortiz* (Havana: Fundación Fernando Ortiz, 1996). Ver também Araceli García-Carranza, *Bio-bibliografía de don Fernando Ortiz* (Havana: Biblioteca Nacional José Martí, 1970).

3. Um dos fundadores do Partido Liberal Autonomista de Cuba, Cabrera é autor de *Cuba y sus jueces* (1887). Fundou em Nova York a revista política, literária e cultural *Cuba y América* (1897-8; Havana, 1899-1917), na qual Ortiz chegou a colaborar. Cabrera foi além disso membro fundador da Academia de la Historia de Cuba (1910).

4. Nos *beginnings* de Ortiz há uma preocupação constante com a viabilidade do projeto republicano e com a "regeneração" depois da Guerra de Independência. Os anos pós-1898 são muito ricos em debates políticos. Um dos principais empenhos de Ortiz é definir o lugar e as qualidades da elite: esse é o lugar de onde escreve sobre a "tarefa regeneradora": "Dir-se-ia que nestas terras que o sol caldeia padecemos a enfermidade do sonho, a do sonho mais terrível, o sonho das almas [...]. Não se ouvem há anos os fragores da luta independentista, nem o estampido dos fuzis, nem o troar do canhões [...]. E para despertar dessa modorra que deixaram em nosso ânimo o veneno colonial e a embriaguez da liberação, mais que outros podem, e podem muito, os cubanos que, no ambiente frio das distantes terras setentrionais, ou no solitário gabinete de estudo, puderam temperar suas vontades e aproximar sua inteligência. Certamente, mas saiba-se, assim mesmo, que em sociedades semeadas de democracia como a nossa, onde por várias causas a aristocracia mental é escassa e débil, não poderá germinar a cultura sem que todos, tanto os grandes do pensamento e da ação quanto os pequenos e humildes trabalhadores, nos brindemos a tarefa regeneradora". Fernando Ortiz, *Entre cubanos: Psicología tropical*. Havana: Editorial de Ciencias Sociales, 1986 [1913], pp. 1-3.

5. Carlos del Toro González documenta o papel de Ortiz durante a primeira etapa da Institución Hispanocubana de Cultura, interrompida por seu exílio durante a ditadura de Gerardo Machado (1929-33). Quando regressou a Cuba em 1933, retomaram-se as atividades da instituição. Colaborou, além disso, com a revista *Cuba Contemporánea*. Sobre essa publicação, ver Ann Wright, "Intellectuals of an Unheroic Period of Cuban History, 1919-1923: The *Cuba Contemporánea* Group" (*Bulletin of Latin American Research*, v. 7, n. 1, pp. 109-22, 1998). Sobre o papel de Ortiz nos anos da Comissão Crowder e da reforma eleitoral, ver também Luis A. Pérez, *Cuba Under the Platt Amendment 1902-1934* (Pittsburgh: Pittsburgh University Press, 1986). [A Emenda Platt estabelecera, em 1901, as condições para a extensão do poder norte-americano em solo cubano depois do fim da guerra com a Espanha, em 1898, e marcaria as relações desiguais entre os dois países por várias décadas. (N. T.)] A capacidade de Ortiz de convocar o campo intelectual se confirma, também, no "Manifiesto" de 1923 da Junta Cubana de Renovación Nacional.

6. Durante as últimas décadas do século XIX deu-se uma extraordinária atividade na Europa, destinada a reformar os sistemas penais. O debate envolveu médicos, filósofos, juristas e advogados progressistas, que criaram as bases para uma reforma penal baseada no saber criminológico. Aí teve grande importância *L'uomo delinquente* (1876; 1878), de Lombroso, baseado no estudo de reclusos nas prisões italianas, em que se explica a criminalidade pela "regressão" hereditária e também por doenças como a epilepsia. O livro gerou um extenso debate em torno das noções de "atavismo", das determinações genéticas da criminalidade e da "degeneração". Ver, entre outros, Robert A. Nye, *Crime, Madness, and Politics in Modern France: The Medical Concept of National Decline* (Princeton: Princeton University Press, 1984, especialmente pp. 97-116), e Marie-Christine Leps, *Apprehending the Criminal: The Production of Deviance in Nineteenth-Century Discourse* (Durham: Duke University Press, 1992). Os trabalhos de Hugo Vezzetti em torno do "nascimento" da psicologia na Argentina iluminam esse debate. Cf. Hugo Vezzetti, *La locura en la Argentina* (Buenos Aires: Paidós, 1985); Hugo Vezzetti (Org.), *El nacimiento de la psicología en la Argentina* (Buenos Aires: Puntosur, 1988).

7. Ver, por exemplo, Jorge Ibarra, "La herencia científica de Fernando Ortiz" (*Revista Iberoamericana*, n. 56, pp. 1339-51, 1990). Nesse trabalho, a *transculturación* é lida como uma superação dialética de suas concepções anteriores. É verdade que Ibarra percebe uma dimensão especial nos primeiros textos de Ortiz, mas não a desenvolve: "Por suas concepções gerais e sua prudência metodológica, Ortiz se aproximava mais de Marcel Mauss que dos evolucionistas e dos difusionistas. Como o etnólogo francês, tinha uma aguda consciência das relações entre os fenômenos sociológicos e psicológicos" (p. 1342). Entretan-

to, Ibarra não atribui importância à tradição iniciada por Kardec. São também relevantes: Thomas Bremer, "The Constitution of Alterity: Fernando Ortiz and the Beginnings of Latin-American Ethnography Out of the Spirit of Italian Criminology", em Thomas Bremer e Ulrich Fleischmann (Orgs.), *Alternative Cultures in the Caribbean, First International Conference of the Society of Caribbean Research, Berlin 1988* (Frankfurt: Vervuert, 1993, pp. 119-29); Antonio Melis, "Fernando Ortiz y el mundo afrocubano: Desde la criminología lombrosiana hasta el concepto de transculturación", em Titus Heydenreich (Org.), *Cuba: Geschichte-Wirtschaft-Kultur*, Lateinamerika Studien, n. 23 (Frankfurt: Vervuert, 1987, pp. 169-81). Para a introdução de Lombroso em Cuba, ver Pedro M. Pruna e Armando García González (Orgs.), *Darwinismo y sociedad en Cuba: Siglo XIX* (Madri: Consejo Superior de Investigaciones Científicas, 1989).

8. Para o estudo de Nina Rodrigues, ver Roberto Ventura, *Estilo tropical: História cultural e polêmicas literárias no Brasil, 1870-1914* (São Paulo: Companhia das Letras, 1991). Por outro lado, Ricardo D. Salvatore estuda a apropriação da criminologia no Brasil e na Argentina, e como o contexto social e racial gerou diversos projetos de reforma, no ensaio "Penitentiaries, Visions of Class, and Export Economies: Brazil and Argentina Compared", em Ricardo D. Salvatore e Carlos Aguirre (Orgs.), *The Birth of the Penitentiary in Latin America: Essays on Criminology, Prison Reform, and Social Control, 1830-1940* (Austin: University of Texas Press, 1996). Haveria, além disso, que situar Ortiz no contexto da guerra racial de 1912 em Cuba contra o Partido Independiente de Color, quando os veteranos negros da Guerra de Independência reclamaram seu próprio espaço político e foram reprimidos de maneira impiedosa. O livro *Our Rightful Share: The Afro-Cuban Struggle for Equality, 1886-1912* (Chapel Hill: The University of North Carolina Press, 1995), de Aline Helg, inclui um estudo das "fontes" jornalísticas legitimadas em *Los negros brujos* na etapa prévia àquela guerra. Dois trabalhos recolocam de distintos ângulos os conflitos de raça e nacionalidade em Cuba: Rebecca J. Scott, "Raza, clase y acción colectiva en Cuba, 1895-1902: La formación de alianzas interraciales en el mundo de la caña", em *El Caribe entre imperios, Op. Cit.: Revista del Centro de Investigaciones Históricas de la Universidad de Puerto Rico*, op. cit., pp. 131-62; e os vigorosos comentários relativos à exclusão de Antonio Benítez Rojo no ensaio "La cuestión del negro en tres momentos del nacionalismo literario cubano", em *El Caribe entre imperios, Op. Cit.: Revista del Centro de Investigaciones Históricas de la Universidad de Puerto Rico*, op. cit., pp. 275-85. Para a complexidade do contexto específico, ver os valiosos trabalhos reunidos por Fernando Martínez Heredia, Rebecca J. Scott e Orlando García Martínez (Orgs.) em *Espacios, silencios y los sentidos de la libertad: Cuba entre 1878 y 1912* (Havana: Ediciones Unión, 2001).

9. Em outro momento haveria que estudar mais detidamente a recepção do espiritismo e das tradições ocultistas no campo intelectual, sobretudo entre escritores finisseculares. Ver, por exemplo, María Teresa Gramuglio, "Estudio preliminar", em Leopoldo Lugones, *El ángel de la sombra* (Buenos Aires: Losada, 1994, pp. 7-21). Ver ainda o importante livro de Cathy L. Jrade *Rubén Darío and the Romantic Search for Unity: The Modernist Recourse to Esoteric Tradition* (Austin: University of Texas Press, 1983), em que ela mostra as marcas da tradição esotérica em Rubén Darío. Kardec, por sua vez, foi profusamente traduzido e difundido na Espanha e na América no século XIX, em grande medida graças ao trabalho da Sociedad Barcelonesa Propagadora del Espiritismo. Essas traduções tiveram rápida acolhida por parte de um público cada vez mais amplo, na Espanha e na América, sobretudo *El Evangelio según el espiritismo*, que foi reimpresso continuamente até bem entrado o século XX e tornou-se livro de cabeceira de muitas famílias. Ainda que se tratasse de leituras populares, o espiritismo se estendeu poderosamente pelos círculos intelectuais da América. Sobre o caso brasileiro, ver David J. Hess, *Spirits and Scientists: Ideology, Spiritism, and Brazilian Culture* (University Park: The Pennsylvania State University Press, 1991). Para o caso cubano, ver Aníbal Argüelles Mederos e Ileana Hodge Limonta, *Los llamados cultos sincréticos y el espiritismo* (Havana: Editorial Academia, 1991). Grande quantidade de informações é encontrada em Néstor A. Rodríguez Escudero, *Historia del espiritismo en Puerto Rico* (Havana: Editorial de Ciencias Sociales, 1973). Seria igualmente importante ressaltar que o espiritismo esteve com frequência associado a movimentos políticos. Carlos Monsiváis me recordou, por exemplo, o peso do espiritismo de Kardec no projeto político do mexicano Francisco Madero, o que foi desenvolvido por Rafael Rojas em "La política como martirio: Sacrificios paralelos" (*Nómada*, n. 2, pp. 11-7, out. 1995). Nesse ensaio, Rojas estuda os casos de Martí e Madero. Do mesmo modo, é de grande interesse o marco espiritualista que Frederick B. Pike reconstrói no caso do peruano Haya de la Torre em *The Politics of the Miraculous in Peru: Haya de la Torre and the Spiritualist Tradition* (Lincoln: University of Nebraska Press, 1986). O espiritismo é uma de várias correntes espiritualistas que só conhecemos de maneira fragmentária.

10. Há uma edição de 1915 publicada em Havana (mesmo ano em que são publicados *Los negros esclavos* e *La identificación dactiloscópica: Estudio de policiología y derecho público*). O livro teve uma difusão notável. Há outra edição espanhola de 1924, na Biblioteca Jurídica de Autores Españoles y Extranjeros. Logo mais foi publicado em Buenos Aires pela Editorial Victor Hugo (1950), na série "Filosofía y Doctrina".

11. Fernando Ortiz, "Las fases de la evolución religiosa". *Revista Bimestre Cubana*, v. 14, n. 2, p. 80, 1919.

12. Miguel de Carrión, "El Doctor Ortiz Fernández". *Azul y Rojo*, v. 24, n. 14, pp. 5-6, jun. 1903.

13. Fernando Ortiz, "Las fases de la evolución religiosa", op. cit., p. 68.

14. A formação de Ortiz, por um lado, coincidiu com o contexto do "descobrimento" imperialista da África, o darwinismo social, a modernização dos sistemas de controle e vigilância, o desenvolvimento da criminologia como ciência e a mistura de esteticismo e violência que caracterizou a apropriação do mundo "primitivo" na modernidade. Ver, entre outros, a compilação de ensaios feita por Elazar Barkan e Ronald Bush (Orgs.), *Prehistories of the Future: The Primitivist Project and the Culture of Modernism* (Stanford: Stanford University Press, 1995). Ver também James Clifford, "Histories of the Tribal and the Modern", em *The Predicament of Culture* (Cambridge: Harvard University Press, 1988). Ver ainda William Rubin (Org.), *Primitivism in 20th Century Art: Affinities of the Tribal and the Modern* (Nova York: Museum of Modern Art, 1984).

15. Aline Helg comenta a repercussão desse corpus e a relação entre os relatos estigmatizantes, os medos sociais e as teorizações de Ortiz: "A imprensa, ao reportar simultaneamente incidentes similares — muitos dos quais ela negaria mais tarde —, reforçava a impressão de que toda família branca era vulnerável aos criminosos negros. Como resultado, em novembro e dezembro de 1904, a *brujería* parecia atacar os brancos cubanos por todos os lados, embora as investigações que corriam parecessem nunca comprovar as acusações. Sozinho durante esses dois meses, Fernando Ortiz, que se opunha fortemente à *brujería*, colecionou reportagens sobre as atividades dos bruxos em nove diferentes vilarejos e cidades por toda a ilha, exceto no leste". Aline Helg, *Our Rightful Share: The Afro-Cuban Struggle for Equality, 1886-1912*, op. cit., pp. 111-2.

16. Sobre o atavismo, Stephen Jay Gould, *The Mismeasure of Man* (Nova York: Norton, 1981, pp. 122-7). É claro que o debate em torno do atavismo e da "degeneração" foi muito intenso ainda entre os seguidores de Lombroso. Giuseppe Sergi, por exemplo, muito citado por Ortiz, centrou a discussão no conceito de "degeneração" mais que no atavismo: "Chamo degenerados a todos aqueles seres humanos que, ainda que sobrevivam na luta pela existência, são débeis e portam os sinais mais ou menos manifestos de sua debilidade, tanto nas suas forças físicas como no modo de atuar; e chamo degeneração ao fato de que, ainda que os indivíduos e seus descendentes não morram na luta pela existência, sobrevivem em condições inferiores e são pouco aptos para os fenômenos da luta seguinte". Ver Renzo Villa, *Il deviante e i suoi segni: Lombroso e la nascita dell'antropologia criminale* (Milão: Franco Angeli, 1985, p. 179).

17. Fernando Ortiz, *Hampa afrocubana. Los negros brujos: Apuntes para un estudio de etnología criminal*. Org. de Alberto N. Palies. Miami: Universal, 1973, [1906], pp. 230-1.

18. A lei do progresso é a fundamentação do credo reencarnacionista de Kardec, que explicaria as desigualdades próprias ao mundo. O texto de Kardec em espanhol diz: "*El principio de la reencarnacion es una consecuencia fatal de la ley del progreso. Sin ella, cómo explicar la diferencia que existe entre el estado social actual y el de los tiempos de la barbarie?*" [O princípio da reencarnação é uma consequência fatal da lei do progresso. Sem ela, como explicar a diferença que existe entre o estado social atual e o dos tiempos da barbárie?]. (Nesta e em outras citações das traduções de Kardec foram conservadas a grafia e a pontuação do original em espanhol.) Allan Kardec, *El Génesis, los milagros y las predicciones según el espiritismo*. Trad. da 2. ed. francesa. Barcelona: Sociedad Barcelonesa Propagadora del Espiritismo, 1871, p. 252. Isso é sem dúvida o que Ortiz quis expressar quando escreveu sobre o télos dessa ética em "Las fases de la evolución religiosa": "O credo reencarnacionista, revivido de dogmas indostânicos e egípcios, é o único que no campo da mítica resolve esse grande problema ético-religioso, com seus sistemas da pluralidade de vidas e de prêmios e castigos por existências passadas e em sucessivas vidas vindouras". Fernando Ortiz, "Las fases de evolución religiosa", op. cit., p. 78. As vidas futuras, resultado de um processo de provas e purificação que leva a uma constante renovação, farão justiça aos espíritos.

19. Fernando Ortiz, "La filosofía penal de los espiritistas". *Revista Bimestre Cubana*, v. 9, n. 1, p. 30, 1914.

20. Ver Zenaida Gutiérrez-Vega (Org.), *Fernando Ortiz en sus cartas a José María Chacón: 1914-1936* (Madri: Fundación Universitaria, 1982, pp. 35-6). A ambivalência de Ortiz e sua aversão ao "curandeirismo supersticioso" não chegavam a comprometer seu respeito pela doutrina de Kardec, como se pode constatar em "Las fases de la evolución religiosa", conferência destinada, recordemos, a um público que não era a clássica audiência minoritária da alta cultura. Ali, afirmou: "Não sou espírita! Se o fosse, não o ocultaria no segredo do lar, nem teria por que corar por sê-lo. Tantos homens de ciência professam essa fé, que a seu lado estaria bem acompanhado!". Fernando Ortiz, "Las fases de evolución religiosa", op. cit., p. 66. Tais declarações são interessantes, precisamente pela sua ambiguidade. Tal preocupação salta à vista no entanto em 1990, nos acordos adotados pelo Congreso Espiritista Panamericano ocorrido em Caracas: "Declara que o espiritismo é uma ciência experimental, a qual oferece à humanidade uma filosofia moral [...] incompatível com os ritualismos [...] e com publicações mediúnicas desprovidas de qualidade científica e filosófica". Cf. Néstor A. Rodríguez Escudero, *Historia del espiritismo en Puerto Rico*, op. cit., p. 343.

21. Fernando Ortiz, "La filosofía penal de los espiritistas", op. cit., pp. 30-1.

22. As coincidências e semelhanças são muitas, como se Ortiz quisesse identificar cuidadosamente o intenso intercâmbio entre as perspectivas da cri-

minologia — de legalidade epistemológica muito clara — e a trama prescritiva de Kardec. Em *El Evangelio según el espiritismo* (México: Editorial Diana, 1961, p. 41), Kardec escreve: "*La ciencia y la religión son las dos palancas de la inteligencia humana; la una revela las leyes del mundo material, la otra las leyes del mundo moral* [...] *la ciencia, cesando de ser exclusivamente materialista, debe tomar en cuenta el elemento espiritual*" [A ciência e a religião são as duas alavancas da inteligência humana; uma revela as leis do mundo material, a outra, as leis do mundo moral (...) a ciência, deixando de ser exclusivamente materialista, deve tomar em conta o elemento moral]. A exposição de Ortiz revela um nexo mais estreito que o simples compartilhamento de tradições, porque se funda numa concepção de forte tom pessoal para um meio excepcionalmente receptivo à doutrina kardecista. Por outro lado, não nos deve surpreender que assim seja. Muitos positivistas, como sugeriu Hugo Vezzetti em reunião na Universidad de Quilmes, de 7 a 10 de outubro de 1997, andavam em busca de dimensões espirituais e psicológicas. Inclusive o termo "alma" não era de nenhum modo alheio a essas buscas. Creio que as observações de Vezzetti são válidas e delas surge todo um leque de questões. Mas o certo é que Ortiz, quando fala do espiritismo, propõe retoricamente a necessidade de harmonizar os contrários. Por isso refiro-me ao tópos da *coincidentia oppositorum* que se converteu em centro da poética de Ortiz, isto é, converteu-se em escritura. Esse funcionamento retórico culmina na irônica arquetipificação que constitui o *Contrapunteo*, em que os contrários se cruzam, se vinculam e se respondem.

23. Em *La Reconquista de América*, Ortiz reuniu artigos publicados na *Revista Bimestre Cubana* e em *El Tiempo*. Trata-se de um amplo ataque aos projetos "hispanistas" do governo espanhol e de intelectuais como Rafael Altamira, que impulsionaram na América a criação de instituições de intercâmbio cultural com a Espanha. Ortiz polemiza com o "*panhispanismo*", e além disso desconstrói a noção de "raça" empregada pelos intelectuais peninsulares, assinalando as implicações tanto do "*panhispanismo*" como do "*pan-negrismo*": "Pois o hispano-americanismo, a rigor equivalente a um afro-cubanismo, e o pan-hispanismo cientificamente equivalem a um pan-negrismo. A força do sangue que nestes absolutamente não se manifesta em relação à África não tem razão biológica de manifestar-se entre os nativos da América em relação à Espanha". Fernando Ortiz, *La reconquista de América: Reflexiones sobre el panhispanismo*. Paris: Librería Paul Ollendorff, 1911, pp. 39-40.

24. Nos textos de Kardec define-se nitidamente o lugar de cada um dos espíritos, que formam uma hierarquia de linhagens à qual Ortiz faz eco. Segundo Kardec, cada "encarnado" tem sua missão: "*Las atribuciones de los Espíritus son proporcionadas a su adelantamiento, á las luces que poseen, á sus capacidades, á su experiencia y al grado de confianza que inspiran al Soberano Señor* [...]. *Así*

como las grandes misiones son confiadas á los Espíritus superiores, las hay de todos los grados de importancias, destinadas á los Espíritus de varios rangos; de lo que puede deducirse que cada encarnado tiene la suya, es decir, deberes que llenar, para el bien de sus semejantes, desde el padre de familia á quien incumbe el cuidado de hacer progresar á sus hijos, hasta el hombre de génio que derrama en la sociedad nuevos elementos de progreso" [As atribuições dos Espíritos são proporcionais a seu adiantamento, às luzes que possuem, a suas capacidades, a sua experiência e ao grau de confiança que inspiram ao Soberano Senhor (...). Assim como as grandes missões são confiadas aos Espíritos superiores, as há de todos os graus de importância, destinadas aos Espíritos de vários níveis; donde se pode deduzir que cada encarnado tem a sua, isto é, deveres a cumprir, para o bem de seus semelhantes, do pai de família a quem cabe o cuidado de fazer progredir seus filhos, ao homem de gênio que derrama sobre a sociedade novos elementos de progresso]. Allan Kardec, *El cielo y el infierno ó la justicia divina, según el espiritismo*. Trad. da 4. ed. francesa. Barcelona: Sociedad Barcelonesa Propagadora del Espiritismo, 1871, pp. 30-1.

25. Os princípios ilustrados e a capacidade discursiva são sinais de superioridade espiritual para Kardec, que os expressa numa linguagem que tem evocações apostólicas: "*Se reconoce la cualidad de los Espíritus en su lenguaje; el de los Espíritus verdaderamente buenos y superiores, es siempre digno, noble, lógico, exento de contradicción; respira sabiduría, benevolencia, modestia y la más pura moral; es conciso y sin palabras inútiles. Entre los Espíritus inferiores, ignorantes ú orgullosos, el vacío de las ideas está casi siempre compensado por la abundancia de las palabras*" [Se reconhece a qualidade dos Espíritos em sua linguagem; a dos Espíritos verdadeiramente bons e superiores é sempre digna, nobre, lógica, isenta de contradição; respira sabedoria, benevolência, modéstia e a mais pura moral; é concisa e sem palavras inúteis. Entre os Espíritos inferiores, ignorantes ou orgulhosos, o vazio das ideias é quase sempre compensado pela abundância das palavras]. Ibid., p. 175. Esses princípios são o fundamento da tradução que faz Ortiz, para quem o "dom das línguas" é central. Poder-se-ia comparar a concepção da elite de Ortiz, e sua função no projeto moderno de nação, com o caso do argentino José Ingenieros e o desenvolvimento da noção do ideal como patrimônio de uma minoria seleta que aparece em escritos como *El hombre mediocre*. Para esse aspecto, são indispensáveis os trabalhos de Oscar Terán sobre Ingenieros em *En busca de la ideología argentina* (Buenos Aires: Catálogos, 1986).

26. Seria útil neste ponto comparar a função das medidas disciplinares e os dispositivos institucionais criados para a "integração nacional" em situações como a cubana e a italiana, e concretamente o papel decisivo que exerceu Lombroso. Como diz Daniel Pick ao resumir a função da criminologia na Itália,

"para os intelectuais do período pós-unificação na Itália, restava uma contradição gritante entre a conquista da nação e as realidades sociais de divisão e fragmentação, a miríade de culturas e subculturas, línguas separadas, costumes, economias, mundos pelos quais a Itália era constituída e ameaçada. Daí a eficácia de um modelo social evolucionista que mantinha todos aqueles processos contraditórios dentro da unidade de uma única teoria histórico-política". Daniel Pick, "The Faces of Anarchy: Lombroso and the Politics of Criminal Science in Post-Unification Italy". *History Workshop. A Journal of Socialist and Feminist Historians*, n. 21, pp. 74-5, 1986.

27. Fernando Ortiz, "La filosofía penal de los espiritistas", op. cit., v. 9, n. 2, p. 130.

28. Ibid., p. 131.

29. Kardec emprega o conceito de "renovação", tão importante como a ideia de "progresso moral". A dimensão utópica — espiritual e política — do espiritismo terminava por ser muito atrativa para Ortiz, e é fundamental para entender seu pensamento desde uma nova perspectiva crítica. Escreve Kardec, por exemplo: "*En esta ocasion no se trata de un cambio parcial, de una renovación limitada á un país, a una nación ó á una raza. Es un movimiento universal el que se verifica en sentido del progreso moral. Un nuevo orden de cosas tiende á establecerse, y los mismos que á ello se oponen con más empeño, coadyuvan a él sin saberlo*" [Nesta ocasião não se trata de uma mudança parcial, de uma renovação limitada a um país, a uma nação ou a uma raça. É um movimento universal que se verifica no sentido do progresso moral. Uma nova ordem de coisas tende a estabelecer-se, e os mesmos que a ela se opõem com mais empenho ajudam-no sem sabê-lo]. Allan Kardec, *El Génesis*, op. cit., pp. 464-5. Em outras passagens, Kardec fala explicitamente de "*regeneración*", sempre dentro do marco de uma hierarquia espiritual: "*No es el espiritismo el que crea y determina la renovación social, es la madurez de la humanidad la que hace de esta renovación una necesidad imperiosa* [...]. *Al decir que la humanidad está madura para la regeneración, no se entienda que todos los individuos lo están en el mismo grado; pero muchos tienen por intuición el germen de las nuevas ideas, que las circunstancias harán brotar, y entonces se mostrarán más adelantados de lo que se suponía y seguirán sin violencia ya que no con entusiasmo el impulso de la mayoría*" [Não é o espiritismo que cria e determina a renovação social, é a maturidade da humanidade que faz dessa renovação uma necessidade imperiosa (...). Ao dizer que a humanidade está madura para a regeneração, não se entenda que todos os indivíduos o estão no mesmo grau; mas muitos têm por intuição o gérmen das novas ideias, que as circunstâncias farão brotar, e então se mostrarão mais adiantados do que se supunha e seguirão sem violência, já que não com entusiasmo, o impulso da maioria]. Ibid., pp. 478-9.

30. Fernando Ortiz, "La filosofía penal de los espiritistas", op. cit., v. 9, n. 2, p. 131.

31. Ibid., v. 9, n. 4, p. 261.

32. Tal progresso é regido, segundo a doutrina de Kardec, por leis espirituais e materiais. O espírito não morre nunca: essa crença é um dos pilares do espiritismo. Kardec escreve: "*El espíritu no es otra cosa que el alma que sobrevive al cuerpo; el ser principal, puesto que no muere, mientras que el cuerpo no es sino un accesorio que se destruye. Su existencia es, pues, tan natural despues como durante la encarnacion; está sometido á las leyes que rigen el mundo espiritual, como el cuerpo está sometido á las leyes que rigen el principio material*" [O espírito não é outra coisa que a alma que sobrevive ao corpo; o ser principal, posto que não morre, enquanto o corpo não é senão um acessório que se destrói. Sua existência é, portanto, tão natural depois como durante a encarnação; está submetido às leis que regem o mundo espiritual, como o corpo está submetido às leis que regem o princípio material]. Allan Kardec, *El Génesis*, op. cit., p. 298. A espiritualidade e a materialidade são, pois, partes de um todo.

33. Grifo meu. Este mesmo parágrafo aparece reutilizado no *Contrapunteo* como parte da conceituação da transculturação. No importante livro *Historia de una pelea cubana contra los demonios*, de Ortiz, há referências ao espiritismo e às doutrinas reencarnacionistas que seria necessário rastrear de maneira sistemática. Ainda que não mencione a marca de Kardec, Pérez Firmat destaca a importância da "transição" e "passagem" a uma fusão sempre diferida, no uso teórico que Ortiz faz da transculturação. Ver Gustavo Pérez Firmat, *The Cuban Condition: Translation and Identity in Modern Cuban Literature* (Cambridge: Cambridge University Press, 1989, pp. 23-5). Seria necessário também examinar com mais vagar o modo como se complexifica e se enriquece a redefinição da nação como um espaço de constantes fluxos migratórios, uma nação feita de tempos e lugares muito diversos, o que é um dos sentidos da *transculturação*. O que Ortiz descobre não é a "unidade" do "povo" cubano inscrita na necessidade histórica, mas seu múltiplo devir e sua potencialidade no marco do "progresso" espiritual. A nação não "progride" de modo unilinear, mas com avanços e atrasos — e *contrapunteos* — espirituais.

34. Fernando Ortiz, "La cubanidad y los negros". *Estudios Afrocubanos*, n. 3, pp. 11-2, 1939.

Créditos das imagens

1 e 6: Trumbull White. *Our New Possesions*. Chicago: J. H. Moore & Co., 1898.

2, 3, 9 e 20: Coleção da família McConnie, San Juan, Porto Rico.

4, 13 e 16: *Greater America*. Londres: F. Tennyson Neely, 1898, s.n.

5, 8, 10 e 17: José de Olivares. *Our Islands and Their People as Seen with Camera and Pencil; Introduced by Major-General Joseph Wheeler*. William S. Bryan, 2. ed. St. Louis; Nova York: N. D. Thompson Publishing Co., [1899-1900].

7: National Anthropological Archives, Smithsonian Institution, Washington, DC, Photographic Lot 73-26A. Reproduzido aqui por cortesia do Smithsonian Institution.

11: *Photographic History of the War with Spain*. Introd. major-general Joseph Wheeler. Baltimore: R. H. Woodward Company, 1898, s.n.

12: *Harper's Weekly*, 6 maio 1899.

14: *Bailey K. Ashford: A Soldier in Science*. Nova York: William Morrow and Co., 1934.

15: *History of Troop "A" New York Cavalry U.S.V. from May 2 to November 28, 1898 in the Spanish-American War*, org. William C. Cammann et al. Nova York: R. H. Russell, 1899.

18: W. A. Rogers na capa da *Harper's Weekly*, 27 ago. 1898.

19: *Harper's Weekly*, 1899.

ESTA OBRA FOI COMPOSTA POR ACOMTE EM MINION E
IMPRESSA PELA RR DONNELLEY EM OFSETE SOBRE PAPEL PÓLEN
SOFT DA SUZANO PAPEL E CELULOSE PARA A
EDITORA SCHWARCZ EM MAIO DE 2016